O Ano da Graça
(The Grace Year)

KIM LIGGETT

O Ano da Graça
(*The Grace Year*)

KIM LIGGETT

Tradução
Sofia Soter

Copyright © 2019 by Kim Liggett
Copyright da tradução © 2019 by Editora Globo S.A.

Todos os direitos reservados. Nenhuma parte desta edição pode ser utilizada ou reproduzida — em qualquer meio ou forma, seja mecânico ou eletrônico, fotocópia, gravação etc. — nem apropriada ou estocada em sistema de banco de dados sem a expressa autorização da editora.

Título original: *The Grace Year*

Editora responsável **Veronica Armiliato Gonzalez**
Assistente editorial **Júlia Ribeiro**
Diagramação **Renata Zucchini** e **Douglas Watanabe**
Projeto gráfico original **Laboratório Secreto**
Revisão **Maria Marta Cursino**
Capa **Priscila Barbosa**

Texto fixado conforme as regras do Acordo Ortográfico da Língua Portuguesa (Decreto Legislativo nº 54, de 1995).

**Trecho de *O conto da Aia* retirado da edição da Rocco, 2017, tradução de Ana Deiró.
Trecho de *O senhor das moscas*: tradução livre**

CIP-BRASIL. CATALOGAÇÃO NA FONTE
SINDICATO NACIONAL DOS EDITORES DE LIVROS, RJ

L691a

    Liggett, Kim
    O ano da graça / Kim Liggett ; tradução Sofia Soter.
    1. ed. - São Paulo : Globo Alt, 2019.
    356 p. ; 23 cm.

    Tradução de: The grace year
    ISBN 978-65-80775-04-0

    1. Romance. 2. Literatura juvenil americana. I. Soter, Sofia. II. Título.

19-59724
    CDD: 808.899283
    CDU: 82-93(73)

1ª edição, 2019

Direitos de edição em língua portuguesa para o Brasil
adquiridos por Editora Globo S.A.
R. Marquês de Pombal, 25
20.230-240 — Rio de Janeiro — RJ — Brasil
www.globolivros.com.br

*Para as filhas do mundo
e aqueles que as veneram.*

Um rato num labirinto está livre para ir a qualquer lugar,
desde que permaneça dentro do labirinto.
— Margaret Atwood, *O conto da Aia*

Talvez haja uma fera… talvez sejamos nós.
— William Golding, *O senhor das moscas*

Ninguém fala do Ano da Graça.
É proibido.

Nos dizem que temos o poder de fazer homens adultos saírem de suas camas, deixar garotos alucinados e enlouquecer as esposas de tanto ciúme. Acreditam que nossa pele emana um afrodisíaco poderoso, a essência potente da juventude, de uma menina à beira de se tornar mulher. É por isso que somos banidas aos dezesseis anos, para liberarmos nossa magia na natureza antes de voltarmos à civilização.

No entanto, não me sinto poderosa.

Não me sinto mágica.

Falar do Ano da Graça é proibido, mas isso não me impediu de ir atrás de pistas.

Um deslize entre apaixonados no campo, uma história infantil assustadora que de história não tem nada, olhares conspiratórios escondidos na frieza das mulheres no mercado – mas que não revelam coisa alguma.

A verdade sobre o Ano da Graça, sobre o que acontece durante esse ano de sombra, fica escondida nos leves vestígios ao redor das mulheres quando acham que ninguém está olhando. Mas eu sempre estou olhando.

O deslizar de um xale, desvelando cicatrizes num ombro sob a lua de outono.

O toque assombrado de dedos no lago, esperando as ondulações desaparecerem no escuro.

Os olhares distantes, a quilômetros daqui. Espantados. Horrorizados.

Eu achava que esta era a minha magia – o poder de ver o que os outros não viam, o que não queriam admitir nem para si próprios. Mas, para isso, é preciso apenas abrir os olhos.

Meus olhos estão abertos.

OUTONO

Eu a sigo pela floresta, numa trilha gasta que já vi mil vezes. Samambaias, orquídeas e cardos, as flores vermelhas misteriosas pintando o caminho. Cinco pétalas, perfeitamente formadas, como se feitas só para nós. Uma pétala para as garotas do Ano da Graça, uma para as esposas, uma para as trabalhadoras, uma para as mulheres das margens e uma para ela.

A garota olha para mim por cima do ombro, com aquele seu sorriso confiante. Ela me lembra alguém, mas não consigo recordar o nome ou o rosto. Talvez seja alguém de uma lembrança há muito esquecida, de uma vida passada, quem sabe uma irmã mais nova que nunca conheci. Rosto em formato de coração, uma manchinha vermelha sob o olho direito. Traços delicados, como os meus, mas não há delicadeza alguma nela. Seus olhos cinzentos como aço demonstram certa ferocidade. Seu cabelo escuro foi raspado rente ao couro cabeludo. Por punição ou rebeldia, não sei dizer. Eu não a conheço, mas, estranhamente, sei que a amo. Não é um amor como o que meu pai sente por minha mãe, é puro e protetor, como o que senti pelos sabiás que criei no inverno.

Chegamos à clareira, onde mulheres de todo tipo estão reunidas, com a pequena flor vermelha presa acima do coração. Não há confrontos nem olhares agressivos; todas permanecem em paz.

União. Somos irmãs, filhas, mães, avós, unidas por uma necessidade comum, maior que nós mesmas.

— Somos o sexo frágil. Frágil não mais — diz a garota.

As mulheres respondem com um urro selvagem.

Mas não sinto medo. Só sinto orgulho. É ela, a garota. É ela quem vai mudar tudo e, de algum modo, sou parte disso.

— Esta trilha foi calçada em sangue, o sangue das nossas, mas não foi em vão. Hoje, o Ano da Graça chega ao fim.

Quando solto o ar, me vejo não na floresta, não com a garota, mas aqui, neste quarto sufocante, na minha cama, observada pelas minhas irmãs.

— O que ela disse? — pergunta minha irmã mais velha, Ivy, corada.

— Nada — June responde, apertando o punho de Ivy. — Não ouvimos nada.

Quando minha mãe entra no quarto, minhas irmãs mais novas, Clara e Penny, me cutucam para fora da cama. Olho para June, para agradecê-la por conter a situação, mas ela não me olha de volta. Ela não quer, ou não pode. Não sei o que é pior.

Somos proibidas de sonhar. Os homens acreditam que os sonhos são uma forma de escondermos nossa magia. Sonhar por si só já bastaria para que eu fosse punida, mas, se descobrissem com o que sonho, eu iria para a forca.

Minhas irmãs me levam à sala de costura, agitadas ao meu redor como um bando de pardais irritados. Puxando. Empurrando.

— Menos — ofego quando Clara e Penny puxam o cordão do corpete com ânimo demais. Elas acham que é tudo brincadeira. Não percebem que, em poucos anos, chegará a vez delas. Eu as afasto com um tapa. — Vocês não têm mais ninguém para torturar?

— Pare de reclamar — diz minha mãe, descontando sua frustração no meu couro cabeludo enquanto termina a trança. — Seu pai deixou você fazer o que quisesse esses anos todos, com seus vestidos enlameados, unhas imundas. Desta vez, você vai saber como é ser uma dama.

— Para quê? — pergunta Ivy, exibindo para todas nós sua barriga redonda no espelho. — Ninguém em seu juízo perfeito daria um véu a Tierney.

— Pode ser — minha mãe diz, puxando o cordão do corpete com ainda mais força. — Mas ela me deve isso.

Eu fui uma criança teimosa, curiosa demais para meu próprio bem, desligada, malcriada... entre outras coisas. Serei a primeira garota da família a entrar no Ano da Graça sem receber um véu.

Minha mãe não precisa dizer nada. Sempre que ela me olha eu vejo o ressentimento. A raiva silenciosa.

— Aqui está.

Minha irmã mais velha, June, volta à sala, trazendo um vestido de seda crua azul-escuro, com pérolas de água doce no decote. É o mesmo vestido que ela usou em seu Dia do Véu, quatro anos antes. Cheira a lilás e a medo. Seu pretendente escolheu a lilás branca para ser a flor dela – o símbolo do novo amor, da inocência. É gentil que ela me empreste, mas June é assim. Nem o Ano da Graça conseguiu tirar isso dela.

Todas as outras garotas do meu ano estarão usando vestidos novos, com babados e bordados, na moda atual, mas meus pais sabiam que não valeria a pena gastar comigo. Não tenho pretendentes. Eu garanti que não teria.

Há doze bons partidos no Condado de Garner este ano: garotos que nasceram em famílias de poder e renome. São trinta e três garotas.

Hoje devemos desfilar pela cidade, aparecer uma última vez diante dos garotos antes que eles se juntem aos homens no celeiro principal para negociar e trocar nossos destinos como se fôssemos gado, o que não é tão distante da realidade, já que, ao nascer, somos marcadas na sola do pé com com o timbre de nossos pais. Quando todos os pedidos forem feitos, os pais levarão os véus às garotas que aguardam na igreja, então colocarão aquelas monstruosidades rendadas nas cabeças escolhidas. E amanhã de manhã, quando estivermos todas alinhadas na praça antes de partirmos para o Ano da Graça, cada garoto erguerá o véu de sua escolhida, como promessa de casamento, enquanto o restante de nós será completamente dispensável.

— Sabia que você tinha um corpo em algum lugar.

Minha mãe franze os lábios, tornando mais profundas as rugas em seu rosto. Ela pararia com essa expressão se soubesse como parece velha ao fazê-la. No Condado de Garner, ser estéril é a única coisa pior do que ser velha.

— Por mais que eu tente, nunca vou entender por que você jogou fora essa beleza, a oportunidade de comandar sua própria casa — ela diz, passando o vestido pela minha cabeça.

Meu braço fica preso e eu começo a puxá-lo.

— Pare de insistir, ou vai...

O som do rasgo no tecido faz o pescoço de minha mãe esquentar visivelmente, corando até o queixo.

— Linha e agulha — ela grita para minhas irmãs, que correm para obedecer.

Eu tento me controlar, mas, quanto mais me esforço, pior fica, até que caio na gargalhada. Nem colocar um vestido eu consigo.

— Vá em frente, ria à vontade, mas você não vai achar tanta graça quando não receber véu nenhum e voltar do Ano da Graça direto para uma das oficinas, gastando seus calos até o sabugo.

— Melhor do que ser esposa de alguém — resmungo.

— Nunca diga isso — ela diz, agarrando meu rosto, e minhas irmãs se afastam. — Quer que pensem que você é uma usurpadora? Quer ser expulsa? Os predadores adorariam colocar as mãos em você. — Ela baixa a voz. — Você não pode trazer desonra à nossa família.

— O que está acontecendo?

Meu pai guarda o cachimbo no bolso da frente, em uma rara visita à sala de costura. Minha mãe se recompõe rapidamente, costurando o rasgo.

— Não há desonra alguma no trabalho árduo — ele diz, curvando-se para passar pela porta e beijar a bochecha de minha mãe, cheirando a iodo e tabaco adocicado. — Ela pode trabalhar na leitaria ou na moenda quando voltar. É perfeitamente respeitável. Você sabe que nossa Tierneyzinha sempre foi um espírito livre — ele diz, dando uma piscadela amigável.

Eu desvio o olhar, fingindo estar interessada nos feixes de luz difusa que atravessam os ilhós da cortina. Meu pai e eu éramos unha e carne. Diziam que seus olhos brilhavam quando ele falava de mim. Com cinco filhas, acho que eu era o mais próximo que ele tinha do tão desejado filho. Em segredo, ele me ensinou a pescar, a caçar com faca, a cuidar de mim mesma... mas então tudo mudou. Não consigo mais vê-lo da mesma maneira desde a noite em que o peguei na farmácia, fazendo o indizível. É óbvio que ele ainda está tentando ter um valioso filho, mas sempre achei que ele fosse melhor que isso. No fim, ele é igual a todos os outros.

— Olha só para você... — meu pai diz, tentando chamar minha atenção. — Talvez você receba um véu, afinal.

Fico de boca fechada, mas por dentro quero gritar. Casar não significa privilégio algum para mim. Não há liberdade no conforto. As algemas podem ser acolchoadas, mas não deixam de ser algemas. Pelo menos na oficina ainda serei dona da minha vida. Serei dona do meu *corpo*. Mas esse tipo de pensamento sempre me arranja problemas, mesmo quando não digo nada. Na infância, meu rosto transparecia tudo que eu pensava. Aprendi a me esconder atrás de sorrisos agradáveis, mas, às vezes, quando me olho no espelho, vejo a intensidade que brilha nos meus olhos. Quanto mais me aproximo do Ano da Graça, mais quente arde o fogo. Às vezes sinto que meus olhos vão explodir para fora do meu rosto.

Quando minha mãe pega a seda vermelha para amarrar minha trança, sinto uma fisgada de pânico. É isso. O momento de ser marcada com a cor do aviso... do pecado.

Todas as mulheres de Garner devem usar o mesmo penteado, uma trança longa, afastando o cabelo do rosto. Desta forma, acreditam os homens, elas não conseguem esconder nada deles: uma expressão de desprezo, um olhar desejoso, um lampejo de magia. Fitas brancas para as meninas, vermelhas para as garotas do Ano da Graça, pretas para as esposas.

Inocência. Sangue. Morte.

— Perfeito — diz minha mãe, dando os toques finais no laço.

Apesar de não conseguir ver o fio vermelho, sinto seu peso e tudo o que ele significa, como uma âncora que me prende a este mundo.

— Posso ir? — pergunto, me soltando de suas mãos agitadas.

— Sem um acompanhante?

— Não preciso de acompanhante — digo, enfiando meus pés fortes nas sapatilhas elegantes de couro preto. — Sei me cuidar.

— E os homens do território, que matam para arrancar a pele, você sabe o que fazer com eles também?

— Foi só uma garota, séculos atrás — suspiro.

— Lembro como se fosse ontem. Anna Berglund — minha mãe diz, com o olhar pensativo. — Era o nosso Dia do Véu. Ela estava andando pela cidade e um homem simplesmente a capturou, a jogou sobre o cavalo e se enfiou na mata. Nunca mais a vimos.

Estranho. O que mais me lembro dessa história é que, apesar de Anna ter berrado e chorado por toda a cidade, os homens declararam que ela não tinha tentado resistir o suficiente, então puniram a irmã mais nova dela em seu lugar, mandando-a para a zona de prostituição nas margens. Essa é a parte da história que ninguém conta.

— Deixe-a ir. É o último dia dela — meu pai pede, fingindo deixar minha mãe decidir. — Ela está acostumada a andar sozinha. Além disso, eu gostaria de passar o dia com minha linda esposa. Só nós dois.

Para todos os efeitos, eles parecem estar apaixonados. Nos últimos anos, meu pai tem passado cada vez mais tempo nas margens, mas isso me deu bastante liberdade e, por isso, deveria me sentir grata.

Minha mãe sorri.

—Acho que tudo bem... desde que a Tierney não esteja planejando dar um pulo na floresta para encontrar o Michael Welk.

Tento me fazer de desentendida, mas minha boca seca. Não fazia ideia de que ela sabia.

Ela puxa o corpete do meu vestido, tentando ajustá-lo.

— Amanhã, quando ele erguer o véu da Kiersten Jenkins, você vai perceber como foi boba — diz.

— Não é... não foi... somos só amigos — gaguejo.

Um sorrisinho se forma em seu rosto, apenas com o canto da boca.

— Bom, já que você está tão animada para passear por aí, pode aproveitar e comprar umas frutas para a reunião de hoje à noite.

Ela sabe que odeio ir ao mercado, especialmente no Dia do Véu, quando Garner inteira sai às ruas, mas acho que é de propósito. Ela quer aproveitar ao máximo a situação.

Quando minha mãe tira o dedal para procurar uma moeda na bolsinha de camurça, vejo seu dedão, que não tem um pedaço. Ela nunca me disse, mas sei que é um resquício de seu Ano da Graça. Ela nota meu olhar e põe o dedal de volta.

— Perdão — digo, desviando o olhar para a madeira gasta sob meus pés. — Vou comprar as frutas.

Eu concordaria com qualquer coisa para escapar desta sala.

Como se sentisse meu desespero, meu pai indica a porta com um gesto, e eu saio correndo.

— Não se afaste da cidade — grita minha mãe.

Desviando de pilhas de livros, meias secando no corrimão, a maleta de médico do meu pai e uma cesta de tricô, desço os três andares da escada, passo pelos sons de reprovação das empregadas e saio do nosso sobrado, estranhando a brisa fria de outono na minha pele exposta – meu pescoço, minhas clavículas, meu peito, minhas panturrilhas, um pouco dos meus joelhos. É só pele, penso. Nada que não tenham visto antes. Mesmo assim, me sinto exposta... vulnerável.

Uma garota do meu ano, Gertrude Fenton, passa por perto com a mãe. Não consigo desviar o olhar das mãos dela, cobertas por luvas delicadas de renda branca. Quase me fazem esquecer do que aconteceu com ela. *Quase*. Apesar de seu infortúnio, até Gertie parece ainda esperar um véu, para comandar a própria casa e ser abençoada com filhos.

Eu queria desejar essas coisas. Queria que fosse simples assim.

— Feliz Dia do Véu. — A sra. Barton me olha, segurando o braço do marido com um pouco mais de força.

— Quem é essa? — pergunta o sr. Barton.

— A menina dos James — ela responde entredentes. — A do meio.

O olhar dele percorre minha pele.

— Vejo que a magia dela finalmente chegou.

— Ou ela a estava escondendo — diz a mulher, apertando os olhos com a concentração de um abutre mastigando carniça.

Tudo o que quero é me cobrir, mas não vou voltar para casa.

Tenho que lembrar: os vestidos, as fitas vermelhas, os véus, as cerimônias... são só distrações para não pensarmos no verdadeiro problema. No Ano da Graça.

Meu queixo começa a tremer quando penso no ano seguinte, no desconhecido, mas me forço a sorrir tranquila, como se estivesse feliz por fazer minha parte, feliz por voltar, casar, procriar e morrer.

Mas nem todas nós voltarão... não inteiras.

Tentando controlar meu nervosismo, atravesso a praça onde todas as garotas do meu ano serão enfileiradas amanhã. Nem magia nem atenção são necessárias para notar que, durante o Ano da Graça, algo profundo acontece. Nós vemos garotas partirem para o acampamento todo ano. Apesar de algumas estarem cobertas por véus, suas mãos dizem tudo: cutículas roídas em carne viva, impulsos ansiosos nas pontas dos dedos. Mesmo assim, elas são promissoras... vivas. Quando voltam – as que voltam –, estão esquálidas, exaustas... destruídas.

As crianças costumavam brincar, apostar em quem iria voltar, mas quanto mais perto eu chegava do meu Ano da Graça, menos graça eu achava nisso.

— Feliz Dia do Véu. — O sr. Fallow faz um gesto educado com o chapéu, mas seu olhar se demora na minha pele exposta, na fita vermelha descendo minhas costas, por um tempo desconfortável. Ele é chamado de Velhote Fallow, porque ninguém sabe exatamente sua idade, mas ele claramente não é tão velho assim, para me olhar desse jeito.

Somos chamadas de sexo frágil. Nos martelam com isso todo domingo na igreja, explicam que é tudo culpa de Eva por não ter expelido a magia quando pôde, mas ainda não entendo por que as garotas não têm escolha. Claro, temos acordos secretos, sussurros no escuro, mas por que são os garotos que decidem tudo? Até onde sei, todos temos coração. Todos temos cérebro. Só vejo algumas diferenças, e a maioria dos homens parece pensar com *aquilo*, de qualquer forma.

É engraçado que eles pensem que nos escolher, erguer nossos véus, nos dará um motivo para viver durante o Ano da Graça. Se eu soubesse que, ao voltar para casa, teria que me deitar com alguém como Tommy Pearson, talvez me jogasse de braços abertos na faca de um predador.

Um melro pousa no galho da Árvore do Castigo, no centro da praça. O som das garras do pássaro arranhando o metal enferrujado me faz ter calafrios. Dizem que ela um dia foi uma árvore de verdade, mas, quando Eva foi morta na fogueira por heresia, a árvore queimou com ela, então construíram esta réplica de aço. Um símbolo eterno do nosso pecado.

Um grupo de homens passa por mim, em um enxame de sussurros.

Há meses corre um boato: rumores de uma usurpadora. Aparentemente, os guardas encontraram vestígios de reuniões secretas na floresta. Roupas masculinas penduradas em galhos, como um espantalho. A princípio acharam que fosse um caçador de peles tentando causar confusão, ou uma mulher rejeitada das margens querendo se vingar, mas a suspeita de uma usurpadora se espalhou pelo condado. É difícil imaginar que possa ser alguém daqui, mas o Condado de Garner é cheio de segredos. Alguns são transparentes como vidro, mas todos *escolhem* ignorá-los. Nunca vou entender. Sempre prefiro a verdade, por mais que doa.

— Pelo amor de Deus, ajeite essa postura, Tierney — ralha uma mulher que passa por mim. Tia Linny. — E sem um acompanhante. Coitado do meu irmão — ela sussurra para as filhas, alto o suficiente para que eu ouça tudo. — Tal mãe, tal filha.

Ela toca o nariz empinado com um ramo de azevinho, que, na antiga língua, era a flor da proteção. A manga de sua roupa escorrega um pouco, revelando um pedaço de pele rosada e inchada em seu antebraço. Minha irmã Ivy disse que conseguiu ver melhor quando acompanhou meu pai em uma visita para tratar a tosse de Tia Linny: uma cicatriz que vai da mão até o ombro.

Tia Linny sobe a manga da roupa para proteger o braço de meu olhar.

— Ela vive solta na floresta. É o lugar dela mesmo.

Como ela poderia saber o que ando fazendo? Só se estivesse na espreita. Desde meu primeiro sangramento, recebo todo tipo de conselho indesejado. A maioria é besteira, mas o dela é simplesmente maldoso.

Tia Linny me encara, larga o azevinho e continua a andar.

— Como eu estava dizendo, são muitos os critérios antes da decisão de eguer um o véu. Ela é agradável? Dócil? Dará filhos? É forte o suficiente para sobreviver ao Ano da Graça? Não invejo os homens. É um dia pesado, de fato.

Ela não sabe da missa a metade. Esmago o azevinho com o pé.

As mulheres acreditam que a reunião dos homens no celeiro no Dia do Véu é respeitosa e cheia de cerimônia, mas não há nada de reverência naquilo. Eu sei porque acompanhei os últimos seis anos seguidos, escondida atrás dos sacos de grão. Eles só bebem cerveja, falam vulgaridades e às vezes brigam por uma garota; curiosamente, nem mencionam nossa "magia perigosa".

Na verdade, só se fala de magia quando é conveniente. Como quando o marido da sra. Pinter morreu e o sr. Coffey de repente acusou sua esposa, com quem era casado há vinte e cinco anos, de cultivar magia em segredo e levitar durante a noite. A sra. Coffey era tão dócil e tranquila quanto alguém poderia ser – dificilmente do tipo que levitaria –, mas foi banida. Sem perguntas. Então, surpresa, o sr. Coffey casou com a sra. Pinter no dia seguinte.

Mas se eu acusasse esse fato, ou se voltasse do Ano da Graça inteira, seria mandada às margens, para viver na zona de prostituição.

— Ai, ai, Tierney — Kiersten diz, se aproximando, acompanhada de suas seguidoras. Seu vestido é provavelmente o mais lindo que já vi: seda creme bordada com fios de ouro, que brilham ao sol, como seu cabelo. Kiersten estende a mão e toca de leve as pérolas no meu decote, com uma intimidade que não temos. — Esse vestido fica bem melhor em você do que na June — diz, piscando seus doces cílios. — Mas não conte a ela que eu disse isso.

As garotas atrás dela reprimem uma risada maldosa.

Minha mãe provavelmente morreria de vergonha se soubesse que elas perceberam que o vestido é usado, mas as garotas do Condado de Garner estão sempre à espera de uma oportunidade para proferir ofensas disfarçadas de elogios.

Tento rir, mas meu corpete está tão apertado que não consigo. De qualquer forma, não importa. Kiersten só fala comigo por causa de Michael. Michael Welk é meu melhor amigo desde a infância. Tudo o que fazíamos era espionar e procurar pistas sobre o Ano da Graça, mas um dia Michael cansou desse jogo. Para mim, no entanto, nunca foi uma brincadeira.

A maioria das garotas se afasta dos garotos por volta dos dez anos, quando a escola acaba para as mulheres, mas, de algum modo, eu e Michael conseguimos manter a amizade. Talvez fosse porque eu nunca quis nada dele, nem ele nada de mim. Era simples. Claro, não podíamos mais correr juntos pela cidade como antes, mas demos um jeito. Kiersten provavelmente acha que ele respeita minhas opiniões, mas eu não me envolvo na vida amorosa de Michael. Em geral, só nos deitamos na clareira, olhando as estrelas, e nos perdemos em nossos mundinhos. Isso parecia bastar para nós dois.

Kiersten manda as garotas atrás dela se calarem.

— Vou torcer para darem um véu a você hoje, Tierney — ela diz, com um sorriso que deixa meus cabelos em pé.

Conheço esse sorriso. Eu a vi sorrir assim para o Padre Edmonds domingo passado, quando notou que as mãos dele tremiam ao pôr a hóstia em sua língua rosada. A magia dela veio cedo, e ela sabia bem disso. Por trás do rosto cuidadosamente arrumado e das roupas ajustadas para ressaltar suas curvas, ela sabia ser cruel. Certa vez, eu a vi afogar uma borboleta, o tempo todo brincando com as asas do inseto. Apesar da maldade, ela é uma mulher apropriada para o futuro líder do Conselho. Ela se dedicará a Michael com devoção, mimará seus filhos e criará filhas lindas, ainda que cruéis.

Vejo as garotas deslizarem em formação perfeita pela rua, como um enxame de casacos amarelos. Não consigo deixar de imaginar como elas se comportarão longe do Condado. O que vai acontecer com os sorrisos falsos e a vaidade? Será que acabarão se tornando selvagens, rolando na lama e uivando para a lua? Me pergunto se é possível ver a magia abandonar o corpo, se ela é arrancada como um relâmpago ou se escorre lentamente para fora, como veneno. Mas outra possibilidade surge aos poucos em minha mente. E se nada acontece?

Afundando minhas unhas recém-lixadas na carne das minhas mãos, sussurro:

— A garota... a reunião... é só um sonho.

Não posso cair na tentação de pensar nesse tipo de coisa de novo. Não posso me permitir fantasias infantis, porque, mesmo se a magia for mentira, os predadores são reais até demais. Bastardos nascidos das mulheres das margens, desprezados. Sabe-se que eles estão floresta adentro, esperando uma oportunidade de capturar alguma garota durante o Ano da Graça, quando se acredita que a magia fica mais forte, para vender sua essência no mercado clandestino como afrodisíaco e elixir rejuvenescedor.

Encaro o enorme portão de madeira que nos separa das margens e me pergunto se eles já estão ali... esperando.

A brisa arrepia minha pele nua, como se respondendo, e eu aperto o passo.

Um grupo conversa ao redor da estufa, tentando adivinhar que flor cada pretendente escolheu para sua garota do Ano da Graça. Fico feliz de não ouvir meu nome vindo de ninguém.

Quando nossas famílias imigraram, eram faladas tantas línguas diferentes que as flores eram a única linguagem comum. Uma forma de pedir desculpas, dar sorte, indicar confiança, declarar amor ou até desejar azar. Há uma flor para quase todo sentimento, e agora que todos falamos o mesmo idioma, seria de se pensar que o interesse por elas pudesse ter diminuído; no entanto, aqui estamos, presos a hábitos antigos. Isso me faz duvidar de que qualquer coisa possa mudar... por qualquer razão.

— Qual você espera receber, senhorita? — pergunta uma trabalhadora, secando a testa com a mão calejada.

— Não... nenhuma para mim — digo, em um sussurro constrangido. — Só quero ver o que temos este ano.

Noto uma pequena cesta escondida sob um banco, pétalas vermelhas aparecendo por entre o vime.

— Que flores são aquelas? — pergunto.

— É só erva daninha — ela responde. — Costumava crescer em qualquer canto, não dava para sair de casa sem pisar numa. Mataram todas por aqui, mas erva daninha é assim: a gente arranca a raiz, queima a terra, acha que se livrou delas durante anos, mas elas sempre dão um jeito de voltar.

Eu me aproximo para ver melhor e ela continua:

— Não precisa se preocupar se não receber um véu, Tierney.

— C-como você sabe meu nome? — gaguejo.

Ela sorri com carinho.

— Um dia, você vai ganhar uma flor. Pode estar meio murcha nas bordas, mas isso não muda seu significado. O amor não é só para as casadas, sabe, é para todas — ela diz, colocando uma flor em minha mão.

Perturbada, dou meia-volta em direção ao mercado.

Abro os dedos e vejo uma flor roxa, pétalas e curvas perfeitamente desenhadas.

— Esperança — sussurro, sentindo meus olhos se encherem d'água.

Não espero uma flor de um garoto, mas espero uma vida melhor. Uma vida honesta. Não costumo ser sentimental, mas isso parece um sinal. Uma forma de magia.

Estou prendendo a flor no meu vestido – sobre o coração, para ficar protegida – quando passo por uma fileira de guardas, que tentam desesperadamente evitar meu olhar.

Caçadores de pele, recém-chegados do território, assobiam quando passo. Eles são vulgares e imundos, mas pelo menos me parecem mais verdadeiros. Quero olhá-los nos olhos, tentar entrever suas aventuras e a vasta mata do norte em seus rostos maltratados, mas não ouso.

Só preciso comprar as frutas. Quanto mais rápido o fizer, mais rápido poderei encontrar Michael.

Quando entro no mercado coberto, um silêncio desconfortável paira no ar. Normalmente, eu andaria por ali sem ser notada, como um fantasma entre as réstias de alho e fatias de toucinho, mas hoje as esposas me olham feio quando passo, e os homens sorriem de um modo que faz eu querer me esconder.

— É a menina dos James — sussurra uma mulher.
— Aquela molequinha?
— Eu daria um véu e tanto para ela — comenta um homem, cutucando o filho.

Sinto o calor subindo pelo meu rosto. Estou envergonhada e nem sei o porquê.

Sou a mesma garota que era ontem, mas agora que fui toda esfregada, enfiada neste vestido ridículo e marcada pela fita vermelha, me tornei completamente insólita para os homens e mulheres de Garner, como um animal exótico numa jaula.

Seus olhares e sussurros são como a lâmina afiada de uma faca arranhando minha pele.

Mas um olhar em especial me faz apertar o passo. Tommy Pearson. Ele parece estar me seguindo. Não preciso vê-lo para sentir sua presença. Consigo ouvir o farfalhar das asas de seu mais novo bicho empoleirado em seu braço. Ele é apaixonado por aves de rapina. Parece impressionante, mas não há nenhuma habilidade envolvida. Ele não ganha a confiança ou o respeito delas. Ele só as derrota.

Descolando a moeda da minha mão suada, largo-a no cofrinho e pego a cesta de frutinhas mais próxima.

Mantenho meu rosto abaixado e vou costurando pela multidão, escutando o zumbido dos cochichos de todos, e, quando estou prestes a sair do mercado, trombo com o Padre Edmonds, derrubando amoras por todos os lados. Ele começa a reclamar, mas para assim que me vê.

— Minha querida senhorita James, quanta pressa!

— É ela mesmo? — Tommy Pearson grita atrás de mim. — Tierney Terrível?

— Ainda sei chutar tão bem quanto antes — digo, recolhendo as frutas.

— Não esperaria nada menos — ele responde, me encarando com seus olhos claros. — Gosto de mulheres fogosas.

Levantando meu rosto para agradecer ao Padre Edmonds, noto que seu olhar está fixo em meus seios.

— Se você precisar de qualquer coisa... qualquer coisa mesmo, minha filha — ele diz. Seguro a cesta e ele acaricia minha mão. — Sua pele é tão macia — sussurra.

Largando as frutas para trás, saio correndo. Escuto risos atrás de mim, a respiração ofegante do Padre Edmonds, as asas furiosas da águia acorrentada.

Eu me escondo atrás de um carvalho para respirar e tiro a flor do meu vestido, vendo que foi esmagada pelo corpete. Aperto a flor destruída em minha mão.

Aquele conhecido calor me percorre. Em vez de controlar o impulso, porém, respiro fundo, o encorajando. Porque, neste momento, o que eu mais quero é estar repleta de magia perigosa.

Uma parte de mim quer correr direto até Michael, até nosso esconderijo, mas preciso me acalmar antes. Ele não pode saber que me deixei abalar. Puxo uma palha de feno e a arrasto pela cerca conforme passo pelo pomar, tentando desacelerar minha respiração. Antigamente eu podia falar qualquer coisa para o Michael, mas agora somos mais cuidadosos.

No verão anterior, ainda irritada depois de flagrar meu pai na farmácia, soltei um comentário sarcástico sobre o pai dele, que é dono da farmácia e líder do conselho, e tudo foi por água abaixo. Ele me disse para tomar cuidado, porque podiam achar que eu era uma usurpadora, porque eu poderia ser queimada na fogueira se descobrissem meus sonhos. Acho que ele não estava me ameaçando, mas definitivamente pareceu que sim.

Nossa amizade podia ter acabado ali mesmo, mas nos encontramos no dia seguinte, como se nada tivesse acontecido. Na verdade, provavelmente já faz muito tempo que não somos mais tão próximos, mas acho que queríamos nos agarrar à nossa juventude e inocência o máximo possível. E hoje é a última vez que poderemos nos encontrar assim.

Quando eu voltar do Ano da Graça, *se* eu voltar, ele estará casado, e eu serei mandada para uma das oficinas. Meus dias serão cheios de obrigações, e ele estará ocupado com Kiersten durante o dia e com o Conselho durante a noite. Ele poderá me visitar, com alguma desculpa profissional, mas isso não durará muito tempo e, finalmente, chegará o dia em que só nos cumprimentaremos à distância na igreja, no Natal.

Apoiada na cerca frágil, olho para as oficinas. Meu plano é ficar na minha, sobreviver ao ano e voltar para ocupar um lugar na lavoura. A maioria das garotas que não recebe um véu quer trabalhar como criada em casas respeitáveis, ou pelo menos na leitaria ou na moenda, mas eu gosto da ideia de enfiar as mãos na terra, de me conectar com algo concreto. Minha irmã mais velha, June, adorava plantar. Ela costumava nos contar histórias de suas aventuras quando nos colocava para dormir. Ela não pode mais jardinar, agora que é uma esposa, mas de vez em quando a vejo encostar a mão na terra, tirando uma arzola secretamente da barra do vestido. Acho que, se isso interessa a June, me interessa também. Só na lavoura homens e mulheres trabalham juntos, mas sei me cuidar bem mais do que a maioria das garotas. Posso ser magra, mas sou forte. Forte o suficiente para subir em árvores melhor do que Michael.

No caminho da mata isolada atrás da moenda, ouço guardas se aproximarem. Não sei por que estão aqui, tão longe. Como não quero problema, me escondo atrás dos arbustos.

Estou engatinhando entre os espinheiros quando avisto Michael sorrindo do outro lado.

— Você está...

— Nem começa — digo, tentando me ajeitar, mas uma pérola enrosca num galho, arrebenta e sai rolando pela clareira.

— Que elegância — ri ele, passando a mão pelo cabelo loiro como trigo. — Se não tomar cuidado, vai acabar sendo escolhida hoje.

— Muito engraçado — digo, continuando a engatinhar. — Acho que isso não vai importar, porque minha mãe vai me matar enquanto durmo se eu não achar essa pérola.

Michael se ajoelha no chão da floresta para me ajudar a procurar.

— Mas e se for alguém agradável... alguém que te ajude a ter uma casa de verdade? Uma vida.

— Como o Tommy Pearson?

Finjo amarrar uma corda no pescoço para me enforcar.

Michael ri.

— Ele não é tão ruim quanto parece.

— Não é tão ruim quanto parece? O garoto que tortura pássaros majestosos por esporte?

— Ele os trata muito bem.

— Já tivemos essa conversa — eu digo, vasculhando entre as folhas vermelhas caídas de um bordo. — Essa não é a vida que quero para mim.

Ele se agacha e posso jurar que consigo escutar ele pensando. Ele pensa demais.

— É por causa daquela garotinha? Do seu sonho?

Fico tensa.

— Você sonhou com ela de novo?

— Não — respondo, forçando meus ombros a relaxarem. — Eu já disse, isso tudo acabou.

Enquanto continuamos a procura, observo Michael pelo canto do olho. Nunca devia ter falado disso com ele. Nunca devia nem ter sonhado com isso. Só preciso sobreviver mais um dia e então poderei me livrar dessa magia de uma vez por todas.

— Vi guardas na trilha — digo, tentando disfarçar minha curiosidade. — O que será que eles estão fazendo por aqui?

Ele se aproxima, roçando seu braço no meu.

— Eles quase pegaram a usurpadora — sussurra.

— Como? — pergunto, um pouco animada demais, mas logo me controlo. — Você não precisa responder se...

— Fizeram uma arapuca na floresta, perto da fronteira entre o condado e as margens, ontem à noite. Alguma coisa caiu na armadilha, mas só encontraram um retalho de lã azul-clara... e muito sangue.

— Como você sabe? — pergunto, tomando cuidado para não parecer ansiosa.

— Os guardas visitaram meu pai hoje de manhã, perguntaram se alguém tinha ido comprar remédios na farmácia. Acho que visitaram seu pai também, para perguntar se ele tratou algum ferimento ontem à noite, mas ele estava... ocupado.

Eu sei o que ele quer dizer com isso. É uma forma educada de dizer que meu pai estava nas margens de novo.

— Eles estão investigando o interior agora. Quem quer que seja, não vai sobreviver muito tempo sem cuidados médicos. Aquelas arapucas são bem eficazes.

Sinto seu olhar descer pelas minhas pernas, parando nos meus tornozelos. Instintivamente, os escondo com o vestido. Eu me pergunto se ele acha que sou eu... se é por isso que quis saber sobre os sonhos.

— Achei — ele diz, pegando a pérola num montinho de musgo.

Limpo a terra das minhas mãos.

— Não quero ofender... com essa história de casamento — digo, desesperada para mudar de assunto. — Tenho certeza de que Kiersten vai te idolatrar e te dar muitos filhos — provoco, estendendo a mão para pegar a pérola, mas ele se afasta.

— Como assim?

— Ah, fala sério. Todo mundo sabe. Além disso, eu já vi vocês juntos na clareira.

Ele cora, fingindo limpar a pérola com a barra da camisa. Está nervoso. Nunca o vi nervoso.

— Nossos pais já planejaram cada detalhe. Quantos filhos teremos... já têm até nome.

Olho para ele e não resisto a dar um sorriso. Achei que seria estranho pensar nele assim, mas faz sentido. É como as coisas devem ser. Acho que ele esteve ao meu lado esses anos todos de brincadeira, para se distrair, ficar longe das pressões familiares e do Ano da Graça que se aproximava, mas para mim sempre significou mais. Não o culpo por se tornar exatamente o que planejavam para ele. De certa forma, ele tem sorte. Ir contra sua natureza, contra o que todos esperam, é viver em conflito constante.

— Fico feliz por você — digo, tirando uma folha vermelha que grudou em meu joelho. — De verdade.

Ele pega a folha, percorrendo as nervuras com o polegar.

— Você já se perguntou se existe algo por aí, além... além disso tudo?

Olho para ele, tentando decifrar o que quer dizer, mas não posso me envolver com esses assuntos de novo. É perigoso demais.

— Bom, você sempre pode visitar as margens — brinco, dando um soquinho no ombro dele.

— Você entendeu o que eu quis dizer — ele diz, suspirando. — Você tem que entender.

Pego a pérola da mão dele e a guardo na bainha da manga do meu vestido.

— Não comece com esse sentimentalismo, Michael — digo, me levantando. — Daqui a pouco você estará no posto mais desejado do condado, administrando a farmácia, sendo líder do Conselho. Todos irão te escutar. Você vai ter influência de *verdade* — abro um sorrisinho. — Isso me lembra de que tenho um pequeno favor para te pedir.

— O que você quiser — Michael responde, tentando se levantar.

— Se eu voltar viva...

— É claro que você vai voltar viva, você é forte, inteligente e...

— *Se* eu voltar — interrompo, espanando o vestido como posso. — Decidi que quero trabalhar na lavoura, então queria que você usasse sua influência no Conselho para dar um jeito nisso para mim.

— Por que você quer uma coisa dessas? — pergunta ele, franzindo a testa. — É o trabalho mais baixo de todos.

— É um trabalho bom e honesto. Vou poder olhar para o céu sempre que quiser. Quando você estiver jantando, vai poder olhar para o prato, comentar que a cenoura está deliciosa e pensar em mim.

— Não quero pensar em você quando estiver comendo uma *cenoura*.

— O que deu em você?

— Ninguém estará lá para te proteger. — Ele começa a andar em círculos. — Você estará exposta. Já ouvi muitas histórias. A lavoura é cheia de homens... de degenerados quase tão ruins quanto os predadores, que vão poder te pegar sempre que quiserem.

— Ah, quero ver eles tentarem — rio, pegando um galho e erguendo-o no ar.

— É sério.

Ele pega minha mão no meio do meu movimento, me obrigando a largar o galho, e não a solta.

— Eu me preocupo com você — diz, baixinho.

— Não.

Afasto minha mão bruscamente, pensando em como é estranho senti-lo me tocar assim. Ao longo dos anos, nos batemos até cansar, nos reviramos na lama, nos jogamos no rio, mas, de algum modo, isso é diferente. Agora ele sente pena de mim.

— Você não está raciocinando — ele diz, olhando para o galho, um limite entre nós, então sacode a cabeça. — Você não está escutando o que estou dizendo. Quero te ajudar...

— Por quê? — pergunto, chutando o galho para longe. — Porque sou idiota... porque sou uma garota... porque não tenho como saber o que quero... por causa dessa fita vermelha no meu cabelo... por causa da minha magia perigosa?

— Não — sussurra. — Porque a Tierney que eu conheço nunca pensaria isso de mim... não pediria... não agora... não quando eu... — Michael afasta o cabelo do rosto, frustrado. — Só quero o melhor para você — ele diz, afastando-se de mim e correndo para dentro da floresta.

Penso em ir atrás dele, me desculpar por qualquer ofensa, deixar o favor que pedi de lado, para nos despedirmos como amigos, mas talvez seja melhor assim. Como você se despede da sua infância?

Irritada e confusa, volto para a cidade, me esforçando ao máximo para ignorar os olhares e cochichos. No caminho, vejo no pasto os cavalos que os guardas preparam para a viagem ao acampamento, com crinas e caudas trançadas com fitas vermelhas. Como nós. De repente, me ocorre: é assim que eles nos veem... não somos nada mais que éguas no cio.

Hans traz um dos cavalos para que eu possa admirar sua crina, a trança elaborada, mas não nos falamos. Em público, não posso chamá-lo pelo nome, só por "guarda", mas nos conhecemos desde que eu tinha sete anos. Nunca esquecerei a visita à casa de cura naquela tarde, quando, no lugar de meu pai, encontrei Hans deitado sozinho, segurando um saco de gelo sangrento entre as pernas. Na hora, não entendi. Achei que fosse um acidente. Mas ele tinha dezesseis anos e era filho de uma mulher da oficina. Ele tinha uma escolha: ser guarda ou trabalhar no campo pelo resto da vida. O trabalho de guarda é respeitado no condado – os guardas podem morar na cidade, em uma casa com empregadas domésticas, e podem até comprar perfumes feitos de ervas e frutos cítricos exóticos na farmácia, um privilégio de que Hans se aproveita bastante. As tarefas são leves se comparadas às do campo: administrar a forca, controlar um ou outro visitante agitado do norte, acompanhar as garotas do Ano da Graça na ida e na volta do acampamento... ainda assim, a maioria dos homens escolhe trabalhar no campo.

Meu pai diz que é um procedimento simples, só um corte rápido que os livra de seus impulsos, e talvez seja mesmo verdade, mas acho que a dor vem de outro lugar, de terem de viver entre nós... serem lembrados todo dia de tudo que lhes foi tirado.

Não sei por que não tive medo de abordá-lo, mas, naquele dia, na casa de cura, ele começou a chorar quando me sentei ao seu lado e segurei sua mão. Eu nunca tinha visto um homem chorar.

Perguntei qual era o problema e ele me disse que era segredo.

Eu disse que era boa em guardar segredos.

E sou mesmo.

— Estou apaixonado por uma moça, Olga Vetrone, mas nunca poderemos ficar juntos — ele disse.

— Por quê? — perguntei. — Se você ama alguém, deve ficar com essa pessoa.

Ele explicou que ela estava no Ano da Graça e que, no dia anterior, tinha recebido um véu de um garoto e teria que casar com ele.

Ele contou que sempre tinha planejado trabalhar no campo, mas não suportava a ideia de ficar longe dela. Como guarda, pelo menos poderia ficar por perto. Protegê-la. Ver os filhos dela crescerem, até fingir que eram seus próprios filhos.

Eu me lembro de achar essa história a mais romântica do mundo.

Quando Hans partiu para o acampamento, achei que talvez ele e a garota fugissem juntos ou abandonassem suas promessas quando se reencontrassem, mas, quando a comitiva voltou, Hans parecia ter visto um fantasma. Sua amada não voltou para casa. Não havia sinal de seu corpo. Nem sua fita encontraram. A irmã mais nova dela foi banida para as margens naquele dia. Ela tinha apenas um ano a mais do que eu, na época. Isso fez com que eu me preocupasse muito mais com minhas irmãs, mas também com o que aconteceria comigo caso alguma delas não voltasse.

No inverno, quando encontrei Hans sozinho no estábulo praticando tranças nos cavalos, dedos gelados se movendo com agilidade entre a cauda castanha do animal e a fita, perguntei o que tinha acontecido à Olga. Uma sombra cobriu o rosto dele. Ele se aproximou de mim, passando a mão no peito, de novo e de novo, como se pudesse devolver seu coração ao lugar – um tique que tem até hoje. Algumas garotas zombam dele por isso, devido ao som constante de roupa sendo esfregada, mas eu sempre senti pena.

— Não era para ser — ele sussurrou.

— Vai ficar tudo bem com você? — perguntei.

— Agora tenho você para tomar conta — ele disse, um sorriso em sua voz.

E foi o que ele fez.

Ele ficou na minha frente para me impedir de ver os castigos mais brutais na praça; me ajudou a entrar na casa de reuniões para espiar os homens; ele até me contou quando eram as trocas de turno dos guardas para que eu pudesse passar longe deles quando fugisse de casa à noite. Além de Michael e da garota dos meus sonhos, ele era meu único amigo.

— Você está com medo? — ele sussurra.

Sua voz me surpreende. Normalmente ele não ousa falar comigo em público. No entanto, estou prestes a partir.

— Eu deveria estar? — sussurro de volta.

Ele abre a boca para responder quando sinto alguém puxar a saia do meu vestido. Viro meu corpo, pronta para esmagar Tommy Pearson ou quem quer que tenha me tocado, mas vejo minhas duas irmãzinhas, Clara e Penny, cobertas de penas de ganso.

— Será que eu quero saber o que houve? — pergunto, tentando conter uma gargalhada.

— Você tem que nos ajudar — diz Penny, lambendo uma substância grudenta em sua mão. Sinto o cheiro daqui: xarope de bordo. — A gente precisa buscar a encomenda do papai na farmácia, mas... mas...

— Nos atrasamos — diz Clara, com um sorriso confiante, salvando a irmã. — Você pode ir buscar para a gente ter tempo de tomar banho antes de a mamãe voltar para casa?

— Por favorzinho — interrompe Penny. — Você é nossa irmã preferida. Faça esse favor antes de nos abandonar por um ano inteiro.

Quando ergo o olhar, Hans já voltou ao estábulo. Queria me despedir, mas imagino que despedidas sejam especialmente difíceis para ele.

— Tudo bem — concordo, só para fazê-las ficarem quietas. — Mas é melhor correr. A mamãe está de péssimo humor hoje.

Elas saem correndo, rindo e se empurrando, e quero dizer para elas aproveitarem enquanto podem, mas elas não entenderiam nada. Por que estragar o último resquício de liberdade delas?

Respirando fundo, me dirijo à farmácia. A última vez que estive lá foi naquela noite quente de julho, mas, quando penso nisso, parte de mim parece querer encarar a verdade nua e crua, querer ser mais uma vez lembrada de onde posso parar se não tomar cuidado. O sininho da porta tilinta quando entro, e o som metálico me deixa perturbada.

— Tierney, que surpresa agradável. — O pai de Michael me encara. Quando não coro, não gaguejo nem desvio o olhar, o sr. Welk pigarreia. — Veio buscar a encomenda do seu pai? — pergunta, mexendo nos pacotes empilhados atrás do balcão.

Olhando fixamente para o armário, sinto a memória surgir como bile no fundo da minha garganta.

Eu havia saído escondida de casa para encontrar com Michael, como fazia quase toda noite, e na volta notei uma luz suave de velas vindo da farmácia. Me aproximando devagar, vi o pai de Michael abrir um compartimento escondido atrás do armário de tônicos capilares e lâminas de barbear. Meu coração começou a bater mais forte quando vi meu pai sair das sombras para inspecionar as fileiras impecáveis de frascos secretos. Alguns continham o que parecia ser carne seca e outros, um líquido vermelho escuro, mas um frasco em especial chamou minha atenção. Pressionando a testa contra o vidro quente para enxergar melhor, vi uma orelha, coberta de pequenas pústulas brancas, suspensa em um líquido escuro. Chocada, fui cobrir a boca, mas acidentalmente esbarrei no vidro, chamando a atenção deles.

Ainda que eu tenha negado ter visto qualquer coisa, o sr. Welk insistiu que eu fosse punida naquele instante.

— É perigoso perder o respeito tão cedo — disse ele.

A chibata ardendo nas minhas costas pareceu fixar a imagem em minha mente.

Nunca falei sobre o que vi, nem para Michael, mas eu sabia que aqueles eram restos das garotas caçadas durante o Ano da Graça, cujos corpos eram vendidos no mercado clandestino como afrodisíaco e elixir rejuvenescedor.

Meu pai era um homem da medicina, que trabalhava na cura de doenças. Sempre supus que ele considerasse o mercado clandestino uma superstição, um retorno à idade das trevas — por isso nunca pensei que ele fosse vaidoso e desesperado o suficiente para se rebaixar a ser um cliente. A troco de quê? Da virilidade para gerar um precioso filho?

Aquela orelha pertenceu à filha de alguém. Pertenceu a uma garota que meu pai talvez tivesse tratado quando doente, ou cumprimentado na igreja com um afago na cabeça. Me pergunto o que ele faria se fossem partes minhas naqueles frascos. Estaria disposto a comer minha pele, beber meu sangue, chupar o tutano de meus ossos?

— Ah, quase esqueci — diz o sr. Welk, me entregando o pacote embrulhado em papel pardo. — Feliz Dia do Véu.

Desviando o olhar do armário, do segredinho sujo deles, dou o melhor sorriso que posso.

Porque logo, logo, vou desenvolver minha magia, e é bom ele rezar para que eu me livre completamente dela antes de voltar para casa.

Quando soam os sinos da igreja, homens, mulheres e crianças correm até a praça.

— É muito cedo para uma reunião — sussurra alguém.

— Ouvi dizer que é um castigo — diz um homem para a esposa.

— Mas não é lua cheia — ela responde.

— Será que encontraram uma usurpadora? — pergunta um garotinho, puxando a saia da mãe.

Estico a cabeça para ver a praça através da multidão e, realmente, os guardas estão empurrando a escada que leva à forca. As rodinhas rangem, enregelando meu sangue.

Conforme nos aglomeramos ao redor da Árvore do Castigo, procuro pistas do que está prestes a acontecer, mas todos apenas olham para a frente, como se hipnotizados pela luz fraca que cintila nos galhos de aço frio.

Eu me pergunto se era isso que Hans estava tentando me dizer. Se era algum tipo de advertência.

O padre Edmonds, cuja batina branca aperta sua forma redonda, se aproxima para se dirigir ao público:

— Na véspera de nosso dia mais sagrado, um problema de extrema gravidade foi trazido aos cuidados do Conselho.

Não sei se estou sendo paranoica, mas o olhar de minha mãe parece recair sobre mim.

Os sonhos. Engulo em seco com tanta força que tenho certeza de que todos conseguem ouvir.

Na multidão, procuro Michael com o olhar e o encontro bem à frente. Ele teria me denunciado? Estaria com tanta raiva a ponto de contar para o Conselho sobre a garota em meus sonhos?

— Clint Welk se pronunciará em nome do Conselho — diz o padre Edmonds.

Quando o pai de Michael dá um passo a frente, sinto meu coração prestes a arrebentar minhas costelas. Minhas mãos estão suadas, minha boca, seca. Penny e Clara parecem sentir minha angústia, pois chegam mais perto de mim, uma de cada lado.

À nossa frente, perfeitamente alinhado com a Árvore do Castigo, o sr. Welk abaixa a cabeça como em oração, mas posso jurar ver um movimento em seu rosto – o indício de um sorriso.

Estou enjoada. Cada pecado que já cometi percorre minha mente, mas são muitos para contar. Fiquei confortável demais, descuidada. Nunca devia ter falado dos sonhos... nunca devia tê-los sonhado. Talvez eu secretamente quisesse que isso acontecesse. Talvez eu quisesse ser pega. Quando estou prestes a me manifestar, a jurar arrependimento, jurar que me livrarei da minha magia e serei boa daqui em diante, o sr. Welk abre a boca. Observo sua língua, esperando que suba até o céu da boca para formar um *T*, mas, em vez disso, ele aperta os lábios e forma um *M*.

— Mare Fallow, aproxime-se.

Ofego, soltando de uma vez o ar que prendia, mas ninguém parece notar. Talvez todas as garotas da praça tenham feito o mesmo. Apesar de nossas diferenças, esta é a única coisa que compartilhamos. O medo de ser nomeada.

Conforme a sra. Fallow vai até o sr. Welk, as mulheres se juntam para cuspir e gritar, lideradas por minha mãe, como sempre. Não sei por que ela sente necessidade de cutucar feridas alheias. A sra. Fallow foi gentil comigo uma vez. No meu quarto ano, me perdi na mata. Ela me encontrou, segurou minha mão e me levou para casa. Ela não brigou com minha mãe, não contou a ninguém que eu estava onde não deveria estar, e é assim que minha mãe agradece? Sinto vergonha de ser filha dela.

Concentrando meu olhar no portão, tento escapar na minha mente, mas os passos cuidadosos da sra. Fallow, o farfalhar de suas anáguas, penetram profundamente meus sentidos, como o dobrar mais suave dos sinos mortuários.

Não quero olhar para ela. Não por nojo ou vergonha, mas por sentir que poderia facilmente ser eu no lugar dela. Michael sabe. Hans sabe. Minha mãe também. Talvez todos saibam. Mas devo à sra. Fallow minha total atenção. Ela precisa saber que eu lembro... que não a esquecerei.

Ela parece um fantasma ao passar pela multidão. Pele pálida e fina, trança grisalha pesando sobre a coluna curvada, seguida pelo marido, que mais parece um mau augúrio. Me pergunto se ela sabia que tinha chegado sua hora. Se ela conseguiu sentir.

— Mare Fallow. A senhora está sendo acusada de cultivar sua magia. Gritar obscenidades durante o sono, falar na língua do diabo.

Não consigo imaginar a sra. Fallow sequer falando mais alto que um sussurro, que dirá gritando obscenidades, mas a época dela passou. Ela não teve filhos. Suas filhas foram todas mandadas para as oficinas. Seu ventre é uma terra árida, fria e infértil. Ela não serve para nada.

— Bem... o que tem a dizer em sua defesa? — insiste o sr. Welk.

Fora o gotejar de líquido escorrendo pela ponta de sua bota gasta de couro, ela não emite som algum. Quero sacudi-la; quero que ela peça desculpas, implore por perdão e seja mandada para as margens, mas ela apenas continua em silêncio.

— Certo — anuncia o sr. Welk. — Em nome de Deus e dos homens escolhidos, eu a condeno à forca.

Por lei, as mulheres – esposas, trabalhadoras e crianças – são obrigadas a assistir aos castigos. Escolher enforcá-la no Dia do Véu não é coincidência. Querem nos despachar com um recado.

Antes de subir os frágeis degraus, a sra. Fallow olha para o marido, talvez em busca de uma intercessão de última hora, mas nada acontece. Neste momento, sei que, se ela tivesse qualquer resquício de magia ainda em si, a usaria. Ela o enforcaria até a morte e faria o mesmo com o Conselho... talvez com todos nós. Não posso dizer que a culparia.

Quando ela finalmente chega à plataforma e a corda é amarrada ao redor de seu pescoço, ela abre a mão e revela uma pequena flor vermelha. É tão pequena que não sei se mais alguém a nota.

Logo antes de ela cair, a lembrança me atinge.

Vermelho escarlate, cinco pétalas delicadas. É a mesma flor dos meus sonhos.

Começo a empurrar a multidão, tentando chegar à frente. Preciso impedir isso. Preciso perguntar onde ela a arranjou, o que significa. Minha mãe me agarra, aperta minha mão. Não é um aperto carinhoso. É forte e violento. Um aperto que diz *Fique quieta, menina. Não envergonhe nossa família.*

Então fico parada com os outros, vendo as pétalas vermelhas dançarem com cada espasmo, cada impulso final, até a mão dela finalmente se afrouxar.

Há um momento de silêncio depois de cada enforcamento. Às vezes parece durar uma eternidade, como se quisessem que nos demorássemos naquilo o maior tempo possível, como se vivêssemos naquele espaço de tempo, mas desta vez o momento parece curto, como se não quisessem que pensássemos demais no que acaba de acontecer... em como é *errado*.

O sr. Welk dá um passo à frente, aparentemente sem se importar com a imagem macabra do corpo balançando levemente atrás dele, ou talvez em desafio.

— E agora temos *treze* homens solteiros — ele anuncia, apontando para o sr. Fallow.

O sr. Fallow cruza as mãos em devoção à sua frente. Velhote Fallow. Não consigo parar de pensar em quando o encontrei hoje de manhã na praça. Ele parecia feliz como pinto no lixo. Não parecia um homem prestes a condenar a esposa à morte, e sim um homem em busca de uma esposa nova.

A multidão começa a se dispersar e, em vez de ir embora, eu aproveito para andar mais para a frente. Não quero ver a sra.

Fallow de perto, mas preciso encontrar aquela flor. Preciso saber se é real, mas Michael se coloca de pé no meu caminho, como uma parede de tijolos.

— Precisamos conversar...

— Eu te perdoo — digo, olhando ao redor dele, procurando a flor no chão.

— *Você* me perdoa?

— É só que... agora não é uma boa hora... — digo, me ajoelhando para procurá-la. Onde poderia estar? Talvez tenha caído em um buraco. Talvez esteja presa entre os paralelepípedos.

— Achei você — diz Kiersten, saltitando na frente de Michael. — Tudo pronto? — sussurra.

Michael pigarreia. Ele só faz isso quando não tem ideia do que dizer.

— Ah, não te vi aí embaixo — ela diz para mim, com um sorriso tenso. — Vamos ser melhores amigas. Não é, Michael?

— Muito bem, pombinhos. — O pai de Michael segura o ombro dele para arrastá-lo dali. — Vocês terão muito tempo para isso mais tarde. Agora temos uma Cerimônia da Escolha para ir.

Kiersten dá um gritinho animado e vai embora.

Quando penso que estou finalmente livre, sou levantada por um puxão.

Os guardas estão carregando as mulheres de volta para a igreja.

— Espera... vi uma flor... — começo a gritar, mas uma das mulheres me dá uma cotovelada forte na costela.

Fico sem ar; fico tonta. Sou levada pela multidão e, quanto mais me afasto do corpo pendurado da sra. Fallow, menos certeza tenho da existência da flor.

Talvez seja assim que comece... talvez seja assim que eu comece a me perder para a magia escondida em mim.

E, mesmo que fosse real, o que importaria?

Afinal, é apenas uma flor.

E eu sou apenas uma garota.

Antes de todas as mulheres serem trancadas dentro da capela para esperar os véus, somos contadas. Normalmente, essa seria a minha deixa para dar uma volta e causar alguma confusão para chamar atenção, o que resultaria em uma rápida bronca da minha mãe, me mandando ficar quieta e me comportar. Depois eu entraria discretamente no confessionário e sumiria pelos aposentos do padre Edmonds. Esta sempre foi a parte mais assustadora: o cheiro de láudano e solidão que emana do quarto dele.

Hoje, no entanto, não acontecerá nada disso. Mesmo que não me seja dado nenhum véu, as garotas que os receberem vão querer se gabar, absorver, como pulgas famintas, a inveja e decepção das não escolhidas.

De costas para a cortina do confessionário, seguro o veludo vermelho escuro com dedos ansiosos. Está me matando não poder assistir ao meu próprio ano. Se eu fechar os olhos, consigo sentir o feno que faz meu nariz coçar, o cheiro de cerveja e suor preenchendo o ar e escutar os nomes das garotas escapando de lábios febris.

Já sei que as garotas mais bonitas, com origem superior e temperamento gentil receberão véus, mas sempre há pelo menos uma surpresa. Olho ao redor da sala, tentando adivinhar quem será a deste ano. Meg Fisher tem a aparência apropriada, mas um ar selvagem estranho. Dá para ver nos ombros dela, que se curvam quando se sente ameaçada, como um lobo que tenta se decidir entre atacar ou fugir. Ou Ami Dumont. Delicada, doce. Ela seria uma esposa dócil, mas seu quadril é estreito demais; certamente bom para a cama, mas sem a força necessária para o parto. Claro, alguns homens gostam de coisas que quebram fácil.

Porque eles gostam de quebrá-las.

— Benção, padre — a sra. Miller diz, tentando conduzir a reza entre as mulheres. — Rogamos que guie os homens. Que eles usem sua voz sagrada para fazer a Sua vontade.

Uso todas as minhas forças para não revirar os olhos. A esta altura, os homens já devem ter aberto o segundo barril de bebida, contando histórias exageradas sobre as mulheres das margens e as safadezas que fazem por dinheiro, gabando-se de todos os seus filhos bastardos que vagam pela mata, procurando garotas para roubar.

— Amém — dizem as mulheres, uma depois da outra. Deus nos livre que elas façam qualquer coisa juntas.

Esta é a única noite no ano em que mulheres têm permissão de se congregar sem os homens. Seria de se esperar que usássemos a oportunidade para conversar, compartilhar, desabafar. Em vez disso, continuamos isoladas e mesquinhas, nos comparando umas às outras, com inveja do que não temos, consumidas por desejos vazios. E quem se beneficia de toda essa competição? Os homens. Somos mais numerosas do que eles, duas mulheres para cada homem, mas aqui estamos, trancadas em uma capela, esperando que eles decidam nosso destino.

Às vezes me pergunto se é esse o verdadeiro truque de mágica.

Fico pensando no que aconteceria se todas disséssemos o que sentimos... apenas por uma noite. Não poderiam nos banir, não todas nós. Se nos uníssemos, eles teriam que nos escutar. No entanto, com os rumores sobre uma usurpadora entre nós, ninguém quer se arriscar. Nem mesmo eu.

— Você tem interesse em alguma oficina em particular? — pergunta a sra. Daniels, analisando minha fita vermelha. Quando ela se aproxima, sinto cheiro de ferro puro, mas também de decadência. Ela certamente está usando sangue de Ano da Graça para se agarrar à juventude. — Quer dizer, se você não receber um véu... é claro — acrescenta.

Penso em dar uma resposta ensaiada e educada, mas o marido dela está no Conselho e, agora que eu e Michael estamos brigados, talvez ela me seja útil.

— A lavoura — respondo, me preparando para ouvir um som de reprovação, mas ela já passou para a próxima vítima. Ela não queria uma resposta, só me contaminar com medo e dúvida.

— Tierney! Tierney James — chama a sra. Pearson, mãe de Tommy, gesticulando com sua garra enrugada. Ela voltou do Ano da Graça sem os outros quatro dedos da mão direita. Suponho que tenham congelado. — Deixe-me olhar para você, menina — ela continua, seu lábio inferior fazendo bico para me examinar. — Bons dentes. Quadril decente. Parece saudável o suficiente — diz, puxando minha trança com força.

— Perdão — June diz, vindo me salvar. — Preciso da minha irmã por um momento.

Conforme nos afastamos, a sra. Pearson diz:

— Eu conheço você. Você é a mais velha das James. A que não consegue engravidar... que não tem prole.

— Ela ter só seis dedos não vai me impedir — digo, cerrando os punhos e me voltando para a mulher, mas June me segura no lugar.

— Respire fundo, Tierney — June sussurra, me guiando para o outro lado da sala. — Você vai ter que aprender a controlar esse temperamento. Não quer criar inimigos antes do Ano da Graça. Já vai ser difícil o suficiente, mas tudo pode mudar com uma semente de bondade — ela diz, dando um tapinha carinhoso no meu braço antes de ir encontrar Ivy. Eu a sigo com o olhar, me perguntando o que ela quer dizer com isso.

Ivy está acariciando sua preciosa barriga, gabando-se por saber que é um menino. Juro, ela herdou toda a vaidade da mamãe, mas nada do tato social. June fica ao lado dela, sorrindo, mas posso ver a tensão nos cantos de sua boca. Até June deve ter um limite.

— Veja só a sra. Hanes — alguém diz atrás de mim, desencadeando uma série de cochichos agitados.

— Será que ela deixou outro homem vê-la de cabelo solto?

— Aposto que foi pega no campo de novo, olhando para as estrelas.

— Já viram os tornozelos dela? Talvez seja a usurpadora que andam procurando.

— Não seja burra. Se fosse o caso, ela já estaria morta — se irrita outra mulher.

Conforme a sra. Hanes caminha pela nave da igreja, em direção ao altar, as mulheres se afastam, dando espaço, com o olhar concentrado nas pontas de sua trança, cortada com raiva... violência. Somos proibidas de cortar nosso próprio cabelo, mas, se o marido achar apropriado, pode punir a esposa assim, cortando sua trança.

Algumas das mulheres seguram as próprias tranças para se acalmar, mas a maioria desvia o olhar, como se a humilhação pudesse contaminá-las. Só retomam as conversas superficiais quando a sra. Hanes está completamente escondida na primeira fileira.

O aroma de óleo de rosas perfuma o ar quando Kiersten passa, com Jessica e Jenna logo atrás. Elas poderiam ser trigêmeas, de tão sincronizadas, mas Kiersten parece exercer esse poder em quem quer que escolha para se banhar em sua luz. Com ou sem magia, é um dom poderoso. Elas logo se dirigem a Gertrude Fenton, que está de pé em um canto, fazendo o possível para se camuflar na parede de madeira, mas impedida por seu vestido elegante.

— Que linda você está, com essa renda rosada — Kiersten diz, brincando com a barra da manga de Gertrude. — As luvas dão um toque especial.

Jenna ri.

— Ela acha que, se cobrir as mãos, vai ganhar um véu.

Jessica cochicha algo no ouvido de Gertrude, e o rosto da garota fica vermelho.

Não preciso ouvir para saber o que ela disse. Do que ela a chamou.

Até o ano passado, Kiersten e Gertrude eram inseparáveis, mas tudo mudou quando Gertie foi condenada por devassidão. Como ainda usava a fita branca, os detalhes de seu crime foram abafados, mas acho que isso só piorou a situação. Nossa imaginação correu solta, tentando adivinhar o que tinha acontecido. Quando ela foi arrastada pela praça, chicoteada nas mãos até os nós dos dedos ficarem em carne viva, escutei o apelido, cochichado entre as garotas:

Gertie, a Suja.

A partir daquele momento, qualquer possibilidade de ela ganhar um véu foi completamente destruída.

E, ainda assim, implicam com ela. Parecem minha mãe e as outras hienas, sempre prontas para atirar a primeira pedra.

Parte de mim quer se jogar na fogueira, dar uma oportunidade para Gertrude fugir, mas isso vai contra meu plano. Eu prometi a mim mesma que atravessaria meu Ano da Graça sem nenhuma confusão, e isso significa ficar longe de Kiersten e sua corja. Por mais que eu odeie vê-las mirarem em um alvo tão fácil, talvez seja hora de Gertrude aprender a ser mais forte. O ano que nos espera reserva horrores muito piores do que Kiersten.

Ouvi dizer que, desde que fiquemos no acampamento, não nos acontecerá mal algum. A área é considerada solo sagrado. Nem os predadores ousam cruzar a fronteira por medo de serem amaldiçoados. Mas então por que algumas garotas abandonam a segurança do acampamento? Será que a magia delas as consome e as leva a... tomar decisões equivocadas? Qualquer que seja a causa, algumas de nós só voltarão ao Condado de Garner dentro de lindos frascos, mas pelo menos essa é uma morte honrada. O pior destino, de longe, é nunca voltar. Há quem diga que a culpa é de almas penadas. Há quem diga que é da mata, da loucura que as leva a tirar a própria vida. O fato é que se nossos corpos não forem encontrados, se desaparecermos, sumirmos no ar, nossas irmãs é que carregarão o fardo de nossa vergonha e serão banidas para as margens. Olho para Penny e Clara, brincando atrás do altar, e sei que, morta ou viva, preciso voltar ao condado sob qualquer circunstância, para o bem delas.

Conforme as horas passam e as bebidas acabam, a tensão na sala se torna palpável. Quero acreditar que podemos ser diferentes, mas quando olho ao redor da igreja e vejo as mulheres comparando o comprimento de suas tranças – deleitando-se com o castigo de outra mulher, armando esquemas e brigando com unhas e dentes por qualquer sentimento de superioridade –, não consigo deixar de pensar que talvez os homens estejam certos. Talvez não sejamos capazes de nada além disso. Sem as restrições impostas a nós, talvez nos devorássemos como uma matilha de cães das margens.

— Os véus estão vindo, os véus estão vindo — a sra. Wilkerson grita finalmente do campanário, puxando a corda do sino. As batidas abafadas e maníacas, as bochechas beliscadas e o bater dos saltos no chão fedem a desespero.

As portas se abrem e o silêncio recai sobre a capela, como se até Deus estivesse prendendo a respiração.

O pai de Kiersten é o primeiro a entrar, seu rosto um retrato perfeito de esperança sentimental. Quando ele põe o véu na cabeça da filha, Kiersten olha para cada uma de nós, assegurando-se de que estamos todas nos engasgando de inveja da sua sorte. Ela não foi apenas escolhida – ela foi a primeira. Uma honra.

Os véus de Jenna e Jessica vêm logo depois. Nenhuma surpresa. Elas preparam o terreno desde o nono ano, com olhares contidos e belos sorrisos em seus rostos impecáveis. Que Deus tenha piedade dos garotos que caíram nessa armadilha.

O sr. Fenton entra logo atrás, seu rosto vermelho de tanto beber ou de emoção – ou talvez as duas coisas –, e, ao vê-lo pôr carinhosamente o véu na cabeça de Gertrude, não contenho uma pontada de alegria por ela. Contra todas as expectativas, ela saiu vitoriosa.

Um após o outro, os pais entram na capela, as belas damas recebem seus véus e, a cada gesto, sinto as correntes se afrouxarem em meu peito. Estou um passo mais perto de construir uma vida nos meus próprios termos.

Mas quando meu pai entra na capela, segurando um véu à frente dele como um bezerro natimorto, é como se eu estivesse sendo estripada com um machado enferrujado.

— Não pode ser... — Eu tropeço para trás, indo de encontro ao mar de mulheres, mas elas me empurram para a frente, me rejeitando como a maré.

Com os olhos marejados, procuro minha mãe. Ela parece tão surpresa quanto eu, perdendo o equilíbrio, mas consegue erguer o queixo e, com firmeza, sinalizar uma ordem de que devo me comportar.

Sinto o calor tomar meu rosto, mas não por vergonha. Estou furiosa. Ao olhar para as outras garotas espalhadas pela sala, que teriam matado por um véu, sinto uma pontada de culpa.

Como isso é possível? Não fiz nada para encorajar um pretendente. Na verdade, fiz o contrário. Ridicularizei abertamente qualquer garoto que demonstrou o menor sinal de interesse em mim.

Olho para meu pai. Mas seus olhos não se desviam do véu.

Buscando em minha memória, procuro por algum indício de quem poderia ser, então a resposta vem: Tommy Pearson. Meu estômago se revira quando penso em como ele gritou quando derrubei as frutas, como me olhou ao dizer que gostava de mulheres fogosas. Procuro a sra. Pearson pela capela e a encontro observando a situação com enorme interesse.

Kiersten sorri de leve atrás de seu véu rendado, e me pergunto se ela sabia... se foi ideia de Michael. Hoje mesmo, ele defendeu Tommy, dizendo que ele não era tão ruim. Será que ele convenceu Tommy a me escolher, para me salvar da lavoura? Michael disse que só queria o melhor para mim. É isso que ele acha que mereço?

Enquanto meu pai põe o véu em minha cabeça, ele ainda não consegue me olhar nos olhos. Ele sabe que isso não passa de uma morte lenta para mim.

Ensaiei toda expressão possível, de desespero a indiferença, mas nunca imaginei que precisaria fingir alegria.

Com dedos trêmulos, ele cobre meus olhos furiosos com o véu.

Através da rede delicada, meu olhar vai de um lado ao outro da igreja, entre inveja, cochichos e expressões atentas.

Eu fui a surpresa.

Hoje, me tornei uma esposa.

Tudo porque um garoto decidiu assim.

Enquanto meus pais me escoltam para casa, minhas irmãs borboleteiam ao nosso redor, gritando os nomes de todos os garotos solteiros e tentando analisar a expressão do nosso pai, mas ele continua impassível. Como dita a tradição, só saberei o nome do meu futuro marido quando ele erguer meu véu amanhã de manhã, na Cerimônia de Despedida. Mas eu já sei. Ainda sinto o olhar de Tommy Pearson na minha pele como uma infecção que se espalha. E logo seu olhar sobre mim será o menor de meus problemas.

Marido.

A palavra faz minhas pernas tremerem, mas meus pais só me seguram com mais força pelos cotovelos, me arrastando até eu recuperar meu equilíbrio.

Quero cuspir e berrar como um animal enjaulado, mas não posso arriscar ser expulsa, envergonhar minhas irmãs. Preciso me controlar até estarmos seguras, dentro de quatro paredes. E mesmo ali, devo me segurar. Tenho alguns talentos, mas se fosse expulsa do condado agora, os predadores me pegariam em poucos dias. Disso eu tenho certeza.

Quando minhas irmãs mais velhas seguem para suas próprias casas e minha mãe coloca as mais novas para dormir, sou deixada a sós com meu pai pela primeira vez em meses – o incidente na farmácia ainda fresco em minha mente.

Agarro o corrimão, imaginando a madeira cedendo sob o peso de meus dedos.

— Como você pôde deixar isso acontecer? — sussurro.

Ele engole em seco.

— Eu sei que não era o que você tinha planejado, mas...

— Por que você me ensinou aquilo tudo? Me mostrou o que era liberdade, mas para quê? Agora sou como todas as outras.

— Queria que isso fosse verdade.

Suas palavras são violentas, mas mesmo assim me viro para encará-lo.

— Você chegou a tentar me proteger? Você poderia ter dito que eu ainda não sangrei, ou que cheiro mal... qualquer coisa!

— Acredite em mim. Não faltaram protestos, de todos os lados. Mas seu pretendente estava determinado.

— Michael tentou dissuadi-lo ou foi ideia dele? Me responda pelo menos isso.

— Filha querida — ele diz, acariciando meu rosto com o dorso da mão. O véu áspero irrita minha pele, e o toque apaziguante *me* irrita. — Só queremos o melhor para você. Há destinos piores.

— Como o das garotas naqueles frascos? — Avanço contra ele com uma crueldade que nem reconheço. — Valeu a pena? Só pela oportunidade de ter um precioso filho?

— É isso que você pensa?

Ele dá um passo para trás, como se estivesse com medo de mim.

E me pergunto se isso é a magia me dominando. É assim que começa? Com um deslize da fala? Com a perda de respeito? É assim que me torno o monstro de que os homens tanto cochicham?

Eu me viro e subo a escada correndo, antes de fazer algo de que me arrependa.

Batendo a porta atrás de mim, arranco o véu. Rasgo o vestido, contorcendo minhas mãos para tentar puxar os cordões do corpete em minhas costas, mas é inútil. Estão amarradas além do meu alcance, o que é justamente o apropriado.

Depois de uma vida de planejamento, desejo e esperança, só bastou um sussurro, *Tierney James*, e assim que as palavras abandonaram a boca traiçoeira de meu pai, a vida que conheci acabou. Nunca mais vou poder passar despercebida pelas travessas. Nunca mais terei terra debaixo das unhas, botas arranhadas e cabelo embaraçado. Nunca mais dias perdidos na mata, perdidos dentro de minha própria mente. Minha vida, meu corpo, agora pertencem a outra pessoa.

Mas por que Tommy Pearson me escolheria? Eu nunca escondi meu ódio dele. Ele sempre foi cruel, estúpido e arrogante.

— Claro — sussurro, pensando em seus pássaros de estimação. Suas aves de rapina. Ele sentia prazer em amansá-las e, assim que conseguia domesticá-las, perdia o interesse, deixando-as morrer de inanição a olhos vistos. Era só uma brincadeira para ele.

Sento-me no chão e a seda crua azul do vestido se espalha ao meu redor como um círculo perfeito. Ela me lembra os poços que eu e meu pai cavávamos no ponto mais fundo do lago para pescar. Como eu queria cair dentro do gelo, desaparecer no abismo frio.

Minha mãe entra em meu quarto e eu rapidamente me cubro com o véu. A tradição dita que ela deve removê-lo enquanto me conta dos meus deveres conjugais.

Quando a vejo de pé à minha frente, através do véu esvoaçante, espero que ela me puxe de pé, me mande engolir o choro e me diga como sou sortuda, mas, em vez disso, ela canta uma antiga melodia, uma canção de piedade e graça. Carinhosamente, ela remove meu véu e o deixa na penteadeira atrás dela. Tirando minha fita vermelha, ela penteia minha trança com os dedos, deixando meu cabelo cair em ondas suaves sobre meus ombros. Ela segura minhas mãos, me dá apoio para que eu me levante e me ajuda a tirar o vestido. Quando desata o corpete, inspiro profundamente, ofegando. É quase dolorido encher os pulmões de novo. E isso me faz lembrar da liberdade. Liberdade que não tenho mais.

Enquanto ela guarda o vestido, tento controlar minha respiração, mas quanto mais tento, pior fica.

— Isso... isso não era para acontecer — cuspo. — E não com Tommy Pearson...

— Shhh — ela sussurra, mergulhando um pano na bacia de água para lavar meu rosto, meu pescoço e meus braços, me refrescando. — Água é o elixir da vida. Esta foi trazida da nascente, onde a água é mais fresca. Você consegue sentir? — ela pergunta, aproximando o pano molhado do meu nariz.

Só consigo assentir. Não sei por que ela está falando disso.

— Você sempre foi uma menina esperta — continua. — Uma menina engenhosa. Você observa. Você escuta. Isso vai te ajudar.

— No Ano da Graça? — pergunto, olhando para sua boca pintada de frutas silvestres.

— Na tarefa de ser uma esposa — ela responde, me levando para sentar na beira da cama. — Sei que está decepcionada, mas se sentirá diferente quando voltar.

— *Se* eu voltar.

Ela se senta ao meu lado, tirando o dedal de prata, me mostrando completamente o dedo cortado, a pele rosada e cicatrizada. Essa rara demonstração de intimidade enche meus olhos de água.

— Sabe as histórias que June contava, sobre os coelhos que viviam na horta?

Assinto com a cabeça, enxugando as lágrimas.

— Tinha uma fêmea que vivia se metendo em confusão, correndo aonde não devia, mas ela aprendeu coisas importantes sobre o fazendeiro, a terra, coisas que os outros coelhos nunca saberiam. Mas conhecimento tem um preço alto.

Minha pele se arrepia.

— Os predadores... foram eles que fizeram isso com você? — sussurro, tocando sua mão. A pele está quente. — Eles tentaram te atrair para fora do acampamento? É isso que acontece com as garotas?

Ela afasta a mão e coloca o dedal de volta no lugar.

— Você sempre teve uma imaginação fértil. Só estou falando de coelhos. Não podemos falar do Ano da Graça, você sabe. Mas acho que preciso falar sobre seus deveres matrimoniais...

— Por favor... não — interrompo, sacudindo a cabeça. — Eu me lembro das aulas — digo, apertando as mãos em meu colo. — Pernas abertas, braços esticados, olhos para Deus.

Aprendi tudo há anos, muito antes das aulas. Já vi inúmeros amantes no campo. Certo dia, Michael e eu ficamos presos em cima de um carvalho enquanto Franklin fazia isso com Jocelyn. Eu e Michael ficamos ali, tentando não rir, mas agora não parece tão engraçado, não quando penso em me deitar com Tommy Pearson, seu rosto vermelho grunhindo sobre mim.

Encarando o chão, vejo uma gota de sangue escorrer por entre as pernas de minha mãe, manchando sua meia bege. Notando meu olhar, ela dobra a perna para esconder.

— Sinto muito — sussurro. E é sincero. Mais um mês sem um filho. Eu me pergunto se a época dela está acabando, o que a põe em risco. Não consigo imaginar meu pai a substituindo, como fez o sr. Fallow, mas há muito acontecendo agora que não poderia imaginar.

— Eu e seu pai tivemos sorte, mas respeito... objetivos comuns podem crescer e se tornar outra coisa. — Ela coloca uma mecha de meu cabelo atrás de minha orelha. — Você sempre foi a preferida do seu pai. A garota selvagem dele. Sabe, ele nunca te daria a alguém que considerasse... imaturo.

Imaturo? Não entendo. Essa é a definição perfeita de Tommy.

— Seu pai só quer o melhor para você — minha mãe acrescenta.

Sei que eu deveria ficar quieta, mas não me importo mais. Que me expulsem, que me açoitem até eu não aguentar. Qualquer coisa é melhor que silêncio.

— Você não conhece o papai como eu conheço... não sabe do que ele é capaz — digo. — Eu *vi*, eu *sei*. Que nem ontem, quando os guardas vieram vê-lo e ele...

— Como eu disse... — Ela se levanta, pronta para ir embora. — A sua imaginação vai acabar com você.

— E os meus sonhos?

Minha mãe para. Sua coluna parece se enrijecer.

— Lembre o que aconteceu com Eva.

— Mas eu não sonho com assassinar o Conselho... Sonho com uma garota... Ela usa uma flor vermelha no peito.

— Não — sussurra ela. — Não faça isso...

— Ela fala comigo. Me conta coisas... como as coisas poderiam ser. Ela tem olhos cinzentos, como os meus, como os do papai. E se ela for dele... uma filha das margens? Eu já o vi sair dos portões mais vezes do que consigo contar...

— Cuidado, Tierney — minha mãe interrompe, com uma intensidade que me faz tremer. — Seus olhos estão bem abertos, mas você não enxerga nada.

Afundando de volta na cama, meus olhos se enchem de água.

Minha mãe suspira profundamente e se senta ao meu lado. A pele dela está úmida, a testa brilhando com gotas de suor frio.

— Seus sonhos... — ela diz, acariciando meu rosto cuidadosamente. — ...são o único lugar todo seu. Lá, ninguém pode te tocar. Agarre-se a isso pelo tempo que puder. Porque, logo, seus sonhos se tornarão pesadelos. — Ela se aproxima para me beijar na bochecha. — Não confie em ninguém — sussurra —, nem em você mesma.

Sinto um cheiro forte de ferro, o odor metálico dominando meus sentidos. Quando ela se afasta, noto uma substância vermelha ressecada grudada nos cantos de seus lábios. Um frio gélido me percorre. A boca dela não está pintada com frutas vermelhas.

Está pintada com sangue.

Os frascos da farmácia. Pedaços de garotas à deriva, caçadas e mergulhadas em mares de sangue e aguardente. Sempre achei que meu pai os comprava para si mesmo, mas e se estivesse comprando para ela... só por um gostinho de juventude? Ela estaria desesperada para continuar jovem a ponto de consumir carne de seu próprio povo? É isso que o Ano da Graça faz conosco? Nos transforma em canibais?

Quando ela sai pela porta, eu corro para a janela, escancarando-a, e inspiro fundo o ar fresco. Qualquer coisa para afogar o cheiro de sangue.

Além dos gritos distantes de garotos bêbados e do choro abafado das garotas que não receberam véus, o condado está assustadoramente calmo.

Observando as lanternas baixas que brilham na floresta, nas margens, me pergunto se os predadores estão me observando agora... se veem em mim uma presa fácil.

Respirando fundo, fecho os olhos e estico os braços como uma águia, deixando o vento ardido se espalhar ao meu redor. Balanço no ritmo da noite até sentir que estou voando sobre Garner. Eu e Michael fazíamos isso quando crianças, quando o mundo parecia prestes a nos engolir vivos. Parte de mim quer pular do parapeito, ver se minha magia vai chegar e me deixar voar para longe daqui, mas seria fácil demais.

E nada disso vai ser fácil.

Quando acordo, estou sozinha, aninhada sob algodão macio e penas de ganso. Estreito os olhos na fraca luz amarelada que escapa pelas bordas das cortinas pesadas. Pode ser de manhã cedo ou fim de tarde. Por um momento, acho que talvez tenham se esquecido de me acordar, ou que tudo não passou de um sonho, mas quando olho ao redor do quarto e avisto o véu inocentemente pendurado na beira da penteadeira como um veneno lento e mortal, sei que é só uma questão de tempo até virem me buscar. Posso me esconder sob as cobertas, me agarrar à minha cama desde a infância e a crenças infantis, ou enfrentar a situação. Meu pai sempre me disse que as pessoas são feitas de todas as pequenas decisões que tomam na vida. As decisões que ninguém vê. Posso não ter muito sob meu controle – com quem casarei, quantos filhos terei –, mas tenho este momento. Não vou desperdiçá-lo.

Meu corpo estremece em revolta quando saio de debaixo das cobertas. O chão gelado de madeira range sob meus pés, como se sentisse quanto meu coração pesa hoje.

Estou prestes a abrir as cortinas quando minhas irmãs entram no quarto, escancarando a porta.

— Você está doida? — Ivy pergunta, enquanto Penny e Clara se jogam em cima de mim e me puxam para trás. — Alguém pode te ver.

Não podemos ser vistas sem o véu pelo sexo oposto até a cerimônia. Não somos mais crianças... nem esposas. Mas fomos marcadas como propriedade.

Assim que estou a salvo da janela, Ivy escancara as cortinas. Protejo meus olhos.

— Considere-se sortuda — ela diz, abaixando a sanefa de renda. — No meu ano, ficamos encharcadas antes mesmo de chegar à fronteira.

— Oi, oi — June diz, entrando para trazer minha capa de viagem. É o único item pessoal que podemos levar. O restante dos nossos mantimentos são providenciados pelo condado e provavelmente já estão embalados em sacos de juta e empilhados nas carroças. — Eu a forrei quatro vezes, para as quatro estações — diz, deixando a capa sobre a cadeira. — Lã cor de creme com gola de pele cinza. Para combinar com seus olhos.

— Lã cor de creme? Que burrice — Ivy comenta, passando os dedos ávidos pela capa. — Estará imunda quando chegar a primavera.

— É linda — digo, com um gesto de cabeça. — Obrigada, June.

Ela abaixa o rosto, corando, envergonhada. A maioria das garotas, incluindo Ivy, volta do Ano da Graça ainda mais maldosa do que quando partiu, mas June não. Ela voltou com o mesmo sorriso tranquilo com que foi. Fiquei me perguntando se era essa sua magia: não ter magia alguma. Dizem que minha mãe também voltou a mesma, mas é difícil imaginá-la sendo calma ou agradável em qualquer que seja a circunstância.

— Abram espaço — minha mãe diz, entrando no quarto com uma bandeja com comida suficiente para alimentar um batalhão. Quando minhas irmãzinhas tentam roubar um biscoito, ela dá um tapa nas mãos delas para afastá-las. — Nem ousem. É para Tierney.

Sem um véu, eu estaria lá embaixo, comendo mingau em completo silêncio com meu pai, mas minha mãe parece felicíssima em me mimar agora que voltarei para o condado casada.

Sra. Tommy Pearson. Sinto náusea só de pensar.

Discretamente, deixo um biscoito cair no guardanapo e o empurro até a beirada; minhas irmãzinhas o pegam como diabretes e se escondem debaixo da cama para comê-lo. Escuto risadinhas e implicâncias com minha mãe, mas ela finge não ouvir. Ela era muito rígida com June e Ivy, mas acho que eu a exauri.

— Coma — ela ordena.

Não estou com fome, mas encho a barriga com toda a salsicha, ovos, maçã cozida, leite e biscoitos que aguento. Não por obrigação ou para agradar minha mãe. Como porque não sou idiota. Os guardas que escoltam as garotas até o acampamento ficam quatro dias fora, então suponho que a viagem leve dois dias. As carroças são para transportar mantimentos, o que significa que vamos à pé. Não quero desmaiar na mata, onde cada movimento é observado pelos predadores em busca de um alvo fácil. Vou precisar de força.

Penny engatinha, saindo de debaixo da cama, e pega o véu na penteadeira. Ela o veste e se olha no espelho.

— Olhem só... sou a primeira esposa escolhida — brinca, piscando e se abanando.

Sei que é só brincadeira, mas vê-la assim desperta algo em mim.

— Não! — grito, arrancando o véu de sua cabeça. Ela me olha chocada, como se eu a tivesse estapeado. Provavelmente acha que estou sendo egoísta, que não quero que ela toque meu véu precioso, mas é exatamente o contrário. Ela pode ser tão mais do que isso. Quero dizer isso a ela, mas me controlo. Não posso dar à minha irmã a mesma falsa esperança que meu pai me deu. Tornaria tudo pior no futuro.

Ao mesmo tempo, se qualquer coisa relacionada à garota dos meus sonhos for verdade... talvez ainda tenhamos esperança. Todas nós.

Eu me curvo para pedir desculpas, mas ela chuta minha canela. Sorrio. Ela ainda consegue brigar. Talvez eu consiga também.

Minha mãe trança meu cabelo com a fita vermelha e me ajuda a me vestir. Uma camisa de algodão de gola alta por baixo de um vestido de viagem de linho e, por último, minha capa. É mais pesada do que eu imaginava, mas isso significa que foi bem feita. June seria uma mãe maravilhosa. Eu a vejo olhar para a barriga redonda de Ivy, e isso me entristece. A vida pode ser cruel. Ninguém está imune, não importa quão boa você seja.

Antes de vestir as meias grossas de lã e calçar as botas de cano alto de couro marrom, preciso ser carimbada. É tradição. Clara e Penny riem, disputando quem fará o quê, mas minhas irmãs mais velhas e minha mãe ficam paradas, em completo silêncio. Elas entendem a seriedade do momento. O significado. Clara espalha a tinta vermelha grudenta na sola do meu pé direito; Penny segura a folha rígida de pergaminho na posição correta. Eu me levanto e pressiono a folha com todo o meu peso. Quando elas puxam o pergaminho, sinto calafrios, mas não só pela tinta fria. Esta é minha marca, o timbre de meu pai, que recebi ao nascer: um retângulo comprido com três riscos no interior, representando três espadas. Se eu for capturada por um predador e voltar para casa dentro de pequenos frascos, é assim que identificarão meu corpo.

O sino ecoa na praça, percorrendo ruas estreitas e mentes igualmente estreitas, até chegar à minha casa, invadindo meu peito e apertando-o com força.

Apressadamente, minhas irmãs me ajudam a acabar de me vestir.

Quando minha mãe põe o véu na minha cabeça, vejo de relance meu reflexo fantasmagórico no espelho e ofego.

— Podem me dar licença um momento?

Ela concorda com a cabeça, entendendo.

— Meninas, podem ir — ela diz, levando-as para fora do quarto e fechando a porta com cuidado ao passar.

Erguendo o véu, treino um sorriso educado e simples, de novo, de novo e de novo, até dominar uma expressão que possa ser considerada agradável. No entanto, por mais que eu tente, não consigo apagar o fogo que queima em meus olhos. Mais uma vez, me pergunto se é minha magia começando. Com sorte, chamas começarão a explodir de meus olhos, queimando imediatamente quem estiver por perto. Penso em manter meu olhar escondido, mas talvez não seja tão ruim essa dissonância entre minha boca e meus olhos. Tommy erguerá meu véu esperando uma águia, e eu entregarei a ele uma pomba.

Mas eu não serei domada.

Por ninguém.

Nunca achei que me sentiria grata por um véu, mas a renda delicada torna a caminhada até a praça quase onírica. Olhares profundos se tornam superficiais. Palavras cruéis são abafadas. As folhas caindo dos choupos parecem mais uma comemoração do que a morte do verão.

Comentários obscenos atingem meus sentidos conforme eu passo:
— Como ela...
— Quem ela...
— Ela deve ter...

Normalmente, eu me concentraria em cada palavra, procurando saber o máximo possível, mas as palavras nunca haviam sido sobre mim.

Enfiando minhas mãos trêmulas no bolso da capa, encontro uma pérola de água doce. A forma irregular, o brilho rosa azulado... É a mesma que eu tinha guardado na barra do vestido de June. Ela deve tê-la deixado aqui para mim como uma lembrança. Eu a passo entre os dedos, sentindo uma certa conexão. Assim como esta pérola, sou uma sujeirinha irritante no meio do sensível tecido do condado. Se eu sobreviver ao ano e me livrar de toda a magia, talvez possa voltar igualmente resiliente.

A trompa de chifre de búfalo soa nas margens, assinalando a volta das garotas e o início de uma nova temporada de caça.

— *Vaer sa snill, tilgi meg* — meu pai sussurra na língua de seus ancestrais, "por favor, me perdoe", ao entregar a flor que meu pretendente escolheu para mim. Uma gardênia. Sinal de pureza, de amor secreto. É uma flor antiquada, que há muito não é usada. Só consigo pensar que a mãe de Tommy deve tê-la escolhido, porque é romântica demais para sua natureza bruta dele. Ou talvez ele seja perverso a ponto de se deliciar com o que é puro, sabendo que é ele quem terá o poder de devassá-lo.

Quando minha família se reúne para se despedir e rezar uma última vez, preciso apertar o maxilar para me impedir de chorar. Dizem que os predadores sentem o cheiro da nossa magia à distância. Que é possível ouvir as garotas gritando por dias enquanto são esfoladas. Quanto maior a dor, melhor a carne.

Conforme nos posicionamos em fila, de costas para a multidão, noto Kiersten ao meu lado. Ela está desesperada para que eu a note, para que eu veja a camélia sutilmente equilibrada entre seus dedos delicados. Uma camélia vermelha, o símbolo da paixão descontrolada, uma chama ardente no coração. Uma escolha ousada para Michael, mas eu de fato não conheço esse lado dele. Até poderia ficar feliz por ele, se ainda não quisesse estrangulá-lo.

Os garotos começam a marchar da capela até a praça, os tambores rufando. Em mim, um misto de sentimentos transborda ao mesmo tempo: vergonha, medo, raiva. Fecho os olhos, tentando fazer meu coração bater no ritmo do tambor, dos passos pesados, mas meu corpo não me permite. Até nesse simples ato, parte de mim se recusa a ceder. A se render.

Bum.

Bum.

Bum.

Olho de relance e imediatamente me arrependo. O sr. Fallow é o primeiro da fila, lambendo os finíssimos lábios em expectativa. Não consigo parar de pensar no cadáver da sra. Fallow balançando dependurado atrás dele quando anunciaram que ele procurava uma nova esposa.

Uma nova esposa.

E de repente, sinto que fui esmagada no peito por uma bigorna. Minha respiração se torna ofegante, meus joelhos cedem, meus pensamentos se aceleram: o olhar dele para mim ontem na praça, o gesto com o chapéu e o desejo de um bom Dia do Véu, a concentração na fita vermelha descendo pelas minhas costas. A flor antiquada, simbolizando um sentimento doce demais. Não me surpreenderia se ele tivesse dado a mesma flor às últimas três esposas. E minha mãe, que disse que meu pai nunca me daria a alguém... *imaturo*. Era isso que ela estava tentando me dizer. O Velhote Fallow é meu futuro marido. A ideia é tão repugnante que tenho que me forçar a engolir a bile que surge no fundo da garganta. Quero fingir que é só minha imaginação, o pavor me dominando, mas quando volto a olhar para o Velhote, ele está me encarando. A verdade parece chocante, mas, ao mesmo tempo, algo que sempre esteve bem diante dos meus olhos. Talvez seja a forma de Deus me punir por querer algo além disso. Os sonhos... tudo que meu pai me ensinou, foi tudo à toa. Porque aqui estou... recebendo o que mereço.

Bum.
Bum.
Bum.
Ele se aproxima e eu tento me controlar, não demonstrar o que sinto, mas meu véu treme sob o céu calmo e inerte. Abaixando o olhar, eu espero, aguardo o momento em que ele me escolherá, mas seus passos passam por mim e param diante da garota à minha esquerda, que segura uma flor de agrião cor-de-rosa. A flor do sacrifício. Eu o vejo erguer o véu dela, e meu coração afunda um pouco quando o rosto de Gertrude Fenton é revelado. Ele se inclina para cochichar no ouvido dela; ela não sorri, não cora nem faz uma careta. Ela não faz nada além de passar um dedo pelas cicatrizes da mão.

Eu deveria estar aliviada por não ser eu. Só de pensar naquela pele enrugada se esfregando na minha, fico enjoada. Mas ninguém merece o Velhote Fallow. Nem Gertrude Fenton.

Bum.
Bum.
Bum.
Olho de relance novamente e vejo Tommy e Michael sorrindo um para o outro, então sou tomada pela raiva. Fechando os olhos com força, tento me acalmar, mas não consigo parar de pensar no rosto corado de Tommy grunhindo sobre mim. Achei que tivesse me preparado para este momento, ensaiado meu papel com perfeição, mas quanto mais ele se aproxima, mais quente arde o fogo do ódio dentro de mim. Quero correr... me incendiar... me desintegrar em uma pilha de cinzas.

Bum.
Bum.
Bum.
O véu de Kiersten estremece ao meu lado. Ela arfa e sua camélia vermelha cai no chão – sem dúvidas para que ela possa beijar Michael de forma dramática. Ela sempre soube dar um show.

Bum.
Bum.
Bum.

Um par de botas recém-engraxadas para à minha frente. Sinto a respiração ofegante de expectativa. A multidão sussurrante atrás de mim. É isso. Os dedos dele roçam a beirada do meu véu de um jeito hesitante, inesperado. Lentamente, ele ergue a renda, cada movimento demonstrando sua intenção.

— Tierney James — sussurra, mas a voz não é a que espero ouvir.

Ergo o rosto para vê-lo e me sinto um perca-sol jogado na margem de um rio, sufocando ao tentar respirar.

— Michael? — consigo dizer. — O que você está fazendo?

Confusa, olho para Kiersten e vejo Tommy Pearson diante dela, apalpando-a com vontade, esmagando a flor vermelha com o salto da bota.

— Isso... isso é um engano — gaguejo.

— Nada disso.

— Por quê? — Tonta, balanço um pouco em meus calcanhares. — Por que você faria isso?

— Você não achou que eu te deixaria ser mandada para a lavoura.

— Mas é o que eu queria — deixo escapar, antes de abaixar a voz. — Como você pôde sacrificar sua felicidade por mim?

— Não foi o que fiz. — Ele olha para o céu por um momento, sorrindo angustiado. — Tierney, você já deve saber. — Ele segura minhas mãos. — Há tempos que tento te contar. Eu te...

— Pare — digo, um pouco alto demais, atraindo atenção indesejada. — Pare — sussurro.

Sinto centenas de olhares sobre mim, todo o julgamento fazendo minha nuca pinicar.

— Eu tentei te contar ontem — ele diz, se aproximando mais.

— Mas eu te vi... com a Kiersten... no campo.

— E tenho certeza de que a viu com muitos outros, mas foi gentil e não me contou.

— Não sou gentil. — Olho para baixo, vendo os bicos de nossas botas, que quase se tocam. — Nunca serei a esposa que você precisa.

Ele toca meu queixo com seus dedos quentes.

— Quero mais do que isso — ele diz, acabando com o espaço entre nós. — Você não tem que mudar por mim.

Lágrimas queimam meus olhos. Não de alegria, nem de alívio. Essa é a pior traição. Achei que ele entendesse.

— Chegou a hora — grita o sr. Welk, me encarando com raiva. Ele deve ter sido um dos que protestaram na Cerimônia da Escolha, como meu pai contou. Estou longe de ser a nora que ele imaginava.

Michael se inclina e beija minha bochecha.

— Pode ficar com seus sonhos — sussurra —, mas eu só sonho com você.

Não tenho oportunidade de reagir nem de respirar antes de os portões se abrirem, indicando a chegada das garotas que retornam de seu Ano da Graça. Instantaneamente, a atmosfera muda. Não se trata mais de uma questão de véus, promessas, mágoas ou sonhos — agora a questão é de vida e morte.

Quando dobram os sinos, paramos para contar. Vinte e seis. Isso significa que nove garotas encontraram a faca dos predadores. Duas a mais do que no ano anterior.

Não há despedidas elaboradas. Nenhuma demonstração pública de afeto. Tudo foi dito. Nada foi dito.

Enquanto somos levadas pela praça, noto uma longa fileira de homens aguardando sua vez no posto da guarda, homens que não reconheço do condado, mas rapidamente perco o interesse, pois passamos pelas garotas que estão de volta, exaustas, raquíticas, fedendo a fumaça, podridão e doença.

A garota à minha frente desacelera o passo, encarando uma delas.

— Lisbeth? — sussurra. — Irmã, é você?

Lisbeth ergue o rosto, expondo uma ferida coberta de sangue seco onde um dia esteve sua orelha. Ela pisca várias vezes, como se tentasse acordar de um pesadelo sem fim.

— Anda. — A garota atrás dela a empurra, os restos puídos da fita vermelha pendurados de sua trança cortada.

E pensar que essas são as que tiveram sorte.

Desesperada, procuro em seus rostos sinais do que aconteceu com elas lá fora... do que nos espera. Sob a terra e a sujeira, sob as expressões esqueléticas, há um intenso brilho de ódio queimando em seus olhos. Não consigo deixar de sentir que a raiva que sentem não é dos homens que fizeram isso com elas, mas de nós, as garotas puras e intactas que agora possuem a magia que elas perderam.

— Você já era — Kiersten diz ao passar por mim, me cutucando com força na costela. Eu me curvo, tentando respirar, quando outras garotas do meu ano também passam por mim sussurrando insultos.

— Piranha.
— Traidora.
— Puta.

Michael pode pensar que me salvou de uma vida na lavoura, mas tudo o que fez foi me tornar um alvo.

Penso na minha mãe, sangue seco no canto da boca, me mandando não confiar em ninguém.

Quando olho para os portões que se fecham, deixando as irmãs, filhas, mães e avós reunidas ali para receber as garotas domadas, eu entendo. Talvez o motivo pelo qual ninguém fale do Ano da Graça seja justamente nós. Como os homens poderiam viver entre nós, dormir conosco, nos deixar cuidar das crianças, sabendo os horrores que infligimos umas às outras... sozinhas... selvagens... no escuro?

Não há nenhuma indicação na estrada, nenhuma sinalização de nossa chegada, mas noto que estamos nos aproximando das margens.

Além dos guardas que fecham a formação ao nosso redor, além dos vislumbres de casebres de pedra espalhados pela floresta e das manchas vermelhas atravessando a folhagem escassa, o que denuncia é o cheiro: um odor pesado de carne, terra adubada, couro secando, cinzas frescas, ervas em flor... e sangue.

Não consigo decidir se é agradável ou repugnante, talvez um pouco dos dois, mas é completamente cheio de vida.

Apesar das mulheres das margens não serem protegidas pelos portões, pela igreja e pelo Conselho, elas parecem sobreviver. Soube que as esposas banidas para cá nunca duram muito. Se ninguém as queria no condado, certamente não as querem aqui, mas se são jovens e têm a sorte de serem acolhidas, podem servir os homens do condado em troca de dinheiro. Seus filhos bastardos são criados como predadores, e suas filhas entram para o negócio da família. Eu costumava me perguntar por que elas simplesmente não vão embora — nada as impede, nenhum portão, nenhuma regra. É fácil dizer que não posso simplesmente partir porque minhas irmãs seriam punidas no meu lugar, mas no fundo sei que não é só isso. Nunca ouvi falar de uma alma sequer que viveu para contar o que há além do nosso mundo. Os homens dizem que Garner é uma utopia. O céu na terra. Mesmo se for mentira, não há como negar que nossa tradição, nosso estilo de vida, nos mantêm vivos há gerações. E, se for verdade, tremo só de pensar no que há além da floresta, das montanhas e das planícies. Talvez seja o medo do desconhecido o que nos prende aqui. Talvez todos tenhamos isso em comum.

Quando as mulheres das margens surgem da mata, se reunindo à beira da trilha, Kiersten ergue o queixo, mais alto do que eu imaginava ser possível. As outras garotas fazem o mesmo, mas vejo o medo nelas: as veias salientes em seus pescoços rígidos, como gansos de inverno esticados numa tábua, instintivamente procurando uma morte limpa.

Eu não.

Eu passei a vida toda esperando por isso.

Sei que falei que deixaria os sonhos para trás, mas também sei que meu pai vem às margens há anos. E se a garota estiver aqui... esperando por mim? Uma meia-irmã perdida que nunca conheci. Talvez ela também sonhe comigo. Eu me sinto tonta só de pensar. Preciso apenas de um momento rápido para reconhecê-la... só para saber se ela é de verdade.

Vasculhando a multidão de mulheres, noto que as mais jovens usam vestidos de linho natural, enquanto as mais velhas vestem roupas de linho tingido de beterraba. Parecem nossas fitas vermelhas. Talvez signifique que elas já sangraram... que estão abertas para negócio.

Com o cabelo solto e desgrenhado, entremeado com pétalas secas, as mulheres se aproximam conforme passamos, tão perto que sinto o calor de seus seios soltos. Um assobio baixo cresce pela multidão, fazendo minha pele se arrepiar. Não, não é por curiosidade que elas se aproximam. No fundo, há uma corrente de inveja. Quase consigo sentir o amargor com a ponta da língua.

De cabeça baixa, elas nos encaram sob madeixas pesadas, focando nas garotas que usam véu. Por um momento, esqueço que sou uma delas. Tento esconder a renda leve com minha capa, mas é tarde demais.

Para elas, representamos tudo o que nunca terão, tudo o que acreditam querer.

Legitimidade. Estabilidade. Amor. Proteção.

Se elas soubessem...

Por mais desconfortável que seja, olho para cada rosto. Jovem. Velho. De todas as idades. Alguns traços me lembram dela: um cabelo escuro, um queixo com covinha — mas nenhuma tem a manchinha vermelha sob o olho direito.

Eu me sinto estúpida por me deixar levar por isso, por considerar essa ideia, para começo de conversa, mas avisto uma pétala vermelha em uma mecha de cabelo de uma das mulheres ao redor da trilha. Não é a garota do sonho, mas eu reconheceria aquela flor em qualquer lugar. Tem que significar algo. Ando na direção dela, mas sou empurrada por alguém atrás de mim.

Caindo de joelhos, sinto sangue quente escorrer pela minha meia de lã, manchando minha camisa e meu vestido de viagem. Quando me levanto, a garota da pétala vermelha se foi. Ou talvez nunca nem tenha estado ali.

— Você devia tomar cuidado com onde pisa — Kiersten diz, sorrindo.

Algo explode dentro de mim. Talvez seja a magia surgindo, ou talvez eu só não aguente mais, mas, quando começo a avançar na direção dela, sinto alguém segurar meu cotovelo. Eu me viro, pronta para bater nos guardas por encostarem em mim, mas é Gertrude Fenton.

— Isso só vai piorar as coisas — ela diz.

— Me solte.

Tento me afastar, mas ela me segura com mais força.

— Você precisa ser mais discreta.

— Jura? — Finalmente consigo soltar meu braço, mas ela é mais forte do que parece. — E como isso ajudou *você*?

Um rubor sobe pelo pescoço dela, e eu imediatamente me sinto culpada.

— Olha — tento explicar —, se eu não me defender, ela vai me tratar...

— Que nem eu — interrompe. — Você me acha fraca.

— Não — sussurro, mas nós duas sabemos que estou mentindo.

— Você sempre se achou melhor do que nós. Acha que é boa em se esconder, em fingir, mas não é. Dá para ver tudo no seu rosto, sempre deu — ela diz, então continua a andar.

Quero deixar isso para lá, voltar à minha solidão, mas me sinto culpada por nunca ter ajudado Gertrude. Eu quis, muitas vezes, mas preferi não chamar atenção; e agora, aqui está ela, se arriscando por mim. Isso está longe de ser atitude de uma pessoa fraca.

Alcançando-a, aperto o passo para andar no mesmo ritmo que ela.

— Você e Kiersten eram melhores amigas. Lembro de ver vocês juntas o tempo todo.

— As coisas mudam — ela diz, olhando para a frente.

— Depois do...

Não consigo evitar: olho para a mão dela.

— Sim — Gertie responde, puxando a manga da camisa.

— Sinto muito por... pelo que aconteceu com você.

— Não tanto quanto eu — ela diz, olhando para a nuca de Kiersten. — Se você for esperta, vai ficar na sua. Você não sabe do que ela é capaz.

— Mas você sabe — respondo, tentando descobrir mais.

— Nem era minha litogravura — Gertrude murmura.

— Foi uma litogravura? — pergunto. Todos sabem que o pai de Kiersten tem uma coleção de litogravuras antigas.

Gertrude cerra os dentes e cobre os olhos com o véu, indicando que a conversa chegou ao fim.

E tudo em que consigo pensar é a frase que meu pai costumava dizer: as aparências enganam.

De uma coisa eu sei.
Gertrude Fenton tem algo a esconder.
Talvez não sejamos tão diferentes, afinal.

Os guardas marcham conosco para o leste, muito depois do pôr do sol, até um acampamento esparso. Há uma faixa de linho suja, marcada com sangue fresco, cobrindo um tronco apodrecido. Deve ser o mesmo lugar onde as garotas que retornaram passaram a noite passada.

— Aposto duas moedas na filha dos Spencer — diz um dos guardas, cuspindo entre as rodas da carroça.

— Pode se despedir desse dinheiro — diz o guarda de bigode escuro, estendendo o saco de dormir. — É a menina dos Dillon.

Ele olha para as garotas agrupadas ao redor da fogueira.

— A grandona?

— Bingo. — Ele dá um sorriso de canto de boca, mas fala com uma certa tristeza. — Duvido que dure duas semanas.

Enquanto eles nos analisam, eu os analiso.

Esses guardas são diferentes de Hans. Escolher as garotas é o trabalho mais baixo, então todos são velhos demais, jovens demais, burros demais ou preguiçosos demais para trabalhar no condado. Fingem desinteresse na carga virginal que transportam, mas vejo que isso não é inteiramente verdade. Eles olham para as garotas com desejo, desespero e desprezo por terem tido sua masculinidade extirpada. Me pergunto se eles ainda acham que valeu a pena.

Estou apoiada em um pinheiro nodoso, no meio do caminho entre os guardas e as garotas. Para mim, é o melhor lugar para observar. Consigo escutar as conversas dos dois grupos e ainda ficar de olho na mata que nos cerca, mas sei o que os outros devem pensar. Talvez Gertrude esteja certa, talvez eu me achasse mesmo melhor que elas. Eu achava que tinha tudo resolvido, que podia passar despercebida, incólume, mas isso certamente deixou de ser verdade. Michael me traiu ao me dar um véu, a garota não estava nas margens e agora tenho um alvo nas costas. Nem tudo está perdido, no entanto. Há Gertrude Fenton – talvez uma amiga, uma que nunca pensei que fosse precisar.

Eu a observo das sombras, sentada com as outras excluídas, brincando com a ponta de sua fita vermelha. Mas até mesmo as outras excluídas sabem que devem se manter distantes dela. Eu me pergunto o que de fato aconteceu. Se a litogravura era de Kiersten e ela deixou Gertie levar a culpa, isso significa que Kiersten é capaz de absolutamente qualquer coisa.

Por mais que eu sinta um impulso de protegê-la, volto sempre para as palavras de minha mãe. *Não confie em ninguém, nem em você mesma.*

Uma brisa sopra pela clareira e eu aperto a capa ao meu redor. Estou morta de vontade de aquecer meu corpo dolorido na fogueira, mas não estou pronta para me juntar às outras garotas.

Tirando as botas, tento massagear meus pés para voltar a senti-los. Fui esperta o suficiente para usar as botas pela casa assim que chegaram, para amaciá-las, mas vejo que outras garotas não tiveram a mesma ideia.

Sem nosso relógio de pêndulo ou os sinos do condado, não faço ideia de que horas são. Mas acho que não importa mais. O tempo só importará daqui a treze luas. Treze longas luas. Mas não devo sofrer por antecipação. Meu pai sempre me disse que só é possível solucionar um problema de cada vez, e agora meu maior problema é Kiersten. Preciso ficar longe dela até chegarmos ao acampamento. Talvez cada uma tenha sua própria cabana aconchegante e eu mal precise lidar com ela.

Por enquanto, farei o que faço melhor.

Observar.

Escutar.

O vento sopra forte pela floresta, fazendo os pinheiros uivarem e rangerem.

— Você acha que os predadores estão à espreita agora? — pergunta Becca, olhando para a mata densa.

— Ouvi dizer que eles nos seguem o caminho todo até o acampamento — sussurra Patrice.

— Vamos descobrir. — Kiersten se levanta. — É isso que vocês querem? — ela grita, levantando as saias, mostrando as pernas para a escuridão ao nosso redor.

— Pare com isso.

Elas a puxam de volta, rindo, como se fosse algum tipo de brincadeira.

— Minha irmã mais velha disse que eles cobrem o corpo inteiro com uma mortalha — diz Jessica.

— Que nem fantasmas? — pergunta Helen.

— Fantasmas não usam mortalha, sua idiota — ri Jenna. — Só no desfile de Natal.

— Ouvi dizer que é porque são deformados — Tamara acrescenta, com uma voz sombria. — Eles têm bocas gigantescas, cheias de dentes afiados.

— Aposto que eles nem estão por aí — Martha diz. — Não vimos nem ouvimos nada esse tempo todo. Provavelmente só contam essas histórias para nos assustar.

— Mas por quê? — Ravenna pergunta, agarrando-se ao seu véu, fazendo o tecido farfalhar sob as unhas.

Eu me aproximo um pouco. Talvez não seja a única com dúvidas.

— Para não fugirmos — Kiersten responde. — Eles não podem nos deixar soltas com tanta magia... tanto poder. — Ela se inclina para a frente, baixando a voz. — Já estou sentindo acontecer. É um formigamento lá dentro, bem *aqui* — ela diz, abrindo a capa e esticando os dedos abaixo do umbigo.

Um calafrio excitado percorre o grupo, como quando as facas são afiadas antes de um castigo na praça.

— Mal posso esperar para descobrir minha magia — Jessica diz, se empertigando.

— Soube que falar com animais é comum na minha família — Dena comenta, olhando para Kiersten em busca de aprovação.

— Talvez eu possa comandar o vento — diz outra garota, abrindo bem os braços.

— Ou ser resistente ao fogo — sugere Meg, passando os dedos pela fogueira.

— Calma, calma — pede Kiersten, olhando para os guardas. — Não podemos nos deixar levar. Ainda não.

— Que magia você quer? — pergunta Jenna, empurrando Kiersten de leve com o joelho. — Por favor, conte.

— Conte... — insistem as outras garotas.

— Eu quero... — Ela pausa, dramática, para garantir que estão todas atentas a cada palavra. — Quero controlar as pessoas só com o pensamento. Guiá-las rumo ao caminho justo... mantê-las longe do pecado, para nos livrarmos de nossa magia e voltarmos mulheres purificadas.

Gertrude bufa. Não sei se é um suspiro, um bocejo ou uma risada, mas do outro lado da fogueira, Kiersten olha feio para ela.

— Talvez até *você* possa voltar a ser pura, Gertie — Kiersten diz.

Os músculos do rosto de Gertrude se retesam, mas parece ser a única reação que Kiersten é capaz de causar nela.

— E você, Betsy? — ela pergunta, voltando sua atenção para a garota ao lado de Gertrude. O próximo alvo.

— Eu? — Ela olha ao redor da fogueira, procurando uma confirmação.

— Tem outra Betsy Dillon por aqui? — pergunta Kiersten. — Que magia você quer?

— Deixar de ser tão gorda e feia? — ri uma das garotas.

Kiersten dá um tapa na perna dela.

Até sob a luz fraca, posso ver o calor tomando o rosto de Betsy; ela está envergonhada ou lisonjeada com a atenção de Kiersten.

— Eu... eu quero voar, como um pássaro — diz, olhando para a copa das árvores.

— Sem chance — murmura alguém, que Kiersten interrompe.

— Por quê? — Kiersten pergunta, doce. Doce até demais.

— Para voar para muito, muito longe — Betsy responde, tomada por um ar sonhador.

— Acredite. — Kiersten se prepara para atacar. — *Todas* queremos que você voe para muito, muito longe.

As outras garotas finalmente soltam as risadas que tentavam conter.

Lágrimas escorrem pelo rosto de Betsy, e Kiersten dá as costas para ela, voltando a conversar com as outras.

Gertrude se aproxima para consolá-la, mas Betsy se esquiva da mão dela e se levanta, correndo para dentro da mata.

— Não falei? — o guarda de bigode escuro diz, vendo-a fugir. — A garota dos Dillon.

— Todo ano... — responde o outro guarda, tirando duas moedas do bolso. — Não sei como você consegue.

Estou prestes a correr atrás dela, pedir que ignore as outras, quando escuto um grito agudo. Seguido de outro. E mais outro, todos vindos de pontos diferentes da mata. Um típico chamado sendo respondido. A princípio, penso ser uma matilha de lobos, mas escuto outro grito, mais perto ainda, desta vez acompanhado de uma gargalhada rouca. Não preciso que me digam que são gritos dos predadores, que eles estão cercando Betsy.

Olho para os guardas, esperando que eles façam alguma coisa, mas eles só continuam a se aprontar para dormir.

— Vocês precisam ir atrás dela — digo.

O mais alto dá de ombros.

— Se vocês fugirem, não é nossa responsab...

— Mas ela não estava fugindo... ela só queria chorar... sozinha.

— Não saiam da trilha. É a regra...

— Mas ninguém disse... ninguém avisou...

— Vocês não deveriam *saber*? — ele diz, sacudindo a cabeça.

Começo a correr atrás dela, mas escuto berros. Berros de gelar qualquer um, ecoando pela floresta. O som parece penetrar minha pele, afundar em meus ossos, paralisando-os.

— Você viu o que eu fiz ela fazer? — Kiersten sussura para Jenna. Jenna cochicha para Jessica. E, assim, a história da magia de Kiersten se espalha como fogo em um palheiro.

Quando olho para as garotas, seus rostos iluminados pelas chamas, vejo-as olhar para Kiersten, tomadas por uma mistura de medo e respeito.

Um leve sorriso surge no canto dos lábios perfeitos de Kiersten. Conheço esse sorriso.

Encolhida no chão úmido, não consigo dormir. Na verdade, não sei como alguém poderia conseguir. Não com todos esses berros. Já tinha ouvido histórias, rumores sobre como os predadores nos mantêm vivas o máximo possível para arrancar nossa pele, sobre como a dor estimula nossa magia mais potente a surgir, mas até os guardas parecem um pouco incomodados. É como se os predadores quisessem que escutássemos cada grito, cada corte; eles querem que saibamos o que nos espera.

Quando o sol nasce, pesado e inchado, na cordilheira ao leste, da cor de fim de verão, os berros diminuem, transformando-se em gemidos ocasionais, e, finalmente, param por completo. Nunca fiquei tão horrorizada e aliviada ao mesmo tempo. O sofrimento dela finalmente acabou.

Em silêncio, nos arrumamos para continuar a viagem até o acampamento. Eles tiram o saco com os pertences de Betsy da carroça e o deixam para trás, como se não fosse nada. Como se *ela* não fosse nada.

O som pesado de asas batendo me desvia dos meus pensamentos agitados. Olho para os galhos esparsos e frágeis do entorno, deparando-me com um uirapuru que me encara. Simples e gorducho, querendo ser visto.

— Voar para muito, muito longe — sussurro.

Depois de sermos enfileiradas e contadas, seguimos pela trilha. Estou ciente da mata ao meu redor de uma forma que nunca estive antes. A noite passada foi uma prova de que estamos sendo observadas. Perseguidas. E já cacei o suficiente com meu pai para saber que provavelmente estão procurando o elo mais fraco entre nós.

Inspirada em Gertrude, abaixo meu véu. Sei que me desumaniza, assim como quando cobrimos os olhos dos porcos com um saco antes de degolá-los, mas não quero ser um convite. Não quero que memorizem meu rosto. Que sonhem comigo. Não darei a satisfação de mostrar meu medo.

Uma garota para abruptamente na minha frente para pegar uma pedra pesada ao lado da trilha, guardando-a no bolso de sua capa. É Laura Clayton, uma garota magrela e silenciosa que provavelmente será mandada para trabalhar na moenda ao retornar.

— Desculpe — ela murmura ao voltar a andar, mas não encontra meu olhar. Eu me pergunto se ela está em busca de algo para utilizar como arma. Pela forma como anda, noto que a pedra não foi o primeiro objeto pesado que pegou no caminho. Procuro uma pedra pesada para mim também quando Gertrude desacelera o passo para andar ao meu lado.

— Viu? — ela diz, olhando para a frente da trilha.

Sigo seu olhar e vejo Kiersten, que cochicha com um grupo de meninas. Ela me olha de relance antes de se dirigir ao próximo grupo de ouvidos interessados.

— E daí?

— Ela está montando o palco.

— Não tenho medo dela.

— Deveria ter. Você viu o que ela pode fazer... a magia...

— Não vi nada além de uma menina magoada correndo para chorar.

Gertrude me olha com atenção, mas posso ver em seus olhos: não sou a única que tem dúvidas.

— Magia ou não... ela pode te ferir de outras formas.

Eu me lembro de ver Kiersten fazer o mesmo com Gertrude no ano anterior: espalhar aquele apelido cruel como uma praga. Mas isso foi feito dentro do condado, sob o olhar dos homens, que nos impedem de sair da linha. Aqui é diferente.

Parte de mim se pergunta se eu mereço. Sempre fingi não ver Kiersten torturar outras garotas quando bem entendia. Eu poderia tê-la impedido, mas agora... vale tudo.

— Eu preciso perguntar... — digo, olhando nervosa na direção dela. — Você levou a culpa por ela... pela litogravura? Foi isso o que aconteceu com você?

Gertrude se vira para mim, seus olhos distantes... assombrados.

— Vocês estão falando da Betsy? — Uma menina para ao meu lado, nos assustando. É Helen Barrow.

Agitada com a intrusão, Gertrude abaixa o rosto e aperta o passo.

— Gertrude, espera! — grito, mas ela já se afastou.

— Sei que eu não recebi um véu — Helen começa —, mas você sempre me pareceu uma boa pessoa... de uma boa família. Seu pai foi muito gentil com minha mãe uma vez...

— Sim. Ele é um grande homem — murmuro sem emoção, me perguntando aonde ela quer chegar.

— Andam falando... — ela diz, olhando na direção de Kiersten. — Você deveria se afastar de Gertie. Você não quer que pensem que você é suja também.

— Eu realmente não ligo para o que elas pensam — digo, com um suspiro profundo. — Você também não deveria ligar.

Ela me encara, suas bochechas coradas de vergonha.

— Não quis ofender.

— Só porque você não ganhou um véu, não significa que é inferior a nós. Somos todas iguais aqui.

Os olhos dela se enchem d'água e seus lábios fazem um bico.

— O que foi? Aconteceu alguma coisa?

— Estou com medo. Com medo do que vai acontecer quando... — Helen tropeça, caindo para fora da trilha.

Agarrando a borda da capa dela, puxo-a com força de volta, no mesmo instante em que uma lâmina afiada voa perto de seu rosto, acertando um pinheiro próximo.

— Você viu isso? — ela ofega, as lágrimas fazendo seus olhos parecerem maiores.

Lentamente, nos viramos para olhar para trás, mas não há nada ali. Só a floresta. No entanto, posso jurar que sinto a presença deles... os olhares em minha pele.

— A Kiersten está me olhando? — Helen sussurra, horrorizada, sem tirar os olhos do chão à sua frente. — Será que ela que me fez tropeçar?

Não quero dar credibilidade nenhuma a essa história, mas quando desvio o rosto da trilha, juro ver um pedaço da trança de Kiersten. O resquício de um sorriso.

Minha pele explode em calafrios.

— Não seja boba — digo, puxando Helen para andar perto de mim. — Você tropeçou numa raiz, só isso.

Mas mesmo enquanto falo, não tenho certeza.

Parece que Kiersten está florescendo bem à minha frente, uma beladona, cheia de veneno.

No fim do dia, a floresta se torna tão densa que apenas estouros ocasionais de luz fraca atravessam as árvores. Sempre que a luz se vai, parece um insulto, e então ela não volta mais.

A cada passo, o ar se torna mais pesado, o terreno mais incerto; o cheiro de carvalho podre e gualtéria dá lugar ao de cicuta, samambaia, musgo, argila e alga.

A trilha se estreita, fazendo parecer que a floresta nos esmagará.

Algumas garotas tiram as botas, revelando pés sangrentos e bolhas deformadas. Por causa de nosso ritmo lento, os guardas decidem não acampar. Talvez seja melhor assim; desse modo, não teremos tempo para sentar e pensar em nosso destino. É surpreendente para mim, mas, em duas noites, de alguma forma já nos resignamos a tudo.

Preciso parar para fazer xixi. Nem sei de onde vem a vontade, já que não nos deram nada para beber ou comer. Talvez seja só um impulso fantasma. Algo que meu corpo está acostumado a fazer. Avistando um arbusto de samambaias, sigo até ele aos tropeços, levanto as saias, afasto minhas roupas de baixo e me agacho.

Estou esperando por pelo menos uma gota satisfatória quando o último guarda passa por mim, sem dizer uma palavra. Ao ver sua tocha sumir pela trilha, percebo que ele não me viu. Os guardas não sabem que me afastei e provavelmente não saberão até contarem as garotas no acampamento. Uma onda de adrenalina me percorre. Eu poderia fugir agora. Não para o condado de onde vim, mas para outro lugar. Os predadores continuarão a seguir as garotas e, quando alguém notar que sumi, já terei encontrado um riacho para despistar meu cheiro. Seria impossível me encontrar. Sei como me esconder. Me escondo há anos, bem embaixo do nariz de todos. Michael estava certo sobre uma coisa: sou forte e esperta, e talvez nunca mais tenha uma oportunidade como esta.

Estou arrumando minhas saias quando escuto o inconfundível som de passos. Olhando por sobre o ombro, vejo silhuetas. Um desfile sem fim de figuras escuras emergindo da mata. *Predadores*.

Rapidamente me dou conta de que, sem perceber, me afastei da trilha. Não estava raciocinando. Eu só vi o arbusto e corri na direção dele. Estou a poucos metros de conseguir voltar para a trilha, três no máximo, mas não sei quão perto os predadores estão nem quão rápidos eles são... quando olho para eles, só vejo nuvens pretas flutuando como aparições pela floresta.

Quero correr de volta para a trilha, gritar por ajuda, mas estou tão paralisada que só consigo me afundar mais nas folhas e fechar os olhos.

É infantil pensar que, se não consigo vê-los, eles não conseguem me ver, mas neste momento é exatamente assim que me sinto: uma criança. Podem me arrumar, me casar, me dizer que sou uma mulher agora, mas de forma alguma me sinto pronta para isso. Para nada disso.

Eu deveria negociar com Deus, prometer nunca mais sair da trilha, mas nem isso consigo. Não temos permissão de rezar em silêncio, por medo de nos aproveitarmos disso para esconder nossa magia, mas onde está minha magia agora, quando eu mais preciso dela?

Quando os predadores começam a passar pelo meu esconderijo, mal consigo acreditar em como são silenciosos. Eles andam exatamente no mesmo compasso, então é impossível identificar quantos são, mas ouço o vibrar do aço de suas facas quando a brisa percorre as lâminas afiadas. Não dizem uma palavra; só respiram, profundamente, em um ritmo preciso.

Depois de o último passo se afastar, abro meus olhos. Começo a achar que minha magia talvez tenha mesmo chegado, que talvez eu seja invisível, quando sinto um calor pulsar contra meu pescoço. Lentamente, me viro e me deparo com uma faca curvada apoiada na minha artéria, dois olhos me encarando como bolas de gude brilhantes e molhadas, e o restante do corpo do predador escondido pela escuridão.

— Por favor... não... — sussurro, mas ele continua ali, parado. Aqueles olhos... é como encarar o fundo de uma colina.

Me desvencilhando devagar, engatinho até a trilha.

Espero pelos gritos de dar engulhos, espero que ele agarre meus tornozelos e os puxe para me esfolar viva na floresta, mas, quando meus dedos tocam a faixa livre de terra, me levanto e ele já se foi. Nada além do vazio me cerca.

Correndo pela trilha, rapidamente volto a me misturar ao rebanho exausto. Tento agir normalmente, mas meu corpo não para de tremer. Quero contar às outras sobre o predador, falar de quão perto cheguei da morte, mas quando olho para trás, para a escuridão, nem sei exatamente o que aconteceu. Não há a menor chance de um predador ter me deixado partir. E, na verdade, nem vi o corpo dele, só uma faca... e aqueles olhos.

Meu queixo começa a tremer. Pode ser de exaustão ou um sinal de minha magia chegando, mas não importa. Apesar do que aconteceu ou não, preciso me controlar, ficar alerta, porque qualquer passo em falso pode muito bem ser o meu último.

Quando o sol nasce mais uma vez, avistamos uma velha cabana. Eu me pergunto se é aqui que passaremos o Ano da Graça, mas eles nos fazem seguir adiante, até o fim do chão de terra, onde uma vastidão de água se estende à frente. Se apertarmos bem os olhos, porém, podemos enxergar um pontinho de terra à distância.

E então eu sei que é isso.

O começo do fim para algumas de nós.

Nos indicam algumas canoas, mas não nos dão remos.

Só os guardas têm o privilégio de nos guiar à nossa prisão. Talvez eles não queiram correr o risco de que nos revoltemos e os derrubemos dos barcos. Talvez Laura Clayton esteja juntando pedras para esse propósito. Fico de olho nela, pronta para o menor sinal de rebelião. Se nos rebelássemos, não sei aonde iríamos ou o que faríamos, mas acho que estou disposta a descobrir.

Ninguém diz uma palavra quando os guardas começam a nos impulsionar pelo espelho d'água. Cada movimento da madeira rasgando o azul profundo parece uma faca que me estripa. Pedaço a pedaço. Remo a remo, me arrancando tudo o que já soube, tudo em que eu achava que acreditava.

No meio do caminho, vejo Kiersten esticar a mão para além da beirada da canoa, tocando a superfície da água com a ponta dos dedos e criando rastros longos e sensuais. Isso desperta algo em mim. Desperta algo em todas nós. A única que não está olhando para ela é Laura Clayton, que tem o olhar fixo à frente, agarrada à pedra mais pesada que carrega no colo. Seus lábios se movem, mas não consigo entender o que ela diz.

Eu me aproximo e ela me olha de um modo estranho.

— Peça desculpas à minha irmã — ela diz, logo antes de se jogar devagar da canoa.

— Laura... — grito seu nome, mas é tarde demais.

Conforme sua capa de lã preta envolve seu corpo, ela logo afunda nas profundezas da água.

E eu percebo que a única rebelião que ela tinha em mente era a sua própria.

Ninguém se move. Ninguém nem se assusta. Se já nos tornamos isso agora, estremeço ao pensar no que teremos nos transformado daqui a um ano.

Kiersten volta a mão para dentro do barco, e as garotas olham para ela como se compreendessem tudo. Elas acham que Kiersten fez Laura se jogar.

Talvez o tenha feito.

Uma onda de pânico me percorre.

Duas já foram, restam trinta e uma.

***

Queimados pelo sol e exaustos, nossos corpos ainda balançam com o movimento da água, sentindo o vazio da fuga de Laura, quando os guardas atracam as canoas na margem enlameada. O som dos cascos arranhando a praia pedregosa é como uma navalha rasgando meus nervos.

— O perímetro está limpo — ouço um dos guardas dizer. — Nenhuma violação.

Reconheço aquela voz. Erguendo o rosto, vejo que é Hans. Começo a me levantar, mas Martha, sentada atrás de mim, puxa minha saia.

— Não chame atenção — ela adverte. — Você viu o que aconteceu com a Laura.

Hans me olha de soslaio. É um olhar de aviso. Martha está certa. Ninguém pode saber que somos amigos. Poderia ser um problema para ele.

— Não acredito que você se ofereceu para isso — diz o guarda mais velho, sacudindo a cabeça e olhando para o lago. — Um ano inteiro naquela barraquinha de merda. Só você e Mortimer.

Eu me pergunto se ele está falando do casebre que vimos na outra margem. Ouvi dizer que dois guardas moram naquela área, para vigiar a barreira do acampamento, mas sempre me pareceu mais um castigo do que um privilégio. Era isso que Hans queria me contar naquele dia no estábulo?

Sem mais palavras, os guardas carregam as carroças com mantimentos, empurrando-as pela trilha larga de terra.

Nós os seguimos. O que mais podemos fazer?

Na verdade, tudo isso significa muito mais do que parece. Passamos a vida nos preparando para este momento. O Ano da Graça agora não é mais uma história, um mito, algo que acontecerá um dia.

O dia é hoje.

Eu me atento a cada detalhe do terreno: logo depois da costa pedregosa, parece haver uma série de estruturas altas de madeira que se estendem para os dois lados. A princípio, acho que talvez sejam nossas barracas, mas os guardas continuam a nos guiar pela trilha.

A paisagem esparsa lentamente é tomada por pinheiros brancos e frágeis e cinzas. Olhando para a frente, vejo que as árvores parecem se tornar mais espessas, com alturas variadas, as mais altas no meio da ilha. Eu me lembro de ouvir histórias dos homens que faziam armadilhas, de quem meu pai às vezes cuidava, sobre as ilhas do norte. Cumes de terra isolados do restante do mundo. Onde homens e animais enlouquecem.

Hans olha para mim. Acho que ele está tentando me dizer algo, mas não faço ideia do que seja. Estou cansada demais para sutilezas.

Através das folhagens, noto uma linha curva de cedros enormes que parecem abraçar a ilha inteira, mas estão próximos demais um dos outros para serem uma paisagem natural. Devem ser uma cerca, como a que delimita o condado, mas não para nos proteger do mundo externo, e sim para proteger o mundo *de nós*.

Não faço ideia do que somos capazes, de como a magia se manifestará, mas nem chegamos em nosso destino final e duas já ficaram para trás.

Quando minhas botas molhadas afundam na terra fofa, penso na minha mãe fazendo este caminho antes de mim, em June e Ivy e em Penny e Clara, que serão obrigadas a seguir estes mesmos passos.

Há rastros de veados, porcos-espinhos, raposas e aves, mas é um outro tipo de vestígio que me congela. Pegadas grandes de pés chatos, acompanhadas de dois traços compridos, como se alguém tivesse sido arrastado.

Olhando pela floresta, procuro os predadores, mas nem sei o que procurar exatamente. Olhos e facas, é tudo o que sei. Será que estão camuflados? Será que estão empoleirados nas copas das árvores ou em trincheiras sob nossos pés, aguardando um passo em falso?

Sei que os predadores nunca cruzariam a fronteira por medo de serem amaldiçoados, então o que atrairia as garotas para fora? Será uma tentativa de fuga? Será que os predadores as seduzem? Ou talvez sejam expulsas por seu próprio grupo?

Como se Kiersten pudesse ouvir meus pensamentos, ela me olha por sobre o ombro, seus olhos azuis gelados queimando dos meus pés ao topo de minha cabeça.

Eu me abaixo, fingindo amarrar os cadarços das minhas botas, qualquer coisa para escapar daquele olhar. Não consigo parar de pensar em Betsy correndo pela floresta, em Laura se jogando da canoa — naquele olhar no rosto de Kiersten. Verdade ou não, ela acredita que matou as duas com magia.

E está orgulhosa disso.

Sacudo a cabeça, tentando apagar minha memória, porque, não importa o que aconteça, o que isso possa parecer, preciso me manter racional, com os pés firmes no chão. Chega de superstições. Chega de medo.

Arrumo minhas saias para me levantar e avisto uma florzinha vermelha lutando para crescer. Estico a mão e toco suas cinco pétalas, perfeitamente desenhadas, só para ter certeza de que são reais. Lágrimas ardem em meus olhos. É a flor dos meus sonhos, a mesma que vi na mão da sra. Fallow ao pender da forca, a mesma que estava no cabelo da mulher das margens. Não faço ideia de como chegou aqui, de como sobreviveu nesta trilha tão gasta, mas parece a magia mais verdadeira que qualquer outra que eu tenha visto até agora.

— De pé — diz Hans, me abraçando para me levantar.

— O que você está fazendo aqui? — sussurro.

— Falei que ia cuidar de você — ele responde. Não ouso olhar, mas ouço o sorriso em sua voz. — Se houver um buraco na cerca, vão me chamar. Você entendeu? Virei te ajudar.

Faço que sim com a cabeça. Mas não faço ideia do que ele quer dizer.

Quando chegamos ao fim da trilha, damos de cara com um portão enorme de madeira, cuja superfície entalhada está cravejada por centenas de fitas velhas. Algumas estão puídas, há muito desbotadas, mas outras ainda estão brilhantes, com o tom mais forte de carmesim. Quero fingir que as garotas as prenderam aqui por conta própria, em um último ato de rebelião antes de voltar ao condado, mas cansei de mentir para mim mesma.

Essas são as fitas das garotas que foram mortas.

É mais do que um aviso.

É um recado.

Bem-vindas a seu novo lar.

— Vamos ficar paradas aqui? — Kiersten pergunta, batendo o pé impacientemente na terra.

— Uma de vocês vai ter que abrir o portão — diz o guarda baixinho e forte, mudando o peso do corpo de um pé para o outro.

Não consigo evitar que meu olhar se dirija para o espaço entre suas pernas. Fico pensando se ele sente mais o corte agora que está aqui no acampamento.

Sem o menor indício de reverência a este momento, Kiersten escancara o portão.

A porta de madeira barulhenta se abre com um lamento agudo e guinchado, e somos atingidas por uma lufada opressiva de fumaça de madeira verde, cabelo queimado e odor doce e enjoativo de podridão. É impossível não inspirar fundo. Fico tonta com o cheiro. É tão pesado, tão profundo, que juro conseguir senti-lo se agarrar aos espaços entre minhas costelas, quase como se tivesse medo de ser nomeado.

— Vocês vão ter que levar os mantimentos para dentro — um dos guardas diz, com a voz trêmula, como se tivéssemos aberto os portões do inferno.

Conforme as garotas se agilizam para empurrar as carroças, os homens começam a se afastar, sem dar as costas para nós nem por um único instante, como se simplesmente atravessar os portões fosse fazer nossa magia nos dominar, engoli-los por completo.

Aguardamos despedidas... instruções... qualquer coisa... mas eles apenas continuam ali, em silêncio.

— Fechem — Kiersten ordena, olhando para o mecanismo de corda conectado aos portões.

Meryl e Agnes aproveitam a oportunidade de serem notadas e fecham a porta de madeira.

No último segundo, Hans estende a mão para soltar a ponta da minha fita do poste de madeira, deixando seu toque se demorar.

Outro guarda o puxa de volta e o repreende: *Você ficou maluco? A maldição!*, e eu sei que é a forma de Hans se despedir.

Quando os portões se fecham diante das caras perturbadas dos guardas, fica nítido que eles acreditam mesmo que somos criaturas abomináveis que precisam ser trancafiadas por segurança, pelo nosso próprio bem, para exorcizar os demônios escondidos em nós, mas mesmo neste lugar amaldiçoado, com raiva, medo e ressentimento borbulhando dentro de mim, ainda não me sinto mágica.

Ainda não me sinto poderosa.

Eu me sinto abandonada.

Esta é a primeira vez que ficamos sozinhas. Sem supervisão.

Há um momento de silêncio – alguns segundos pesados – até que realmente entendamos isso.

A energia que corre entre nós parece viva, parece respirar.

Enquanto algumas garotas correm para explorar, gritinhos empolgados cortando o ar, outras se agarram ao portão, chorando pelo mundo que lhes foi arrancado. A maioria de nós, no entanto, por obrigação ou curiosidade, anda devagar, um pé atrás do outro, entrando aos poucos em uma clareira vasta e árida em forma de meia-lua, aberta na densa floresta à nossa frente.

— É um alojamento — diz Ravenna, olhando para dentro da comprida estrutura primitiva de madeira na ponta norte da clareira. Há dois casebres pequenos, um de cada lado. Fora isso, nada além da floresta.

— Não pode ser só isso — Vivian diz, girando lentamente, arrastando seu véu na terra.

Me sinto impulsionada a ir ao centro da clareira, ao poço antigo de pedra e à árvore solitária, mas não é isso que chama mais minha atenção. Ao pé da árvore, há uma pilha de restos queimados, cercada por folhas de sumagre, como um gesto lascivo.

— Ouvi dizer que faziam isso — sussurra Hannah. — Mas não acreditei.

— No quê? — Kiersten pergunta, chutando uma das folhas e quebrando a corrente, o que faz a maioria das garotas estremecer.

— Eu não devo dizer. — Hannah sacode a cabeça, sem desviar o olhar do chão. — É proibido falar do Ano da Graça.

As narinas de Kiersten se abrem como se estivesse prestes a perder a paciência, mas seu rosto se suaviza quando ela começa a falar.

— O que for dito aqui... o que acontecer aqui... — Ela acaricia o rosto corado de Hannah. — ...fica aqui para sempre. É nosso juramento mais secreto.

Hannah aperta tanto os lábios que eles ficam da cor de mirtilos frescos, então diz:

— São os mantimentos que sobraram, tudo o que elas construíram... tudo o que usaram para sobreviver ao ano.

— Mas por que elas queimariam isso? — pergunta Jenna.

— Porque o mesmo foi feito com elas — diz Hannah, estudando as marcas na árvore solitária: quarenta e seis. — Ano após ano. Por que nos dariam vantagem, se elas não tiveram? — pergunta, traçando, com o dedo, o corte mais novo e profundo na árvore.

Não sei por que me surpreende, mas sinto a traição no fundo do meu corpo. Não só querem que fracassemos, mas também que soframos no processo.

Um grito rompe de uma das estruturas menores. Ruth Brinkley dá alguns passos para trás, cobrindo o rosto com a capa, enquanto um enxame de moscas pretas sai voando do casebre.

Martha faz uma careta, olhando pela porta.

— Parece que encontramos a latrina.

— Cinzas — digo, sem pensar. — Podemos botar cinzas na latrina para diminuir o cheiro, ajuda a controlar.

— Como você sabe? — pergunta Gertie.

— Meu pai. Eu o acompanhava nas visitas à lavoura. Tem um banheiro parecido com esse lá.

Todas olham para Kiersten.

— O que você está esperando? — Kiersten grita para mim, uma ordem.

Encontro um pedaço de casca de bétula, que uso para pegar um pouco das cinzas e levá-las até o casebre. O cheiro é insuportável; há fezes e outras coisas espalhadas pelas paredes. Jogo as cinzas lá dentro e, quando volto para pegar mais, vejo uma pedra escondida sob os detritos. Parece estar entalhada.

— Olhem — digo. — Talvez seja uma mensagem.

Tento limpar a fuligem, mas tudo o que consigo é fazer surgir uma nuvem espessa de cinzas.

— Você está tentando nos matar? — Kiersten diz, abanando o ar à sua frente. — Busque água para limpar a pedra — ordena, apontando para o poço.

Parte de mim quer recusar, pelos meus princípios. Afinal, não quero dar abertura para esse tipo comportamento, mas pelo menos estou fazendo algo. Não estou apenas à toa, como uma ovelha em um rebanho.

Gertrude vai comigo ao poço.

— Viu? Isso foi esperto — ela diz, me ajudando a puxar o balde pesado. — Se você se mostrar útil, talvez elas voltem a te valorizar.

O poço, a corda e o balde estão cobertos de alga verde. Talvez eu esteja delirando por causa da viagem, mas algo ali não me parece natural. O brilho verde-claro na pedra fosca.

— Mais rápido — a voz brusca de Kiersten me chama de volta.

Carrego o balde, tentando não deixar respingar muita água. Kiersten o arranca de minhas mãos e joga a água na pedra. As palavras entalhadas entram em foco:

Olhos para Deus.

Sinto calafrios. É idêntico ao que está escrito na placa que temos na praça da cidade. A forca é instalada bem abaixo dela, para que seja a última coisa a vermos quando nosso pescoço quebrar, o que sempre me pareceu especialmente cruel. Como é possível olhar para cima com o pescoço quebrado? Até na morte somos uma decepção.

Quando as garotas se aproximam para ver melhor, uma gota vermelha aparece na pedra, seguida por outra.

Eu me agacho para ver se é ferrugem, mas uma gota cai na minha mão.

Olho para cima e uma nuvem passa, fazendo o sol de fim de tarde atravessar os galhos e iluminar centenas de berloques amarrados à árvore, parecendo enfeites de Natal.

Helen aponta para os galhos retorcidos da árvore, mas não parece encontrar palavras.

Levo um instante para entender, como se estivesse olhando para um quebra-cabeça perverso. Não é ferrugem. É sangue. Não são enfeites de Natal, na árvore estão pendurados dedos de mãos e pés, orelhas e tranças de cabelo de todas as cores e texturas.

Enquanto todas se afastam, Kiersten se aproxima.

— É uma Árvore do Castigo — ela diz, estendendo a mão para tocar a casca áspera do tronco. — Que nem a da praça, mas esta é de *verdade*.

Becca começa a andar em círculos.

— Sempre achei que elas voltassem sem dedos porque os davam para os predadores em troca de comida, não porque sofriam algum castigo.

— Por que comprariam comida dos predadores, burrinha? — Tamara diz, olhando para as carroças. — Temos muita comida.

— E, ainda assim, elas voltam famintas — Lucy diz, abraçando o próprio corpo.

— Não seja tão dramática. — Martha revira os olhos. — A gente pode procurar comida na floresta, se precisar.

— Não *nesta* floresta — Ellie responde, sacudindo a cabeça muito rápido enquanto olha para a mata atrás do alojamento. — Soube que os animais aqui são loucos.

— Animais? — Jenna ri. — E os fantasmas? Todas nós ouvimos essas histórias. Ninguém sai vivo dali.

Há um momento de silêncio profundo. Uma eletricidade estranha corre entre nós. Olhares de suspeita se transformam em pânico assim que as garotas passam a correr desesperadas até os portões, brigando por tudo o que conseguirem carregar de dentro das carroças.

— Soube que é assim que começa — diz Gertrude.
— Assim que começa o quê? — pergunto.
— É assim que nos voltamos umas contra as outras.

Encontro o olhar dela e sei que ela sente o mesmo que eu.

Espero que Kiersten intervenha, que faça as garotas pararem, intervenha, mas ela não se move, apenas sorri distraída. Quase como se quisesse que isso acontecesse.

Engolindo meu nervosismo, entro à força na multidão.

— Só precisamos manter a calma — digo, mas elas não me ouvem. Duas garotas brigando por um saco de comida me derrubam; a juta rasga, fazendo jorrar uma cascata de castanhas no chão. Garotas se jogam umas sobre as outras para apanhá-las. Pulando para fora da confusão, subo na carroça vazia e grito:

— Olhem bem para vocês... agindo como uma matilha de cães das margens.

Elas me encaram, o ódio queimando no olhar, mas pelo menos estão me ouvindo.

— Só precisamos fazer o inventário. Dividir as porções. Vamos ter que confiar umas nas outras se quisermos sobreviver.

— Confiar em *você*? — Tamara diz, dando uma risada esganiçada. — Que lindo, vindo da garota que roubou o marido de Kiersten.

Estou prestes a me explicar quando Kiersten se aproxima.

— Ela não o roubou de mim. — As garotas dão um passo para trás, antecipando o que vem pela frente. — Eu sempre quis Tommy, um homem de verdade, que vai me dar filhos. — Enquanto Kiersten fala, sinto uma onda de repulsa crescer dentro dela. — Não...
— Ela me olha de cima a baixo, antes de se voltar para o grupo. — Isso é uma questão de traição. Tierney nunca quis saber de nós. E agora ela acha que pode se meter com a gente e nos dar ordens? Decidir como vamos viver nosso Ano da Graça?

— Não é isso que estou tentando fazer. — Arranco meu véu e desço da carroça. — Não estou tentando assumir o controle.

— Que bom — Kiersten responde, mas noto que está um pouco decepcionada. Ela estava pronta para uma briga. — Meninas, devolvam os mantimentos às carroças. Só as mochilas pertencem a vocês por enquanto. Podem pegá-las.

As garotas obedecem, mas continuam se entreolhando, céticas.

Enquanto procuro minha bolsa, vejo, pelo canto do olho, algo voar sobre a cerca.

Eu me viro para ver melhor, mas só encontro Kiersten ali, com um olhar arrogante enquanto as garotas em torno dela tentam, sem sucesso, conter gargalhadas.

— Prontas? — Kiersten pergunta.

Olhando ao redor, vejo que todas estão com seus mantimentos, todas exceto eu.

— Não encontrei a minha.

— Ah, que pena — Kiersten responde. — A sua deve ter caído em algum lugar. Pode voltar para procurar — ela diz, indicando a fronteira.

Quero partir para cima dela, arrastá-la até o portão e obrigá-la a sair para buscar minha mochila, mas penso no aviso de Gertie. Por mais difícil que seja, preciso mostrar a Kiersten que não represento uma ameaça. Se o custo disso é ter menos conforto que as outras, tudo bem.

— Tenho certeza de que vai aparecer — digo, baixando o olhar.

— Esse é o espírito — diz Kiersten, cada sílaba transbordando uma afetada satisfação. — Mas atenção — ela continua, andando entre o grupo. — Se alguém pegou os mantimentos de Tierney, saibam que roubo não será tolerado. Haverá castigo.

— Mas quem vai castigar? — Hannah pergunta. — No condado, quem castiga são os homens, escolhidos por Deus.

— Olhe ao seu redor — Kiersten retruca, me encarando com firmeza. — Somos o único Deus aqui.

Devagar, abrimos a porta da estrutura menor à esquerda e descobrimos um espaço estreito, forrado de prateleiras.

— Deve ser a despensa — diz Ravenna.

— Ou um armário para guardar os corpos — Jenna sussurra para Kiersten.

— Ah, não, pombinha linda — lamenta Helen, correndo entre nós com uma rolinha magrela nas mãos em concha. — Acho que ela quebrou a asa.

Kiersten pega o machado enferrujado apoiado na parede.

— Deixa comigo.

— Não... não faça isso — Helen pede, abraçando a pombinha em seu peito.

— O que você disse? — Kiersten retruca.

— Quer dizer... vou cuidar dela — Helen responde, se apressando a suavizar a voz. — Você nem vai notar que ela está aqui.

— Eu sempre quis um bichinho — intervém Molly, acariciando a cabeça macia e sem penas do passarinho. — Posso ajudá-la.

— Eu também — diz Lucy.

Logo Helen está cercada de garotas se oferecendo para ajudá-la

— Ótimo — cede Kiersten, abaixando o machado. — Faço qualquer coisa para vocês calarem a boca, mas odeio pássaros.

— É melhor ir se acostumando — murmura alguém na multidão.

Kiersten vira o rosto violentamente.

— Quem disse isso? — pergunta.

Ficamos todas quietas, tentando desesperadamente não rir. Todas sabemos que o futuro esposo dela tem uma afinidade com torturar aves de rapina. Acho que foi Martha quem fez a piada, mas não tenho certeza. Talvez seja apenas porque estamos todas exaustas, mas, neste momento, é a coisa mais engraçada que já ouvi. A leveza do momento, porém, logo passa quando percebemos como temos poucos mantimentos.

Fazer um inventário e organizar a despensa é uma tarefa tensa. Acabamos tendo que contar tudo em voz alta, em uníssono, como no primeiro ano de aritmética na escola. A diferença é que desta vez não estamos contando bolinhas, e sim os suprimentos que nos manterão vivas o ano inteiro. A quantidade é escassa, mas, como Kiersten parece feliz em nos lembrar, nem todas vamos sobreviver até o fim. Saber disso deveria nos aproximar, nos unir em uma causa comum, mas nosso vínculo parece frágil demais, como se um único fio de seda nos conectasse – um gesto mal pensado, uma acusação falsa e ele se romperia.

Depois de coletar alguns galhos soltos no perímetro, qualquer madeira que parecesse seca o suficiente para queimar, tento ensiná-las a montar uma bela fogueira, assim como meu pai me ensinou, mas não há muito interesse. Algumas prestam atenção – especialmente as garotas que terão um trabalho desse tipo quando voltarem, como Helen, Martha e Lucy, mas Kiersten e suas seguidoras parecem irritadas por eu perturbá-las com algo tão banal.

É só quando Gertrude se oferece para cuidar da comida que o interesse geral é atiçado.

— Ela não pode cozinhar... vai ficar tudo sujo — Tamara diz.

Sussurros acalorados começam, fofocando sobre Gertie, mas ela apenas continua sua tarefa, enchendo a chaleira de água e fingindo não ouvir. Talvez ela esteja tão acostumada que nem se incomode mais. Mas eu me incomodo.

— Eu e Gertrude vamos cuidar da comida hoje. Se não gostarem disso, podem cozinhar a comida de vocês — digo, fazendo-as se calar.

O que quer que ela tenha feito, não há motivo para a punição continuar aqui. Com ou sem véu, santas ou depravadas, somos todas iguais na morte.

Conforme a conversa muda de rumo, especulando sobre a magia de cada uma, Gertie e eu trabalhamos juntas para preparar o jantar. É pouca coisa, feijão com algumas tiras de toucinho grosso para dar mais sabor, mas o único gosto que conseguimos sentir de fato é o da água do poço, um sabor acre e terroso que parece grudar no céu da boca. Olhando em volta desta área árida, entretanto, acho que temos sorte por ter água potável, qualquer que seja ela.

Enquanto jantamos, os cochichos nervosos se acalmam, abrindo espaço para o novo mundo ao nosso redor. Além da fogueira crepitante e do som de colheres raspando o fundo de tigelas de lata, paramos para escutar a floresta se fechando sobre nós: a brisa fazendo as últimas folhas de outono farfalharem, os barulhos estranhos de criaturas desconhecidas correndo, a água do lago lambendo a margem pedregosa. Não é a água, o vento ou a mata que nos preocupa, no entanto — é a ausência dos gritos de predadores. Será que estão mesmo por aqui? Ou talvez seja exatamente isso que eles querem que pensemos... talvez seja assim que nos atraiam. Não com uma experiente sedução ou palavras ameaçadoras... só com silêncio.

Não consigo parar de pensar no predador com quem dei de cara na trilha. E a expressão em seus olhos... tento esfregar meus braços para conter os calafrios, mas não adianta. Ele poderia ter me matado ali mesmo. Eu estava na mira. Não sei o que o impediu. Ao mesmo tempo, nem sei se ele era real. Lá fora, o véu que separa o nosso mundo do desconhecido parece tão fino que seria possível derrubá-lo com um tapa.

O vento passa pelo campo, fazendo o fogo dançar.

— Será que são eles? — Nanette pergunta, olhando para a floresta.

— Quem? — pergunta Dena.

— Os fantasmas — responde Jenna.

Katie aperta sua capa.

— Soube que são as almas de todas as meninas que morreram aqui, no Ano da Graça.

— A Katie sabe das coisas — Helen cochicha ao meu lado, o passarinho arrulhando em seu colo. — As três irmãs dela foram caçadas.

— Mas nem todos são espíritos bondosos — acrescenta Jenna.

— Como assim? — Meg pergunta.

— As garotas solitárias, as que desapareceram, ainda se prendem à magia, mesmo depois de mortas.

Apesar de ser proibido falar do Ano da Graça na cidade, parece que todas escutamos uma ou outra coisa a respeito. Talvez verdades, talvez mentiras, provavelmente meias verdades. Não consigo deixar de pensar que, se juntarmos todas as peças, podemos dar um jeito de montar esse complexo quebra-cabeça, mas parece arriscado demais. Difícil demais. Como tentar capturar fumaça.

— Uma das meninas com véu do ano da minha irmã entrou na floresta — diz Nanette. — Foi no final do Ano da Graça. Havia algo assombrando tudo que ela fazia. Ela acordava e a trança dela estava diferente, a ponta da fita amarrada no tornozelo. Ouvia sussurros no escuro. Quando ela finalmente decidiu entrar na floresta para confrontar quem a atormentava, nunca voltou. Não encontraram o corpo.

— Olga Vetrone? — sussurra Jessica.

Nanette concorda.

Um calafrio percorre minha pele. Olga era a garota por quem Hans entrou na guarda. Nunca esquecerei o rosto dele quando chegou na praça naquele dia, nem quando viu a irmãzinha dela ser banida para as margens.

Um barulho surdo vem do portão. Algumas garotas gritam, ofegam, mas todas se levantam, atentas. Há algo aqui conosco.

Com as mãos tremendo, Jenna ergue uma lanterna, iluminando a silhueta de um grande objeto no chão em frente ao portão.

— O que é isso? — alguém sussurra. — Um corpo?

— Talvez seja um predador...

Andando cuidadosamente, nos movemos em massa para investigar.

Quando Jenna se aproxima o suficiente, empurra o objeto misterioso com uma de suas botas. Ele sai rolando.

— É só uma mochila do condado — ela ri.

— Ei, não é o timbre da família da Tierney? — Molly pergunta, apontando para as três espadas bordadas na juta.

Helen se intromete.

— Foi você, Tierney? Você usou magia para trazer seus mantimentos de volta?

— Não — sacudo a cabeça. — Eu juro, não fui eu.

— Então como pode ser? — pergunta Meg. — Todas vimos o que aconteceu com sua mochila quando a Kiers...

— Eu sou misericordiosa — Kiersten diz, sorrindo.

Antes da última brasa da fogueira se apagar, acendemos mais algumas lanternas e entramos, em fila, na estrutura comprida e sinistra construída com toras de madeira. Ninguém fala em voz alta, mas acho que nenhuma de nós gosta da ideia de ficar presa ali dentro com as outras. Não estamos trancadas nem sendo contadas, como na igreja, mas isso parece ainda mais perigoso. Somos tão vulneráveis dormindo. Qualquer coisa pode acontecer aqui, sem ninguém para contar a história depois.

Há apenas vinte camas de ferro montadas com colchões; o restante está empilhado num canto, que nem ossos velhos. Metade de nós não tem colchão. Nem quero pensar no que aconteceu com eles. É um lembrete pesado de quantas de nós não voltarão vivas.

Kiersten deita em uma das camas boas para testar, esticando as pernas compridas.

Jenna se senta na cama ao lado.

— Não acredito que temos que dormir aqui. — Ela franze o nariz, encarando o colchão puído. — Acho que esta cama era de uma mijona.

— Estamos aqui para nos livrar da nossa magia. Só isso. — Kiersten suspira. — Além disso, assim que a primeira garota morrer, você pode ficar com o colchão dela. Colocar um em cima do outro.

Olho para ela bruscamente. Não acredito em como ela consegue dizer isso de forma tão casual. Como se morrer fosse um fato – não uma possibilidade, mas apenas uma questão de tempo.

Olhando ao redor do quarto, me pergunto se podemos melhorar a situação. Talvez Gertrude esteja certa: se eu me mostrar útil, talvez confiem em mim... me escutem.

— Vi um arbusto de lavanda na beira da clareira — digo, fingindo inspecionar as camas empilhadas. — Se misturarmos lavanda com bicarbonato de sódio, dá para limpar tudo aqui. De manhã, posso montar uma lavanderia. A gente também pode usar barris para coletar água da chuva e...

— A gente não precisa de nada disso — interrompe Kiersten.

Jenna se vira para ela, com súplica nos olhos.

— Mas o gosto da água do poço é esquisito.

— A gente vai beber do poço, assim como todas as outras garotas em todos os outros Anos da Graça — diz Kiersten.

— É essa a magia dela? — sussurra uma das garotas. — Saber das coisas... de plantas e de como consertar coisas?

— Não é magia. — Kiersten se irrita. — É só porque o pai dela a criou como um garoto — ela continua, se levantando e me rondando. — Você tem um pintinho aí embaixo? Talvez você nem seja uma garota. — Kiersten aperta a mão entre minhas pernas. Preciso usar toda a minha força interior para ficar quieta, aguentar. — Ou talvez goste de meninas? É esse seu segredo? — ela sussurra no meu ouvido. — É por isso que sempre teve tanto medo de estar entre nós?

— Pare, por favor — pede Gertrude.

— O que você tem a ver com isso? — O olhar de Kiersten foca nela.

Eu estremeço só de pensar em qual seria o castigo caso alguma garota gostasse de outra garota. No condado, seria a forca. Sob o comando de Kiersten, seria certamente muito pior.

— Qual será a sua magia? — Kiersten pergunta, implicando com Gertrude. — Algo depravado — ela diz, encarando a mão cheia de cicatrizes de Gertie. — Um poder que apenas uma pecadora poderia ter.

Sei que eu disse para Gertrude que ficaria quieta e aguentaria as intimidações, mas não falei nada a respeito de deixar que Kiersten provocasse outra pessoa.

— Deixe-a em paz — digo.

— Aí está. — Kiersten me lança um olhar astuto. — Eu estava me perguntando quanto tempo demoraria para você aparecer, Tierney Terrível.

— Ah, sim. Você é boa com apelidos, não é?

— Pare — pede Martha, puxando minha manga. — Você viu o que aconteceu com a Laura... o que ela pode fazer.

— Laura passou o caminho todo pegando pedras e guardando na barra das saias. Ela *escolheu* morrer.

Kiersten se empertiga, como se uma barra de metal tivesse sido enfiada em sua coluna.

— Você está me chamando de mentirosa? Depois de eu mostrar misericórdia e devolver seus mantimentos? Está dizendo que minha magia não é real?

— Não — engulo em seco. — Não é isso que estou dizendo. Só acho que precisamos nos acalmar. Analisar tudo... questionar tudo... não importa o que pareça.

— Você parece uma usurpadora — diz Kiersten. — Lá no condado, seria amarrada à árvore de ferro e queimada viva.

— Mas não estamos no condado — digo, me obrigando a sustentar seu olhar. — Se ficarmos juntas, se tomarmos cuidado, talvez ninguém precise morrer.

Kiersten gargalha, mas quando ninguém mais ri, ela se aproxima tanto de mim que sinto sua respiração em minha pele.

— Negue quanto quiser, mas no fundo você sente. Você sabe o que precisa acontecer aqui. Você sabe o que eu posso fazer com você.

O quarto fica completamente silencioso, exatamente como antes de um enforcamento.

Kiersten aperta os olhos. Estou tentando me manter calma, não demonstrar medo, mas meu coração bate tão forte que tenho certeza de que ela consegue ouvir.

— Foi o que pensei — diz.

Tirando a fita vermelha do cabelo, ela sacode a cabeça, desfazendo sua trança, soltando suas compridas ondas cor de mel sobre os ombros. As garotas parecem inspirar em conjunto, apaixonadas e apavoradas por esse ato devasso. Além das nossas irmãs, nunca vimos outras garotas de cabelo solto.

Ravenna começa a puxar sua fita também, mas Kiersten agarra o punho dela e aperta com tanta força que vejo seus dedos empalidecerem.

— Só as garotas que já encontraram sua magia podem soltar a trança.

Enquanto Kiersten anda devagar para o outro lado do quarto, as garotas a encaram com inveja. Até eu me pego questionando como deve ser se sentir livre.

— Garotas que têm véu, deste lado — ela diz, escolhendo a cama encostada na parede do fundo, bem ao meio, para vigiar seu novo reino.

Conforme as garotas escolhidas andam até os melhores colchões, disputando lugares perto de Kiersten, eu e Gertrude ficamos para trás, com as outras. Kiersten está traçando uma fronteira. E isso é obviamente um teste. Ela quer ver o que faremos. Se tentarmos nos juntar a elas, ela provavelmente rirá e nos deixará de lado, com as outras. Se *não* tentarmos, ela encarará nossa escolha como um ato de rebeldia.

Estou tentando decidir o que é melhor quando Gertrude me dá o dedo mindinho. O calor estranho, a firmeza de sua força, me pegam de surpresa.

— Vamos, Tierney — ela diz, me puxando para trás. Fico chocada por ela assumir esse posicionamento, mas também feliz.

É errado que Kiersten e as outras se vangloriem de seus véus dessa forma. É como jogar sal na ferida de algumas garotas. Além de cruel, é insensato. Há mais meninas sem véu do que com.

Desemaranhando as armações de ferro, nós arrastamos nossas camas para o outro lado do quarto. O som do metal arranhando o chão gasto de carvalho chega a doer. Não posso deixar de pensar nas garotas que dormiram aqui antes de nós. Será que estavam com tanto medo quanto nós? O que aconteceu com elas?

Depois de alguns minutos, Jenna cochicha algo para Kiersten.

— Tudo bem — Kiersten diz, dando um suspiro exagerado. — Exceto por Tierney e Gertie, quem quiser pode vir para o nosso lado, só não perto demais.

Martha e o restante das garotas sem véu se entreolham e, então, olham para mim. Eu espero que elas agarrem logo a oportunidade e corram para arrastar suas camas para o outro lado, mas, em vez disso, simplesmente arrumam os lençóis onde estão.

Um calor familiar percorre meu corpo, fazendo arder meus olhos, mas desta vez não é raiva. Algo nesse simples ato de rebeldia me afeta – me dá um pouco de esperança.

Enquanto desfaço minha mala e arrumo minha cama sem colchão, encontro uma borla de couro trançado ali no meio, como as que adornam os rebenques nos estábulos do condado.

— Hans — sussurro, acariciando a trança elaborada.

Sei que foi ele quem trançou o couro. Talvez tenha deixado isso como lembrança na minha bolsa quando ele e os outros guardas trouxeram as carroças até o portão, mas e se ele tiver posto ali logo antes de jogar minha mochila de volta aqui para dentro, para que eu soubesse que foi ele? E se a magia de Kiersten não tiver nada a ver com isso?

A garota me guia pela floresta, mas algo mudou.

As árvores estão mais altas, o canto dos pássaros está diferente e até o som distante da água é outro; em vez da corrente constante e ritmada do rio, há um barulho que aumenta lentamente, seguido por um som semelhante ao de banha derretendo na panela quente. Eu me lembro do som de quando chegamos – o som das ondas batendo na encosta pedregosa.

— Onde estamos? — pergunto, tropeçando em pedras escorregadias. — Isso é uma reunião?

Ela não responde; só continua a seguir em frente, insistente, até chegar em um agrupamento de árvores – que não são árvores, mas uma cerca feita de toras imensas de cedro.

Ela estica o braço e pressiona a mão em um tronco, que começa a se desfazer.

Não enxergo nada do outro lado, mas escuto: respirações ofegantes, indo e vindo no mesmo ritmo.

— Não! — grito, puxando-a para trás. — Há predadores aí. Eles estão esperando por nós.

Por sobre o ombro, seus olhos cinzentos me atravessam.

— Eu sei — sussurra.

Acordo sem ar. Levo um minuto inteiro para me lembrar de onde estou.

Virando de lado, vejo Gertrude me encarando. Não consigo nem começar a decifrar a expressão em seu rosto. É estranho que eu nunca tenha reparado nela antes. Sempre a achei simples, um coelho assustado em um covil de lobos, mas ela é muito mais do que isso.

— Você estava sonhando — ela sussurra.

— Não, não estava — digo, me enrolando em minha capa. — Só estava falando sozinha.

— Tudo bem.

— Mas... — Olho ao redor, para ver se alguém mais ouviu.

— Nada do que acontecer no nosso Ano da Graça sairá do acampamento, você sabe disso.

A forma como ela fala, o tom sombrio em sua voz... me faz pensar se fomos nós que criamos essa regra. Um jeito de evitar punições.

— Você... *sonha*, às vezes? — pergunto, achando difícil até mesmo falar.

— Acho que eu sonhei uma vez — Helen diz, na cama do meu outro lado.

Eu me viro e a vejo abraçando os joelhos, como minha irmãzinha Penny faz durante uma tempestade.

— Mas minha mãe resolveu isso para mim — acrescenta Helen, passando a mão pelas cicatrizes de régua no peito de seus pés.

Penso na minha mãe. Ela sabia que eu sonhava, mas nunca me puniu por isso. Eu nunca havia pensado nisso até agora.

— Com o que você sonha? — pergunta Gertrude.

Penso em dizer que sonho com pôneis e um lindo marido, mas não consigo fingir. Acho que nunca tinha percebido quanto eu ansiava por compartilhar meu segredo... por me sentir conectada com alguém do mesmo gênero... por *amigas*. Talvez elas acreditem em mim. Talvez não. Mas preciso me arriscar.

— Sonho com uma garota.

Olho para elas, tentando analisar suas reações.

— Ah — Helen diz, corando.

— Não. Não é esse tipo de sonho — digo e, de repente, sou eu que fico envergonhada por ela ter pensado nisso.

— Continue — sussurra Gertrude.

— Ela tem olhos como os meus, mas o cabelo é escuro e raspado rente à cabeça. Ela tem uma pequena mancha vermelha no rosto, abaixo do olho direito. No começo, eu achava que poderia ser uma meia-irmã das margens...

— Por isso você parou para olhá-las no caminho — diz Gertrude.

— Sim — sussurro, surpresa com quanto ela prestava atenção. — Mas ela não estava lá.

— O que ela faz no sonho? — Helen pergunta, fazendo carinho na rolinha, aninhada embaixo de seu queixo.

— Normalmente, ela me leva a uma reunião na floresta.

— Que tipo de reunião? — Martha pergunta, apoiando-se em seus cotovelos.

Quero mudar de assunto, parar a conversa, mas quando olho para seu rosto animado, penso: *O que tenho a perder agora?*

— Uma reunião de todas as mulheres: esposas, empregadas, trabalhadoras, até as mulheres das margens, todas juntas, usando uma flor vermelha presa no peito, acima do coração...

— Que tipo de flor? — sussurra Molly, duas camas ao lado.

Eu olho ao redor e vejo que todas estão prestando atenção. Parecem ter escutado cada palavra que eu disse, mas eu não paro.

— É uma flor sem nome. Cinco pétalas pequenas e um miolo vermelho vivo. Tem algo nela que é tão familiar, mas não sei onde a vi antes. Acho que a sra. Fallow estava segurando uma flor dessas quando foi enforcada. Também acho que vi uma pétala dessa flor no cabelo de uma mulher das margens. E outra na trilha, entre a encosta e o portão. Vocês também viram? — pergunto, o coração acelerado com essa possibilidade.

Elas se entreolham e sacodem a cabeça.

Sentindo minha decepção, Gertrude acrescenta:

— Mas não estávamos prestando atenção.

Olho para a porta.

— Hoje, no entanto, o sonho foi outro. Eu não estava em casa, no condado. Acho que estava aqui... nesta floresta.

— Foi assustador? — Lucy pergunta, abraçando o lençol.

Concordo com a cabeça. Não sei por que, mas meus olhos estão cheios d'água.

— Será que é essa a sua magia? — Nanette franze a testa, pensativa. — Os sonhos... a garota... a flor. Talvez você veja o futuro.

Houve uma época em que eu queria que isso fosse verdade, mais do que qualquer outra coisa, mas neste último sonho, não ouvi palavras de encorajamento, não senti o conforto da multidão. Éramos só nós duas na floresta escura. Tento não deixar que minha imaginação me leve, mas não consigo deixar de imaginar se a garota dos meus sonhos não estava tentando me dar um sinal. Se ela não estava tentando me mostrar como vou morrer.

Apertando a mão contra minha barriga, estico os dedos, como vi Kiersten fazer na primeira noite.

— Não parece magia. Vocês *sentem* alguma coisa?

— Ainda não — diz Helen. — Mas Kiersten...

— Vocês lembram quando a Shea Larkin teve aquelas feridas vermelhas há alguns anos, que coçavam, infeccionaram e ela quase morreu, e então todas as outras garotas do ano dela tiveram a mesma coisa? — pergunto.

Elas se entreolham e assentem.

— Disseram que era uma maldição, que a magia de uma das garotas chegou cedo demais e ela escondeu e contaminou as outras. Meu pai tratou todas elas e disse que as garotas se coçavam até sangrar, mas que não havia nenhuma ferida infeccionada, a não ser em Shea Larkin.

— Você está querendo dizer que elas estavam fingindo? — pergunta Martha.

— Não. Acho que elas realmente acreditavam — digo, olhando na direção de Kiersten. — E isso é o mais assustador.

O sol que escapa por entre as toras rústicas enche o quarto com pontos brilhantes de luz, que cintilam na poeira do ar. Se eu não soubesse que são partículas de pólen da mata há muito abandonada ou de pele morta de antigas garotas em seus Anos da Graça, poderia até achar bonito.

Há algo nesses pontos brilhantes que me faz prender a respiração, como se inspirar fosse me contaminar com o que quer que as antigas garotas tenham tido, me levar ao mesmo fim trágico delas – mais uma cama empilhada sem colchão, uma fita vermelha flácida pregada no portão.

Levantando da cama, calço minhas botas e ando na ponta dos pés pelo labirinto de camas. Meu corpo dói por causa da viagem, da adrenalina nos meus músculos exaustos, ou talvez por causa das molas duras que machucaram minhas costas esta noite. Tudo o que quero é encontrar um monte macio de agulhas de pinheiro e dormir o dia todo.

Saio pela porta e inspiro fundo o ar puro, mas não há pureza alguma por aqui.

Cada conforto, cada costume do condado, tudo foi tirado de nós. Nos arrancaram até nossa língua comum. Não há estufas, nada de flores selecionadas, só mato. Sem nada disso, não sei como vamos nos comunicar. Quero acreditar que será com palavras, mas, vendo a Árvore do Castigo, sei que será com violência.

Afinal, é o que conhecemos, como fomos criadas, mas, apesar disso, não consigo deixar de acreditar que podemos ser diferentes.

Andando pela clareira, me atento a tudo de que precisaremos para sobreviver ao ano. Será preciso, no mínimo, de uma área coberta para cozinhar e fazer as refeições, uma lavanderia... lenha suficiente para atravessar o inverno.

Caminhando até a beira da floresta, observo os troncos cortados e irregulares que marcam o perímetro. Não parece que as garotas já tenham se aventurado para além daqui. Eu me pergunto quão extensa é a floresta, até onde chega, quantas criaturas ali vivem, mas o que quer que exista além da clareira, sejam animais ferozes ou almas penadas, estamos presas aqui por uma cerca maior que um gigante. O vento passando pelos galhos faz as últimas folhas do outono estremecerem. Há algo nesse som que me faz estremecer também.

Posso não saber muito sobre o acampamento e o que acontecerá conosco aqui, mas conheço bem a terra. Esta ilha não liga a mínima para o fato de sermos garotas do Ano da Graça – por termos sido trazidas até aqui por Deus e pelos homens escolhidos para nos livrar de nosso poder –, o inverno virá de qualquer jeito. E, pelo vento frio, posso dizer que será impiedoso.

O som de uma estaca sendo enfiada na terra chama minha atenção. Atrás da Árvore do Castigo, perto da cerca ao leste, Kiersten está erguendo uma fileira de varas compridas. Achei que eu tivesse sido a primeira a acordar, mas parece que ela está acordada há horas, procurando galhos caídos e afiando suas pontas. Penso que ela deve estar construindo algo para o acampamento, talvez uma lavanderia ou até mastros para dançar, mas quando ela enfia a última estaca no chão e se afasta para examinar o trabalho, percebo do que se trata: um calendário. Cada mastro significa uma lua cheia. Este ano, são treze. Mau augúrio. Quero acreditar que é simplesmente uma forma de registrarmos a passagem do tempo, mas o posicionamento das estacas não é coincidência. No condado, luas cheias são dias de castigo. Símbolos de nosso pecado.

Como se Kiersten pudesse sentir minha presença, ela se vira e olha por sobre o ombro. Minha pele se arrepia sob seu olhar. Temos vinte e seis dias até a próxima lua cheia. Vinte e seis dias para eu descobrir como mudar a situação. Porque, se não o fizer, tenho certeza de que serei a primeira da lista.

— Saia daqui, as com véu vão primeiro — ouço alguém gritar.

Ao lado da despensa, vejo Jenna e Jessica empurrando as outras garotas a caminho do poço e tomando o balde de Becca.

Quero me afastar, desaparecer na madeira áspera, mas o tempo em que eu poderia fazer isso já era. E eu certamente não ajudei ao brigar com Kiersten ontem à noite. Achei que seria uma loba solitária aqui, mas mesmo tendo passado tão pouco tempo, sinto uma certa responsabilidade por Gertie e pelas outras. *As outras.* Parece horrível, mas é assim que fomos ensinadas a pensar nelas: as que não receberam véu, indesejadas, indesejáveis, o que eu *deveria* ser. Mas se eu começar a pensar nisso agora, a pensar em Michael, sentirei tanta raiva que não vou conseguir me concentrar.

Respirando fundo, me dirijo ao poço.

— Qual é o problema?

As garotas à frente abaixam os véus e me olham feio antes de se afastarem na direção de Kiersten.

Ficamos todas ali, paradas, nos perguntando se alguém passou por alguma mudança durante a noite, mas todas parecemos iguais. Igualmente apavoradas... igualmente confusas. Noite passada, as emoções estavam à flor da pele, os limites foram traçados, mas depois de uma noite de descanso, tudo pode mudar. Não as culparia. Kiersten tem uma implicância comigo. E Gertrude... bom, Gertrude é outra história. Sei que as garotas ainda têm receio de se aproximar dela, mas não acho que ela tenha feito nada errado. Quanto tempo Gertie levará para nos contar o que aconteceu de verdade?

— Temos que beber isso? — Molly pergunta, cheirando a água do balde.

— A Tierney não tinha falado algo sobre um barril para coletar a água da chuva? — pergunta Martha.

Gertie me dá um cutucão.

Eu pigarreio.

— Pensei que poderíamos usar a água do poço para lavar roupa e tomar banho, e a água da chuva para beber e cozinhar.

— Vocês ouviram o que a Kiersten disse — Tamara interfere, se atrapalhando com seu véu antes de mergulhar um copo de estanho no balde. — Vamos beber do poço.

Assim que ela se afasta, Martha diz:

— Quanto tempo você acha que demora para fazer um barril?

— Uns dois dias — respondo. — *Se* tivermos as ferramentas adequadas.

— Bom, lá se vai essa ideia — diz Martha, mergulhando o copo no balde e bebendo a água. Ela engasga um pouco. — Tudo do bom e do melhor para as garotas no Ano da Graça.

Não sei se ela tropeça ou pisa em falso, mas Martha se desequilibra e acidentalmente arremessa o balde dentro do poço. Ela se agarra à corda e quase cai junto.

— Estou bem — ela grita.

Com as saias para o ar, precisamos segurar suas pernas para puxá-la de volta, e é aí que uma ideia me atinge – literalmente me atinge – na cabeça.

— A crinolina. Podemos usar a estrutura das saias para prender a madeira dos barris.

— Mas você ouviu o que elas disseram. — Becca rói as cutículas.

Martha, agora de pé, com seus olhos astutos e brilhantes, responde:

— Elas podem ficar com a água delas. Nós vamos ter a nossa.

As garotas se entreolham, nervosas, e assentem, concordando.

No condado, cortar as roupas e tirar as anáguas seria motivo para chibatadas, mas agora tudo mudou. Essa constatação nos dá uma onda de energia.

Após um modesto café da manhã com bolinhos de fubá, pegamos o machado e todos os pregos que encontramos no meio das cinzas, então nos dirigimos a oeste, ao lado oposto de Kiersten e das outras, que parecem estar ajoelhadas na terra, rezando.

Talvez nossa magia nos consuma, nos tornando indistinguíveis de animais, mas até que isso aconteça, até os predadores nos atraírem para o outro lado do portão, até sermos retalhadas e enfiadas em lindos frasquinhos, há muito trabalho a ser feito.

Próximo à beira oeste da clareira, nos instalamos nos arredores de um arvoredo de carvalho. Eu me concentro em um galho comprido nas proximidades. Está morto, portanto já secou, então nos dará uma boa madeira para queimar até o restante das toras estar pronto.

Espero que todas ajudem, opinem sobre o melhor ângulo para o primeiro corte, mas elas parecem completamente perdidas. Obviamente sou a única que sabe o que fazer, então começo com o básico.

— O segredo é um bom corte. Quando estiver fundo o bastante, vai acabar cedendo. Assim — digo, enfiando o machado na madeira. Puxando-o de volta, o entrego à Molly. Ela o pega cuidadosamente, como se estivesse aceitando uma flor de um pretendente, mas assim que bate na madeira pela primeira vez, abre um sorriso e segura o cabo com mais força. Quando seus braços começam a parecer geleia, ela passa o machado para Lucy.

Lucy levanta o machado para seu primeiro golpe.

— Espera, espera, espera — grito, segurando o cabo. — Você precisa pelo menos ficar de olhos abertos.

Algumas das outras garotas riem.

— Não, tudo bem. Você nunca fez isso antes — eu a tranquilizo. — Mas isso é sério. Você não acreditaria no tipo de acidente que já vi na casa de cura.

Ao mencionar isso, as garotas se acalmam.

— Aqui... — digo, posicionando o machado nos braços dela. — Afaste os pés, segure com força, inspire fundo pelo nariz — instruo, me afastando. — Exale pela boca, fixe o olhar no alvo e acerte a madeira.

Lucy vai devagar e, quando a lâmina entra em contato com a madeira, faz um estalo gostoso de ouvir. A árvore começa a balançar e eu olho para cima, tentando prever para que lado vai cair. Quando cai, corremos para o outro lado, rindo, gritando e comemorando.

Cortar a árvore em pedaços e depois em toras é um trabalho árduo, mas parece ser exatamente do que precisamos. As garotas se revezam para buscar água no poço e maçãs secas na despensa, e conforme o dia avança, rimos e conversamos como se fizéssemos isso há anos. Talvez seja a distância do condado, ou finalmente podermos usar o corpo para uma função útil, mas acho que me abrir com elas sobre meus sonhos com a garota permitiu que elas fizessem o mesmo. Permitiu que começassem a ser quem realmente são.

Olhando ao redor, é difícil imaginar que durante o ano poderemos nos voltar umas contra as outras, sacrificar partes de nossa própria carne e botar todo este lugar abaixo com uma fogueira, mas, se qualquer coisa do que Kiersten diz for verdade, Deus nos ajude.

Enquanto as garotas empilham as estruturas das anáguas, eu começo a trabalhar nos barris para armazenar água da chuva, cortando discos largos do enorme carvalho. Só vi homens fazerem isso algumas vezes na lavoura, mas não pretendo contar isso a elas. Meu pai sempre disse que autoconfiança é o segredo. Quando os serviços dele eram solicitados, mesmo se não tivesse certeza de como tratar alguém, nunca demonstrava. Ele tinha medo de deixar transparecer qualquer hesitação e as pessoas decidirem voltar para a idade das trevas: beber sangue de animais, rezar até curar, ou, pior ainda, recorrer ao mercado clandestino. Ele precisava que confiassem nele. Ele precisava que acreditassem que ele poderia ajudar, mesmo quando não podia.

Enquanto trabalho, cortando as pranchas para as laterais do barril, Ellie pergunta:

— Por que seu pai te ensinou isso tudo?

Uma onda inesperada de emoção me domina.

— Acho que eu era o mais próximo que ele chegou de ter um filho.

Enquanto respondo, me pergunto se o buraco é mais embaixo. Quero acreditar que meu pai me ensinou tudo isso para que eu soubesse me cuidar, mas, mesmo se esse for o caso, isso significa que ele sempre soube exatamente como é este lugar e me mandou para cá mesmo assim. Na noite antes da minha partida, ele disse que me ensinar tudo o que ensinou foi um erro... como se *eu* tivesse sido um erro.

— Tierney? Está tudo bem? — pergunta Ellie.

Olho para baixo e vejo minhas mãos tremerem. Não sei há quanto tempo estou assim, olhando para o vazio, mas foi o suficiente para as garotas me encararem, preocupadas. Isso nunca me aconteceu antes.

— Aqui, que tal tentar um pouco? — digo, botando o machado nas mãos de Ellie, qualquer coisa para desviar a atenção delas de mim.

Ela levanta o machado para dar impulso, mas perde o equilíbrio e gira, gira e gira, até finalmente cair no chão, passando por um triz de cortar um pé fora.

Nós nos amontoamos ao redor dela, mas Martha nos afasta:

— Deixem ela respirar.

Nanette traz um copo d'água para ela beber.

— Não sei o que aconteceu — sussurra Ellie, com o rosto corado, os olhos sem foco. — Fiquei tão tonta que quase senti que podia voar.

— Talvez seja sua magia — diz Helen. — Talvez você possa flutuar... voar entre as estrelas.

— Ou talvez estejamos exaustas — digo, pegando o machado e o enfiando no tronco. — Foi um dia longo.

Elas se entreolham, e percebo que não estão convencidas.

— Tierney está certa — Martha diz, caindo na grama. — Até alguma coisa de fato acontecer... até termos certeza... é melhor sermos racionais.

Uma por uma, nos deitamos em um monte de grama seca, olhando para as nuvens, nosso corpo exausto e nossa cabeça aberta o suficiente para falarmos sem rodeios.

— Não sei o que eu esperava... — diz Lucy, apertando os olhos na direção da cerca. — Mas não era isso. — Uma mariposinha voa ao redor dela e para no dorso de sua mão. — Achei que fôssemos lutar contra predadores.

— Ou lutar contra fantasmas e animais selvagens — diz Patrice.

— Achei que nossa magia fosse se manifestar na hora em que atravessássemos o portão — diz Martha, pegando uma flor de salgueiro na grama e soprando as sementes. — Mas nada aconteceu.

— Fico feliz de estar longe do condado — diz Nanette. — Se tivesse que ver a cara de decepção dos meus pais mais uma vez, acho que explodiria.

— Eu e minha família sabíamos que eu não receberia um véu — Becca comenta, encarando o céu azul. — Até maio eu não tinha nem sangrado ainda, e ninguém quer uma garota atrasada.

— Melhor do que não sangrar nunca — diz Molly. — Nunca tive sequer a chance de receber um véu, muito menos um trabalho na moenda ou na leitaria. Vou acabar na lavoura.

— Não me incomodei com não ganhar um véu — diz Martha.

Todas a encaram, chocadas.

— O que foi? — ela pergunta, dando de ombros. — Pelo menos não preciso ter medo de morrer no parto.

Elas parecem horrorizadas, mas ninguém discute. O que dizer? É a verdade.

— Eu achei que fosse ganhar um véu — admite Lucy.

— De quem? — Patrice pergunta, apoiando-se nos cotovelos, animada para ouvir uma fofoca.

— Russel Peterson — sussurra Lucy, como se dizer o nome dele fosse cutucar uma ferida aberta.

— Por que você achou que ele te daria um véu? — pergunta Helen, dando um pedacinho de maçã para a Pombinha. — Todo mundo sabe que ele é apaixonado pela Jenna há anos.

— Porque ele me falou — ela murmura.

— Claro. — Patrice revira os olhos.

— Ela está falando a verdade — digo. — Eu os vi juntos no campo.

Lucy se vira para mim, com os olhos cheios d'água.

Estou tentando não lembrar da cena – olhos para Deus enquanto Russel grunhia, sussurrando promessas vazias.

— E o que *você* estava fazendo no campo? — pergunta Patrice, tentando descobrir mais segredos.

— Michael — respondo. — A gente vivia se encontrando lá.

— Que nem a Kiersten falou — sussurra uma das garotas.

— Não... nunca — respondo, levantando a cabeça para procurar quem disse aquilo, mas não encontro. — Não era assim. Somos amigos, só isso. Eu fiquei surpresa também quando recebi um véu. Quando eu soube que receberia, tinha certeza de que seria do Tommy ou do sr. Fallow.

— Tommy não seria tão ruim, ele pelo menos tem todos os dentes, mas o Velhote Fallow... — Ellie franze o nariz.

Nanette dá uma cotovelada nela, apontando para Gertrude, mas Gertie finge não ouvir. É triste pensar em como ela é boa em fingir.

Há um momento de silêncio constrangedor. Estou tentando pensar no que dizer, qualquer coisa para distraí-las, quando Gertrude fala:

— Meus pais chamaram de milagre. Quer dizer, não é todo dia que uma garota acusada de devassidão recebe um véu.

A sinceridade dela parece desarmar todas. Olhamos para as cicatrizes grossas nas mãos dela. Quero dizer que não foi um milagre, que ela merece um véu, mas ela está certa. Nunca na história dos Anos da Graça uma garota acusada de qualquer crime recebeu um véu, e devassidão é um dos crimes mais graves.

— É engraçado — Gertie continua, sem sinal algum de sorriso em seu rosto. — A mesma coisa que me impediu de receber um véu dos garotos do nosso ano foi a razão de eu ter recebido um véu do Velhote Fallow.

— Como assim? — pergunta Helen.

Ela respira fundo.

— Quando ele ergueu meu véu e se inclinou para beijar meu rosto... ele me beliscou com força entre as pernas e sussurrou "Devassidão me cai muito bem".

Sinto um calor estranho subir pelo meu rosto, pelo meu pescoço.

Talvez todas sintam, pois se faz tanto silêncio que juro ouvir uma das sementes do salgueiro cair na grama.

O que quer que estivesse naquela litogravura... Sei que Gertrude Fenton não merece nada disso... e tenho bastante certeza de que a culpa é de Kiersten.

***

De volta ao acampamento, com lenha o suficiente para o mês inteiro, começamos a empilhá-la em fileiras organizadas sob o toldo da despensa, então gritos ecoam, vindos do lado leste da clareira. Largamos tudo e corremos para ajudar, mas o que encontramos é ao mesmo tempo confuso e assustador. As garotas estão alinhadas atrás de Ravenna, de mãos dadas, fazendo uma barreira. As mãos de Ravenna se erguem aos céus. Com músculos tensos, veias latejando e suor escorrendo pelo pescoço, ela parece estar agarrando uma bola invisível e tremendo sob seu peso.

— Continue — Kiersten diz, encorajando-a. — Só um pouco mais para baixo.

— O que ela está fazendo? O que está acontecendo? — sussurra Martha.

— Cale a boca, burrinha — uma das garotas sibila debaixo de seu véu. — Ela está fazendo o sol se pôr.

Patrice passa o recado, como se não estivéssemos ouvindo atentamente:

— Ela acha que está fazendo o sol se pôr.

— Talvez ela esteja — sussurra Helen, maravilhada.

— Realmente parece mais cedo do que o pôr do sol de ontem — acrescenta Lucy.

Enquanto elas a observam grunhir, suar e sofrer, posso ler no olhar de cada uma delas: era por isso que esperavam. É assim que imaginavam que seria o Ano da Graça.

Quero contar a elas que o sol vai se pôr cada vez mais cedo até o solstício, mas até eu estou começando a duvidar.

Quando o sol finalmente descansa, Ravenna cai ao chão, uma pilha de carne encharcada de suor. As garotas correm para ajudá-la a se levantar, dar tapinhas carinhosos em suas costas, parabenizá-la.

— Eu sabia que você ia conseguir — Kiersten diz, pegando a ponta da trança de Ravenna e soltando a fita vermelha. O alívio que sinto é incontestável. Não só pela ideia de poder sentir a noite passar livremente pelo meu cabelo, apesar de isso parecer paradisíaco, mas pelo firme propósito que elas compartilham.

Quando Ravenna se ajoelha para rezar, as outras garotas se juntam a ela.

— Livrai-me do mal. Que esta magia abandone o meu corpo, para que eu retorne uma mulher purificada, merecedora de Seu amor e Sua misericórdia.

— Amém — sussurram as garotas sob seus véus.

Ajoelhadas na terra, descalças, olhando para Deus, banhadas em luz dourada, elas não parecem deste mundo. Não são mais garotas, e sim mulheres prestes a descobrir seu poder. Sua magia.

Eu prometi a mim mesma que manteria meus pés firmes no chão, que não cederia a superstições e fantasias... então por que estou tremendo?

O jantar ao redor da fogueira é silencioso e tenso. Cada grupo se agarra a seus segredos. Quero falar de nossas queixas, abrir o jogo para trabalharmos juntas, mas isso obviamente nunca acontecerá, pelo menos não enquanto Kiersten estiver no comando.

— Está olhando o quê? — pergunta Kiersten.

Desvio o olhar rapidamente.

Kiersten cochicha com Jenna, Jenna com Jessica, Jessica com Tamara, e sei que estão falando de mim. Não sei que mentiras ela está espalhando, que novo apelido sem graça me deu, mas ela obviamente está tramando algo.

Um grito agudo ecoa na floresta, nos fazendo prender a respiração e olhar para o mato.

— É um dos fantasmas — sussurra Jenna. — Soube que, se chegarmos perto demais, eles podem possuir nosso corpo e nos obrigar a fazer coisas que não queremos.

— Não foi isso que aconteceu com a Melania Rushik? — pergunta Hannah. — Ouvi dizer que entraram na cabeça dela, cochicharam e a chamaram até a floresta com a promessa de fazê-la voar, então quando ela finalmente sucumbiu, cuspiram o corpo dela para fora da barreira, em doze pedaços diferentes.

O som ressoa de novo, desencadeando suspiros e cochichos nervosos sobre quem será o primeiro alvo dos fantasmas.

— É um alce — digo.

— Como *você* sabe? — pergunta Tamara, irritada.

— Porque todo ano eu ia às florestas do norte com meu pai para procurar os caçadores de pele que não voltavam para a feira. É o som de um alce procurando um parceiro.

— O que quer que seja... é assustador — Helen diz, fazendo carinho na Pombinha sob sua capa.

— Você acha que sabe de tudo, mas não sabe — diz Jessica, me olhando feio.

— Sei que cortamos lenha o suficiente para o mês todo, construímos barris para armazenar a água da chuva... e *você*, fez o quê?

— Você está desperdiçando seu tempo com tudo isso — diz Kiersten, com um sorriso tranquilo. — Cada dia passado sem aceitar sua magia é um dia desperdiçado.

— É melhor irmos dormir — digo, me levantando e fingindo bocejar. — Amanhã será um dia cheio... sabe, temos que construir uma lavanderia, uma banheira... coisas que vão nos ajudar a sobreviver de fato.

— Você pode achar que está ajudando, mas não está — diz Kiersten. — Só está atrapalhando todas elas.

Finjo não ouvir, mas não sou boa em fingir.

— Espero que a banheira seja para a Porquinha — grita uma das garotas de véu quando nos afastamos. — Ela vai precisar.

Risadas explodem ao redor da fogueira. Quero voltar e bater em cada uma delas, mas Gertie sacode a cabeça. Um gesto rápido. Preciso. Ela me olha do mesmo jeito que minha mãe olhou para mim quando meu pai me entregou o véu na igreja.

— Não — sussurra.

Enquanto as outras garotas entram no alojamento, eu seguro Gertie para ficarmos para trás.

— Eu sei que a litogravura era da Kiersten — digo. — Você deveria contar para as outras garotas.

— Isso é problema meu — diz ela, com firmeza. — Prometa que não vai se meter.

— Prometo — respondo, me sentindo mal por insistir. — Mas você pode pelo menos me contar por que aceitou a culpa?

— Achei que seria mais fácil — Gertie diz, olhando para a frente, mas percebo a emoção em sua voz. — Achei que se eu aceitasse, ela...

— Vocês não vêm? — pergunta Martha, segurando a porta.

Gertrude corre, feliz por interromper a conversa.

Com as lanternas apagadas, nos deitamos, olhando para as teias de aranha grudadas às vigas do teto, tentando não imaginar o que está acontecendo ao redor da fogueira.

— E se for verdade? — Becca rompe o silêncio. — E se estivermos desperdiçando nosso tempo? Vocês sabem o que farão conosco se voltarmos sem nos livrarmos de toda a magia.

— Acabamos de chegar — digo, tentando ajeitar meu corpo nas molas. — Temos tempo de sobra. Elas só estão tentando nos amedrontar.

— Está funcionando — diz Lucy, cobrindo o rosto com o lençol.

— Já eu não tenho pressa nenhuma para enlouquecer — diz Martha.

— Mas eu sangrei tarde — Becca, completamente em pânico, sussurra. — E se acontecer o mesmo com a minha magia? E se ela chegar tarde e eu não conseguir me livrar a tempo?

— Isso não vai acontecer — diz Patrice.

— Como *você* sabe?

Um grunhido grave ecoa pela floresta, nos fazendo prender a respiração.

— É só outro alce, né? — pergunta Nanette.

Assinto, apesar de não ter certeza.

— Vocês viram como a Kiersten estava me olhando hoje? — Lucy diz, debaixo do cobertor. — Ela sempre me odiou. Tenho três irmãs mais novas... se ela me obrigar a qualquer coisa com a magia dela... se eu entrar na floresta e meu corpo se perder...

— Estamos nos deixando levar — digo. — É o que ela quer. Só precisamos ficar juntas. E sermos racionais.

— Mas você viu o que a Ravenna pode fazer — diz Ellie.

— Tudo o que vimos foi uma garota segurar uma bola invisível — digo.

— Mas eu senti. — Molly pressiona o baixo-ventre com a palma da mão. — Por um momento, eu vi o sol nas mãos dela. Eram como um só.

— Achei que o sol estava prestes a romper sob os dedos dela, que nem uma gema mole — sussurra Ellie.

Quero responder, encontrar uma explicação razoável, mas a verdade é que eu também senti.

— Ei, cadê a Helen? — pergunto, notando a cama vazia, sentindo falta do arrulhar da pombinha.

— Ela ficou na fogueira — diz Nanette, olhando para a porta.

Talvez eu esteja exagerando, mas juro sentir uma ponta de tristeza na voz dela, de desejo.

Talvez todas quisessem ter ficado na fogueira.

Por mais que eu queira negar, enterrar esse pensamento, parte de mim não pode deixar de se perguntar se a Kiersten está certa... se eu estou atrapalhando todas elas.

Talvez não tenha nada de errado com o Ano da Graça. Talvez tenha algo de errado *comigo*.

Nas semanas seguintes, enquanto nos ocupamos limpando o lixo queimado, construindo uma área coberta para cozinhar, fazendo barris para armazenar a água da chuva, cortando lenha e dividindo tarefas, Kiersten se ocupa "ajudando" as meninas com véu a encontrarem sua magia.

Começou com coisas simples, desafios para estimular a magia de cada uma, como hinos para Eva enquanto costuravam coroas de flores no orvalho da manhã e uma roda ao redor da Árvore do Castigo para contar histórias assustadoras, mas o que no começo parecia uma brincadeira inofensiva se transformou em algo infinitamente perigoso. Não é assim que tudo de mais horrível começa? Lentamente. Insipidamente. Apenas mais uma volta do parafuso.

Noite após noite, Kiersten voltava da fogueira com uma nova convertida de olhos vidrados, cabelos soltos em cascata pelas costas, alegando uma ou outra loucura.

Tamara disse que podia ouvir o vento cochichar para ela, e Hannah contou que fez uma baga de zimbro morrer só com o olhar. Eu poderia argumentar que é só imaginação, condicionamento social, superstição fora de controle, mas não foram só elas que passaram por situações estranhas. Algo estava acontecendo com todas nós. Algo que eu não sabia explicar.

Além de tonturas, perda de apetite e visão embaçada, nossas íris começaram a desaparecer aos poucos, o preto suave erodindo qualquer cor, qualquer luz. Tentei pensar que era apenas exaustão, ou talvez alguma doença assolando o acampamento, mas quanto mais tentava entender, pior ficava.

E quando a lua cheia chegou, sangramos. Todas ao mesmo tempo, até Molly, como uma alcateia.

Tentei dizer às garotas que não é por que um acontecimento não tem explicação que é magia, mas, uma a uma, elas aproximaram suas camas do outro lado do quarto, atraídas por histórias loucas de magia e misticismo.

Honestamente, não as culpo. Vivi com essas dúvidas sobre o Ano da Graça minha vida inteira, e até mesmo eu comecei a questionar tudo o que estava acontecendo.

Questionar minha sanidade.

Há algumas noites, agrupadas ao redor da fogueira, Meg passou sua mão pelas chamas.

— Não sinto nada — exclamou. E quando olhou para Kiersten, senti algo percorrer o espaço entre elas, uma onda de energia invisível. Talvez fosse tudo da minha cabeça, talvez fosse a magia de Kiersten, uma língua que eu não conseguia entender, mas, no momento seguinte, Meg deixou sua mão nas chamas até sua pele começar a borbulhar como centenas de sapos coaxando.

— O que você está fazendo? — gritei, agarrando-a para afastá-la do fogo.

Meg se virou para mim, aqueles olhos pretos enormes.

Ela não gritou. Não chorou. Ela riu.

Todas riram.

Logo, rumores enlouquecidos de atividades fantasmagóricas se espalharam pelo acampamento. Coisas estavam desaparecendo, sendo destruídas durante a noite. Curiosamente, os fantasmas só iam atrás do que eu havia construído, mas não deixei que isso me detivesse.

Por pior que tudo estivesse no acampamento, tentei ao máximo me ater à rotina, continuar com minhas tarefas, mas foi ficando mais e mais difícil me motivar, que dirá motivar as outras garotas. Acho que conversar sobre fantasmas e magia ao redor da fogueira é muito mais interessante do que trabalhar duro, mas prometi a mim mesma que continuaria firme. Se a magia me tomar, que seja, mas não cederei sem resistir, sem lutar.

De madrugada, vou com quem estiver disposta ao lado oeste da clareira, para começar um ou outro projeto fútil, mas logo perdemos nossa atenção para as nuvens... o vento... as árvores.

Penso nas mulheres do condado, quando as via deixando água correr pelos dedos, erguendo o rosto contra o vento de fim de outono – é disto aqui que estavam se lembrando? É para isto que tentam voltar?

Sinto como se algo estivesse me escapando... uma peça fundamental do quebra-cabeça. Mas quando olho para a cerca, para o mar sem fim de quilômetros de cedros secos, me ocorre: apesar de termos sido mandadas para cá contra nossa vontade, para viver ou morrer como animais, esta é a maior liberdade que já tivemos. Que provavelmente *teremos*.

Não sei por que isso me faz rir. Não é nada engraçado. Mesmo assim, Gertie, Martha e Nanette riem comigo, até começarmos a chorar.

Voltando para o acampamento, sentimos pavor no ar. Talvez seja o tempo mudando, mas parece mais do que isso. Todo dia a tensão parece aumentar. Até onde vai, eu não sei, mas é palpável, algo que dá para sentir.

Quando nos aproximamos da fogueira, encontramos as garotas já reunidas, alimentando-se de seus próprios cochichos, os olhos escuros nos acompanhando como lâminas de xisto molhado.

Pegando uma jarra d'água do barril com água da chuva e um punhado de frutas secas e nozes da despensa, fugimos de seus olhares pesados, nos abrigando no alojamento, onde encontramos mais quatro camas empurradas para o outro lado do quarto: Lucy, Ellie, Becca e Patrice sucumbiram. Ninguém fala nada, mas sei que todas nos perguntamos quem será a próxima. Não parece mais uma questão de "se", apenas de "quando".

Um lamento agudo ecoa pela floresta, me fazendo estremecer. Não sei se é pesadelo ou realidade, já que ultimamente a diferença é tênue.

Escutando com mais atenção, identifico apenas o som das garotas dormindo ao meu redor, o arrulhar de Pombinha nos braços de Helen.

— Está tudo bem — digo baixinho para mim mesma.

— Está mesmo? — Gertrude pergunta.

Eu me viro de lado para encará-la. Quero dizer que sim, mas não tenho mais certeza. Não tenho certeza de nada. Não consigo parar de olhar para as mãos dela, para as cicatrizes grossas que cintilam, um brilho cor-de-rosa e prateado, sob a luz das lamparinas.

— Pode perguntar — sussurra ela. — Eu sei que você quer.

— Como assim? — Tento desconversar, mas, como Gertie já disse, sou péssima em fingir.

Estou tentando encontrar palavras para dizer o que quero sem causar mais constrangimento, mais dor, mas ela o faz por mim.

— Você quer saber o que estava na litogravura.

— Eu entendo se não quiser di...

— Era uma mulher — ela sussurra. — Ela tinha cabelo comprido e solto, cachos que mal chegavam aos seios. Uma fita vermelha de seda enroscada como uma serpente na mão. Seu rosto estava corado, a cabeça levantada.

— Olhos para Deus — digo, pensando nas nossas lições.

— Não — ela responde, com uma voz sonhadora. — Ela estava com os olhos semicerrados, parecendo olhar bem para mim.

— Com dor? — pergunto, me lembrando da história que ouvi sobre fotos confiscadas dos caçadores de peles, anos antes. Mulheres amarradas, contorcidas em ângulos profanos.

— O oposto. — Gertrude ergue o rosto para mim, seus olhos brilhando. — Ela parecia feliz. *Em êxtase*.

Minha imaginação corre solta. Isso vai contra tudo que aprendemos. Todas ouvimos rumores sobre as mulheres das margens, que algumas até gostam da coisa, mas essa mulher da litogravura tinha uma fita vermelha. Era uma de nós. Engulo em seco só de pensar.

— O que estavam fazendo com ela?

— Essa é a questão — Gertrude sussurra. — Ela estava sozinha. *Ela* estava se tocando.

A ideia é tão chocante que ofego.

— Gertie, a Suja — alguém sibila no escuro, e o quarto todo irrompe em risadinhas. Zombarias.

Quero contar que a litogravura era de Kiersten, que Gertie foi o bode expiatório, mas fiz uma promessa. Não é minha história.

Eu vejo Gertie se afundar nos lençóis, meu coração doendo por ela.

Para espairecer, parar de pensar na deterioração do acampamento, decido cortar lenha perto da fronteira oeste.

Não espero que as outras garotas me ajudem, mas a ausência de Gertie me deixa preocupada. Desde aquela noite no alojamento, quando as garotas a ouviram falar da litogravura, ela se manteve afastada... distante.

Algumas garotas têm cochichado, dizendo que ela deve estar sentindo a magia, mas acho que ela está com vergonha. Para ela, deve ser como se estivesse sendo punida na praça de novo. Quero ajudá-la, tirá-la da tristeza que está sentindo, mas também estou tendo dificuldades.

Quando acordei, senti que milhões de formigas-lava-pés estavam andando sobre minha pele, mas não tinha nada em mim. Não tenho ideia do que está acontecendo... não sei do que chamar... mas isso ainda não significa que seja magia.

Quando me aproximo do limite da clareira, sinto um calor percorrer meu corpo, como se estivesse queimando por dentro. Tiro a capa, colocando-a sobre um tronco, e respiro fundo o ar fresco.

— O que quer que seja, vai passar — sussurro.

Pego o machado e me concentro em um pinheiro velho. Quando apoio a mão no tronco para me preparar, sinto meus dedos formigarem. Os sulcos fundos da casca áspera parecem pulsar com energia. Ou talvez a energia venha de mim, mas sinto que ela está tentando me dizer alguma coisa.

Encosto a orelha na árvore e juro ouvi-la murmurar. Acho que deve ser minha magia, finalmente, mas então percebo que o som vem detrás de mim.

Olho por sobre o ombro e vejo Kiersten sentada no tronco, acariciando minha capa, suas unhas arranhando o fio da lã. Não sei há quanto tempo ela está me observando, mas não gosto nada disso. Procuro por suas seguidoras atrás dela, mas acho que ela está sozinha.

— Solte isso. É meu — digo, segurando o machado com força.

— Não quero sua capa — ela diz, afastando-a. — É pesada. Não é à toa que você está tão musculosa.

Olho para meus braços e sei que não foi um elogio.

— Eu me sinto bem sendo útil — digo, pegando a capa e a vestindo de novo. — Você deveria tentar.

— Não é o maior pecado de uma mulher? — ela pergunta, enroscando uma mecha de seu cabelo brilhante no dedo. — Ser inútil.

O tom dela me surpreende, mas preciso continuar sendo cuidadosa.

— Por que você está aqui, Kiersten?

— Preciso de você — ela admite com um suspiro profundo. — As *garotas* precisam de você. Você pode ajudá-las.

— Se for sobre magia... Não posso aceitar algo que não tenho...

— Você está certa. Também acho que você não tem magia nenhuma.

— O quê? — me interesso.

— Acho que você esconde sua magia há anos, que você a gastou bem na nossa frente — ela diz, se levantando e se aproximando lentamente. — Foi assim que chamou a atenção do seu pai, o convenceu a ensinar tudo isso, e foi assim que roubou o Michael de mim. Você jogou sua magia fora e agora quer que elas escondam a delas. Você não tem nenhuma decência?

— Decência? — digo, erguendo o queixo. — Olha quem fala. E a Gertie?

— O que tem a Gertie? — ela pergunta, estreitando os olhos.

— Pode parar de se fazer de inocente. Eu sei de tudo.

— Ah, você sabe? — Ela sorri, desconfortável. — Seria uma pena se Gertie fosse a primeira do acampamento a cair.

— Não me ameace. — Seguro o machado com mais força. — Nenhuma de nós precisa morrer aqui.

— Todas morremos, Tierney. — Ela sorri. — No condado, tudo o que tiram de nós é como morrer aos pouquinhos. Mas aqui não... — Ela abre bem os braços, respirando fundo. — O Ano da Graça é nosso. É o único momento em que podemos ser livres. Não precisamos controlar o que sentimos, engolir nosso orgulho. Aqui podemos ser o que quisermos. E se botarmos tudo para fora — ela diz, com os olhos cheios d'água, a expressão mais suave —, não precisaremos sentir nada disso nunca mais. Não precisaremos sentir nada.

Tropeçando para trás, me apoio no pinheiro, sentindo a madeira sob meus dedos... algo de verdade, para me ancorar à realidade. Mas isso está mesmo acontecendo. Kiersten é humana, afinal. Acho que finalmente a entendo. Ela está com *medo*.

Parte de mim quer ceder... acreditar... ser parte disso, para liberar minha raiva e me livrar dela, mas não consigo. Talvez seja a lembrança da garota dos meus sonhos, ou talvez seja apenas eu mesma, mas sei que posso ir além disso.

— Não posso te ajudar — sussurro.

— Então não posso te ajudar — ela responde com o rosto se endurecendo na máscara de costume. — Acho que você já fez o suficiente — diz, tomando o machado de mim. — Eu assumo daqui.

Depois de andar em círculos ao redor da clareira, tentando entender o que acaba de acontecer e o que devo fazer, volto ao acampamento para falar com as outras e escuto vozes. Fecho os olhos, tentando bloqueá-las, mas desta vez não é coisa da minha cabeça.

— É o certo a fazer... para vocês duas... pelo bem do acampamento.

Espiando pelo canto da despensa, vejo Gertie de pé, conversando com Kiersten.

— Ei — chamo.

Gertie olha para mim. O rosto dela está vermelho, encharcado de lágrimas.

— A escolha é sua — diz Kiersten, antes de voltar ao acampamento.

— Que escolha... O que é pelo bem do acampamento? — pergunto.

Ela limpa o rosto com o dorso imundo da mão, visivelmente tentando se recompor.

— Kiersten convocou uma reunião hoje... na lua cheia.

Pensando no que isso significa no condado, aperto o punho, me perguntando qual dos meus dedos será o primeiro a ser arrancado.

— Podemos não ir.

— Todo mundo concordou — ela diz, olhando para a clareira.

— Todo mundo, menos *você*.

— Ah — digo, suspirando profundamente, tentando não parecer tão decepcionada quanto me sinto.

— As garotas andam conversando... duvidando.

— E você? — pergunto.

Ela encara a flor meio seca de sabugueiro na palma de sua mão. É uma flor antiga, raramente usada, mas simboliza perdão.

— Ela te deu isso?

Gertie fecha os dedos ao redor da flor, como se protegesse o ovo mais frágil.

— Você sabe que não pode confiar nela. Ela não é Deus. Não pode te perdoar por algo que ela mesma fez. Ela é a razão do seu castigo. Lembre-se do que ela fez.

Estendo minha mão para virar as mãos dela, mostrar suas cicatrizes, mas ela puxa o braço para longe, dando alguns passos para trás.

— Ela se desculpou — Gertie diz, equilibrando-se. — Voltamos a ser amigas.

— Amigas? — rio.

— Você não faz ideia de como é... ser expulsa... ser desprezada.

— Olhe ao seu redor... Não vejo ninguém tentando me ajudar.

— Mas é sua *escolha* — insiste ela, sacudindo a cabeça. — Você nunca quis ser uma de nós. — Uma expressão de dor passa pelo rosto dela. — Você só precisa aceitar sua magia e...

— Não posso aceitar algo que não sinto. Talvez seja uma doença, mas o que quer que esteja acontecendo com a gente...

— Ela está te chamando de herege — diz, o queixo tremendo. — De usurpadora.

Não sei por que ouvir isso me faz rir. Lá no condado, quem era acusada de heresia nem chegava a ir para a forca. Era queimada viva. Eu me enrolo ainda mais em minha capa.

— Kiersten só está procurando caos porque quer assumir o controle.

— Você está errada. — Gertie franze a testa, formando uma linha reta com as sobrancelhas. — Ela acredita mesmo que pode aceitar a magia, se entregar à escuridão dentro dela, para então voltar uma mulher purificada. Livre dos pecados, pronta para recomeçar.

— Que pecados? O pecado de ter nascido mulher?

— Todas temos pecados — ela sussurra.

Um grasno ressoa sobre a floresta, fazendo Gertie se encolher.

— É só um corvo — digo, mas desta vez não tenho certeza. Nem tenho certeza se escutei algo. Olho para cima e vejo as nuvens passarem tão rápido que me sinto tonta. — Kiersten — digo, abaixando o olhar, tentando me concentrar. — Ela veio me ver hoje. Ela está te usando para me atacar.

— Nem tudo é sobre você, Tierney.

— Então qual é o motivo? Diga. O que está te incomodando de verdade?

Ela levanta o rosto, os olhos arregalados e vidrados.

— Não quero mais ser Gertie, a Suja. Quero que isso pare.

— Se forem as outras garotas... posso falar com elas... posso pedir...

— Não preciso mais da sua ajuda.

— Não entendo — digo. — Ela te ameaçou? Prometeu alguma coisa? — Presto atenção no rosto dela, em busca de algum sinal, mas Gertie finge muito bem. — O que você está escondendo?

Gertie olha para a Árvore do Castigo. Não consigo ver a expressão em seu rosto, mas noto a tensão em seu maxilar. É quase como se estivesse apertando a boca fechada para não deixar nada escapar sem permissão.

— Acho melhor não nos falarmos mais — ela diz, antes de se juntar às outras.

Passo o restante do dia tirando seiva de bordo, coletando lenha pelo perímetro, qualquer coisa para ocupar minha cabeça, me manter afastada do acampamento. No entanto, me sinto à deriva, como uma tora de madeira arrastada por uma corrente violenta de um rio.

Minhas mãos já estão deformadas de tantas bolhas quando decido voltar ao acampamento. Caminho com calma, em parte porque não quero que Kiersten ache que estou levando essa reunião a sério, mas também porque estou com medo. Escutei algumas garotas falarem que encontraram a magia de tanto olhar para a fogueira. Continuo pensando que deve existir outra explicação para isso. Não posso negar que estamos em um estado fragilizado, vulnerável, mas também não posso impedi-las se quiserem ficar do lado de Kiersten. Todas veem o que querem ver. Inclusive eu.

Quando me aproximo da fogueira, não é só a madeira que queima. Até o ar ao redor das garotas reunidas parece carregado. Há relâmpagos à distância e um trovão grave ressoa, como o eco de uma avalanche do outro lado do mundo.

Por instinto, procuro Gertie na multidão, mas ela não me convida a me aproximar. Ela nem percebe minha presença. Quero consertar essa situação, me desculpar por qualquer ofensa, mas talvez ela precise de espaço. O que eu não daria por um pouco mais de espaço. Olho para a cerca que nos separa do mundo exterior. Até agora, os predadores sequer tentaram nos atrair. Se eu não tivesse visto um deles com meus próprios olhos, até questionaria sua existência. Será que eles estão nos observando? Apostando qual de nós será a próxima a cair?

Outro trovão ressoa. Mais perto, desta vez.

— Escutem. Ela está tentando se comunicar — diz Kiersten.

— É só um trovão — murmura Martha.

— Só um trovão? — cantarola Kiersten, em tom de repreensão. — Preciso lembrar a história de Eva? A própria Mãe Natureza. Ela um dia foi uma garota do Ano da Graça. Acho que está tentando falar com uma de nós.

— O que ela quer? — pergunta Tamara, se afundando mais em sua capa.

— Ela está tentando nos advertir. — Kiersten abaixa o olhar e o fogo cria sombras monstruosas em seu rosto. — O que aconteceu com Eva pode acontecer conosco. Se não escutarmos... se ignorarmos o aviso — ela continua, olhando diretamente para mim. — Como algumas de vocês, Eva não acreditou. Ela riu na cara de Deus. Ela não se livrou da magia e, quando voltou para casa, fingiu estar purificada, mas a cada dia que passava, a magia crescia dentro dela, até não poder mais ser contida. Sob uma lua cheia, em uma noite como esta, ela matou a família inteira.

Uma onda de repulsa cresce pelo grupo.

— Se os homens do Conselho não a tivessem impedido, ela teria matado todos eles também.

Sempre achei que essa fosse só uma história da carochinha, uma fábula, mas, olhando ao redor da fogueira, vejo que todas as garotas estão intrigadas.

Kiersten ergue o queixo e olha para o agitado céu noturno.

— Quando eles a queimaram na praça, o céu se abriu para recebê-la, e ela continua ali, como um lembrete para todas nós.

Uma trovoada faz todas pularem.

— Ouçam — Kiersten sussurra. — Ela não será ignorada por nós. Se estiver se comunicando com alguém deste grupo, manifeste-se, use seu poder. É a única forma de se salvar.

Uma garota ao fundo levanta a mão, hesitante.

— Eu estou ouvindo.

Kiersten a convida para se aproximar.

Vivian Larson, uma menina fraquinha que recebeu seu véu de um primo, alguém em quem Kiersten nunca prestou atenção na vida. Duvido até que saiba seu nome, mas agora Vivi se encontra no centro das atenções, banhada pela aprovação de Kiersten.

— Conte. O que ela está dizendo?

— Tu... tudo que você disse. — Vivian aperta as palmas das mãos na frente do corpo. — Ela está nos avisando sobre o que pode acontecer.

— Ela falou sobre uma herege entre nós? Uma usurpadora?

Outra trovoada soa acima de nós e Vivian olha para mim, desconfortável. Da mesma forma como me olhou quando esbarrei com ela no campo ano passado, acompanhada de um garoto das oficinas.

— Não tenho certeza.

Finjo não notar, mas sinto olhares vindo de todas as direções.

— Tudo tem seu tempo. Continue a escutar, amiga — Kiersten diz, puxando a fita vermelha de Vivi e passando os dedos por seu cabelo despenteado e oleoso. Vivi sorri para a lua, como se tivesse sido libertada do diabo. De *mim*.

— Só espero que não seja tarde demais para o restante de vocês. — Kiersten anda em círculos ao redor da fogueira. — Tudo o que vocês andam construindo, em que andam se esforçando... — ela diz, empurrando um balcão usado para cozinhar. — Não significa nada.

— Isso não é verdade — digo, sem conseguir me conter. — Você certamente também se beneficiou de todo o nosso esforço.

Kiersten se vira para mim com tanta determinação que sinto calafrios.

— Estar confortável e alimentada não nos levará à magia. Estamos aqui para sofrer, para nos livrar do veneno dentro de nós. — Seu olhar é selvagem à luz da fogueira, ameaçador. — Estamos aqui porque Eva tentou Adão com sua magia. Ela o envenenou com frutas apodrecidas. Se não encontrarmos nossa magia, se não nos livrarmos dos demônios, você sabe o que acontecerá. Você viu o que acontece com as garotas que voltam e tentam manter sua magia: elas são mandadas à forca... ou pior.

Um arrepio de medo percorre a multidão... e me percorre.

— Mas e se Tierney estiver certa? — indaga uma voz vinda do fundo da multidão. É Nanette. Ela dorme na cama ao meu lado. — E se tudo isso for só nossa imaginação, ou algum tipo de doença?

Em vez de explodir de raiva, Kiersten se acalma. É uma calma apavorante.

— Isso é por causa dos sonhos perversos da Tierney?

Olho ao redor da fogueira, me perguntando quem contou a ela, mas tenho problemas maiores agora.

— Vocês não veem o que ela está fazendo? Enchendo a cabeça de vocês de pensamentos tortos. Tentando distraí-las do objetivo principal — Kiersten continua. — Ela não é especial. Olhem para ela. Ela não consegue nem manter a única aliada verdadeira que tem.

Kiersten olha diretamente para Gertrude, confirmando meus piores medos. Ela a está usando para me atingir. E Gertrude sabe.

— Tierney quer que vocês escondam a magia de vocês e sejam mandadas para a forca ao chegarem no condado. É a forma que ela encontrou para se livrar de nós.

— Por que eu faria isso? Estamos todas juntas aqui.

— Juntas? — Ela ri. — Ela já falou com alguma de vocês no condado? Ela já mostrou o menor interesse na vida de alguma de nós? *Esta* é a magia dela. Nos voltar umas contra as outras... contra quem somos... contra o que devemos fazer.

— É mentira — digo, mas ninguém mais parece me ouvir.

— Você — diz Kiersten, apontando para uma garota no meio do grupo. É Dena Hurson. Ela se aproxima, hesitante. — Você não falou que a magia de se comunicar com animais é comum na sua família?

— Falei... mas...

— Tire a roupa.

— O quê? — ela pergunta, cruzando os braços em frente ao peito.

— Você me ouviu. Tire a roupa. — Kiersten passa a mão pela trança de Dena e sussurra no ouvido dela. — Vou te ajudar. Vou te libertar.

Dena olha ao redor da fogueira, mas ninguém ousa interferir. Nem eu. Ofegando e tremendo, ela tira a capa, a camisa, as roupas de baixo.

Kiersten se aproxima de Dena – que está de pé, estremecendo, tentando se cobrir da melhor maneira que pode sob a luz da lua – por trás e pressiona as palmas das mãos no baixo-ventre da garota.

— Você deve sentir *aqui* — ela diz, esticando os dedos, fazendo a garota ser tomada por um calafrio. — Está sentindo o calor? O formigamento? Como se o seu sangue estivesse próximo à superfície, querendo gritar?

— Sim — sussurra Dena.

— É a sua magia. Agarre-se a ela, receba-a, encoraje-a.

Depois de algumas inspirações ofegantes, Dena aperta bem os olhos.

— Acho que senti alguma coisa.

— Agora fique de quatro — comanda Kiersten.

— Por quê?

— Faça o que eu digo.

Dena obedece, se abaixando.

Quero interferir, salvá-la dessa humilhação, mas ela está sob o encanto de Kiersten. Todas estão. Talvez eu também esteja, porque não consigo desviar o olhar.

Kiersten tira a fita vermelha da garota, soltando seu longo cabelo arruivado, e Dena enfia as unhas na terra.

As garotas observam com atenção redobrada quando Kiersten circula ao redor dela, enroscando a fita vermelha na mão.

— Entre em contato com os animais da floresta. Sinta a presença deles.

— Não sei como — diz Dena.

Kiersten a chicoteia nas costas com a fita vermelha. Sei que não dói, mas a surpreende... surpreende todas nós.

— Feche os olhos — comanda Kiersten. — Sinta cada coração que bate na floresta. Encontre um. Concentre-se no ritmo dele — ela diz, andando em círculos.

— Escutei alguma coisa — Dena diz, erguendo o rosto, olhando com atenção para a floresta. — Sinto calor. Sangue. Cheiro de pelo molhado.

Um uivo vem da mata, fazendo todas prenderem a respiração.

Kiersten puxa o cabelo de Dena.

— Responda — ela ordena.

Quando Dena uiva de volta, esticando o pescoço o máximo que consegue, vejo cada tendão dela se abrindo para a magia. Ansiando por grandeza. Desejando ser preenchido por algo maior do que ela.

Quando Kiersten finalmente se dá por satisfeita, ela a solta. Dena se levanta, virada para nós, com o rosto corado, o cabelo solto e desgrenhado, lágrimas escorrendo pelo rosto, o olhar vidrado de loucura.

— A magia é verdadeira — ela diz, antes de uivar mais uma vez e cair nos braços de Kiersten.

Acordo com o som de gargalhadas abafadas, sangue nas mãos, sangue entre as pernas.

Levantando assustada, me vejo sozinha do meu lado do alojamento, manchas vermelhas nas minhas roupas de baixo, garotas apontando para mim e abafando risadas com as mãos.

— Eu fiz isso acontecer — ri Kiersten, segurando uma pena comprida com a ponta coberta de sangue.

Olho para Gertie, mas ela se recusa a olhar de volta.

Pegando minhas botas, saio do quarto sufocante para me lavar no barril com água da chuva, mas o encontro despedaçado. Era o meu último. Passei semanas dobrando a madeira do jeito certo e, com o tempo virando, será quase impossível fazer mais um antes da primavera. Kiersten vai culpar os fantasmas, mas sei que foi ela. O calor da raiva sobe pelo meu rosto. Estou furiosa, mas preciso me conter. Elas provavelmente estão me observando agora, e o pior a fazer é deixar que saibam que me atingiram.

Fazendo um desvio até o poço, tento jogar o balde lá dentro, mas ele está congelado, grudado na pedra. Estou tentando soltá-lo quando escuto um som fantasmagórico.

Música. Pelo menos parece alguém cantando.

Abandono o poço e vou andando até a cerca. Há uma pessoa agachada no chão. Voz aguda, baixa estatura... por um momento, acho que é a garota dos meus sonhos. Quero correr até ela, mas me obrigo a andar devagar. *Não confie em ninguém, nem em você mesma.* As palavras de minha mãe ecoam na minha cabeça.

Eu me agacho em frente à garota, mas não consigo ver seu rosto. Com as mãos tremendo, ergo seu véu imundo. É Ami Dumont. Ela ficou tão quieta, tão pequena, que quase esqueci que estava entre nós.

Eu me aproximo e ouço a música.

Cabeleira dourada, Eva no trono, empertigada,
A noite chega, à noite venta, e pelos homens amaldiçoados lamenta.

É uma antiga cantiga; nunca pensei muito nela quando criança, mas agora... aqui... neste momento, as palavras ganham um significado completamente diferente.

Cuidado, meninas mal-educadas para a tumba serão mandadas.
Nunca de um filho cuidar, nunca de...

Ela para de cantar abruptamente, com o olhar fixo na cerca; a respiração fica mais apressada, mas não está no ritmo ofegante que escuto. Sigo seu olhar e me viro para trás. Primeiro, só vejo o portão, arranhões profundos na madeira pesada, mas, além disso, nas fendas estreitas entre as toras, vejo olhos... olhos escuros nos encarando.

— Eles sentem o cheiro do seu sangue. — Ela sorri para mim.

Estou andando para trás, tentando me afastar do que está acontecendo, quando minha visão fica turva. Tropeço pela clareira, procurando algo em que me apoiar. O poço. Se eu puder beber um pouco de água... Estico os braços, tentando me segurar na pedra, mas minhas pernas cedem. Bato a cabeça na superfície dura e caio como um saco de ossos.

Conforme meus olhos voltam lentamente a enxergar, ouço alguém dizer:

— Você só precisa correr até a enseada e voltar.

Levantando a cabeça, vejo as garotas aglomeradas em frente ao portão.

— Assim que você aceitar sua magia, vou tirar sua trança — Kiersten diz, como se falasse com uma criança. — Você pode ser uma de nós.

Ficar de pé é mais difícil do que eu imaginava. Minha cabeça está latejando. A tontura faz a cerca entrar e sair de foco, como no microscópio do meu pai.

— Você segura a Pombinha para mim? — Helen pede, entregando a ave para Kiersten. Kiersten faz uma careta, empurrando Jessica para pegar o passarinho em seu lugar. — Ela gosta de carinho embaixo do queixo — acrescenta.

— Esperem — digo, me aproximando. — Ela não pode sair daqui. Há predadores lá fora.

Jenna me encara, exasperada.

— Achamos que você estivesse morta.

— É... que azar. — Passo direto por ela. — Helen, você não pode fazer isso.

— Mas eu sou invisível — ela responde, sorrindo.

— Desde quando? — pergunto.

— Vá embora — Tamara diz, me empurrando. — Não que ela precise de ajuda, mas Ami está distraindo os predadores no lado leste da cerca, com aquela cantoria horrorosa.

Eu aperto os olhos na direção leste. Penso ver o corpinho agachado de Ami perto da cerca, mas não tenho certeza.

Tropeço por entre o grupo freneticamente, procurando alguém que possa convencer Helen a desistir, quando meu olhar encontra Gertie.

— Você precisa fazer alguma coisa — sussurro.

Apesar de ela estar de lado, fingindo não ouvir, vejo medo em seus olhos.

— É só se concentrar. Sentir a magia — Kiersten orienta, pressionando a palma da mão na barriga de Helen. — Lembre, se qualquer coisa der errado, eu posso usar minha magia para fazer os predadores me obedecerem.

Helen olha para ela e assente, mas percebo que ela não está bem... não está totalmente aqui. Ela parece uma daquelas bonecas que a sra. Weaver faz, com olhos enormes que piscam.

— Vou até te deixar usar meu véu. Como proteção — Kiersten oferece, colocando a renda no topo da cabeça dela. — Um sinal do quanto acredito em você.

— Ei, esse é o *meu* véu — diz Hannah, que é rapidamente calada.

Quando Kiersten abaixa o véu, elas abrem o portão. Eu sei que deveria me virar, me afastar, porque Helen fez sua escolha, mas não consigo parar de pensar nas cicatrizes nos pés dela, causadas pela própria mãe ao saber dos sonhos da filha.

— Uma semente de bondade — sussurro.

Morro de medo de me aproximar do portão, que dirá atravessá-lo, mas não posso deixar que isso aconteça.

Empurro as outras garotas e corro atrás de Helen. Algumas gritam para que eu volte, mas Kiersten diz:

— Deixem-na ir.

No instante em que abandono a segurança do acampamento, a força do vento que vem do lago me atinge, me deixando sem ar. Aos tropeços, dou alguns passos para trás. A vastidão, o vazio... talvez eu estivesse presa ali dentro tempo demais, mas não me sinto livre aqui, só me sinto... exposta.

Um grasno à distância me dá calafrios. Não sei se é real ou imaginado, mas é o que preciso para me concentrar novamente.

Procurando Helen pela ampla paisagem, pelas cores opacas da transição do outono para o inverno — de azul para cinza, de verde para bege —, noto um borrão em movimento. O véu de Helen grudando nela como um enxame de mosquitos do rio.

Quando um segundo grasno nos alcança, sei que é real, porque Helen fica paralisada. Corro na direção dela, chamando-a de volta com gestos, mas seu olhar está concentrado no lado norte, em um predador que avança para perto de nós. Só de vê-lo, fico tonta. Ele está coberto da cabeça aos pés por um tecido leve, cor de carvão, segurando uma faca cintilante. Tudo em mim quer fugir, mas não posso deixá-la morrer assim. Por nada.

Apertando o passo, grito o nome dela.

Ela se vira para mim, o pânico tomando seu rosto.

— Você consegue me ver?

— Corra. — Eu a empurro na direção do acampamento e corro na direção oposta. — Corra! — grito.

Olho por cima do meu ombro, para garantir que o predador mordeu a isca, mas tropeço em uma raiz, caindo na terra fria. Em vez de fechar os olhos, me preparando para o que me aguarda, eu me volto para encarar meu carrasco. Ele ergue a faca para atacar... e para.

— Me chute — um sussurro suave emana do tecido fino e escuro que cobre seu rosto.

Não faço ideia se ele realmente falou algo ou se é a doença se manifestando, mas não vou esperar para ver.

Dobro os joelhos e o chuto com toda a força que tenho. Ele é jogado para trás, então cai no chão.

Penso em pegar a faca, cortar a garganta dele ali mesmo, mas há algo em seu olhar... em seus olhos. Eu me pergunto se é o mesmo predador que encontrei na trilha, que me deixou fugir. Eu me inclino sobre seu corpo e tenho certeza de que sim. Sinto no fundo do estômago. Estendo a mão para remover o pano que esconde seu rosto, mas ouço grasnos vindo de todas as direções. Eu me afasto dele e corro para o portão.

Assim que Helen o atravessa, o portão começa a fechar. Acho que é um erro, que elas não me viram, mas quando a trinca se fecha, sei que foi Kiersten.

Entre os grasnos febris dos predadores e os gritos das garotas, não consigo pensar, não consigo respirar. Movo as pernas com toda a força que posso quando me sinto tonta, a terra em que corro se inclina, mas não posso me permitir ceder. Se eu não chegar até o outro lado da cerca, voltarei para casa em lindos frascos de vidro. Pulando no portão, me agarro às fitas das garotas mortas para me impulsionar para cima e, quando acabam as fitas, enfio as unhas na madeira lascada e escalo até a beira. Balanço as pernas, tentando me segurar, mas minhas coxas parecem feitas de chumbo. Quando um dos predadores chega perto o suficiente para me cortar, dou tudo de mim e consigo me jogar, mas assim que caio no chão do outro lado, Kiersten se joga em cima de mim.

Com as narinas abertas, os olhos furiosos, ela me prende ao chão, pressionando o machado contra o meu pescoço.

— Por que você fez isso? — pergunta. — Por que você interveio? Você quase a matou.

— Eu a *salvei*... — Tenho dificuldade de falar contra a força da lâmina. — Se eu não interferisse, ela teria...

— Ficado perfeitamente bem! — grita Kiersten, veias pulsando em suas têmporas. — E quem você acha que *te* salvou? — Ela pressiona mais o metal. — Fui *eu* — diz. — *Eu* fiz o predador parar. Todas elas viram. — Ela olha para o grupo de garotas. — Você ainda nega nossa magia?

Eu tento falar, mas tenho medo. Medo da lâmina descer com mais força, mas mais medo ainda da minha resposta.

— Eu... eu não sei por que ele parou — sussurro, chorando. — Mas já aconteceu antes... na trilha.

Kiersten sacode a cabeça, enojada.

— Se quiser negar nossa magia, arriscar a forca ao voltar, fique à vontade. Mas não carregue o resto delas com você.

Ela afasta o machado e eu inspiro fundo, levando as mãos ao meu pescoço.

Kiersten se levanta para falar com a multidão.

— Tentamos ajudá-la, mas ela está perdida. Qualquer uma que for vista confraternizando com esta herege será punida.

Deitada no chão, eu as vejo voltar ao acampamento, vejo seus olhos. O que acabou de acontecer foi a prova final de que precisavam, quando tudo que pude oferecer era um sonho de segunda mão.

Ainda assim, eu sei o que vi. Sei o que senti.

Elas podem chamar de magia.

Eu posso chamar de loucura.

Mas uma coisa é certa.

Não há graça alguma aqui.

***

Logo antes do amanhecer, uma onda repugnante de grasnos ecoa pela floresta e, quando o sol nasce, devagar e espesso sobre o leste da cerca, Ami não está mais sentada ali. Ouço as garotas cochicharem, dizerem que Kiersten a fez ir embora para que parasse de cantar aquela música, mas vi os sinais no olhar de Ami muito antes do nosso Ano da Graça. Ela sempre foi delicada demais para o mundo. E agora ela se foi.

Ninguém mais fala comigo. Ninguém nem olha para mim.

Como todos os barris de chuva foram destruídos, não tenho opção além de beber do poço, mas sempre que me aproximo, sou escorraçada.

Engatinhando pelo perímetro, lambo o orvalho das folhas, mas só fico com mais sede. Minha língua fica pesada, como se ocupasse todo o espaço em minha boca, e às vezes acho que a sinto inchar, como se fosse me sufocar.

Ando ao longo da cerca, em uma meia-lua, da beira da clareira ao oeste à beira da clareira ao leste, e ouço o lago se mover com a maré, mas não só isso. Também ouço uma respiração. Pesada. Constante. Como uma sombra viva. Às vezes, me convenço que é Michael andando atrás de mim, mas Michael sempre falou sem parar. Ou talvez seja Hans, mas a presença não parece protetora. É o silêncio que me mata. O silêncio, mesmo sabendo que é o predador.

— Eu sei que você está aí — sussurro.

Paro abruptamente e escuto, mas não há resposta.

Eu me sinto louca, e talvez esteja mesmo. Acho que atravessei esse limite no momento em que cheguei neste lugar amaldiçoado, mas quero saber por que o predador não me matou na trilha, por que ele me deixou fugir quando corri atrás de Helen. Sei que não foi a magia de Kiersten, porque ela não estava nem perto na primeira vez. O que o impediu?

Ao cair da noite, atraída para a fogueira pelo cheiro de cozido queimado, entro no fim da fila. Sei que estou me arriscando, mas estou faminta demais para me importar. Sem comida ou água, não durarei muito mais.

Quando chega minha vez, estendo minha cumbuca. Katie raspa o fundo da panela, pegando a última colherada, e joga tudo no chão. Meu estômago ronca em desespero, mas não posso me permitir frescuras agora.

Eu me abaixo para pegar a comida do chão, mas Katie enfia a bota nela, fazendo o caldo borbulhar na sola enlameada.

Olho ao redor, esperando que alguma das garotas me defenda, mas ninguém se move. Dói. Especialmente depois de tudo que fiz para ajudá-las... para ajudar o acampamento.

Respirando fundo para criar coragem, passo pelos olhares de raiva e entro no alojamento, onde encontro um espaço vazio onde ficava minha cama. Nenhuma das minhas coisas está ali. Eu poderia pegar uma das camas das garotas mortas e arrastar até ali, para que riam pelas minhas costas, mas estou cansada demais. Cansada de brigar, cansada de me importar, cansada de tudo. Eu me deito no chão, tentando não chorar, mas quanto mais eu tento, pior fica.

Quando a porta do alojamento se abre, eu prendo a respiração, fico imóvel. Um único par de botas vem na minha direção. Eu me sinto como o gambá que eu e Michael encontramos na estrada que leva ao campo alguns anos antes. Achamos que estivesse morto, mas estava só fingindo. Pareceu uma estratégia de sobrevivência tão inútil na época, mas o que mais é possível fazer ao sentir-se completamente indefeso? Solitário? Vencido?

Os passos param logo atrás de minha lombar. Eu me preparo para o impacto quando escuto uma batidinha no chão, seguida de passos rápidos, se afastando. Pego a lamparina e consigo ver de relance a barra de uma capa verde-musgo saindo do quarto. Gertie.

Onde ela esteve, está uma batatinha.

Eu a pego e enfio os dentes nela. A casca está escaldante. Queima tanto minha garganta que não sinto o gosto, mas não ligo, a fome faz tudo compensar. Uso todas as minhas forças para não devorá-la de uma vez, porque tenho que ser esperta. Afinal, não sei quanto tempo durará meu castigo. Guardando a metade restante da batata no bolso, sinto um fiozinho de esperança.

— Você — Kiersten diz, alto o suficiente para acordar a clareira inteira. — Você roubou da despensa. Como ousa?

— O quê? — pergunto, me apoiando em meus cotovelos com dificuldade. — Eu não fiz nada disso.

— Esvazie os seus bolsos — grita Kiersten.

A *batata*.

— Segurem-na — Kiersten ordena.

As outras garotas me agarram enquanto ela revira os bolsos da minha capa.

Um sorriso satisfeito se espalha por seu rosto como um incêndio quando ela tira o resto da batata fria do meu bolso.

— Foi ela quem disse que precisávamos dividir os mantimentos em porções, confiar umas nas outras — diz Jenna.

— Foi só para poder roubar da gente — sibila uma voz contra minha nuca.

— Eu não roubei. Eu juro...

— Então quem te deu a comida? — pergunta Kiersten.

Olho para Gertie, nervosa.

— Eu... eu encontrei.

— Mentirosa — ela diz, sibilante.

As garotas me seguram com mais força.

— E o que acontece com garotas mentirosas? — pergunta Kiersten.

— Elas perdem a língua — as garotas respondem em uníssono.

Kiersten sorri para mim. Eu conheço esse sorriso.

— Peguem a pinça.

Enquanto as garotas me arrastam do alojamento até a Árvore do Castigo, grito para que parem, mas sei que não adianta. Não há outro Deus aqui além de Kiersten, e ela quer que todas saibam.

Ellie corre até nós, trazendo uma braçadeira de ferro enferrujado.

Kiersten segura meu rosto, apertando com tanta força que sinto meus dentes cortando a bochecha por dentro.

— Língua para fora — ela ordena.

Sacudo a cabeça, sentindo lágrimas queimando meus olhos, enevoando minha visão, então escuto Gertie gritar:

— Pare... Fui eu. — Ela empurra as garotas para conseguir se aproximar. — Eu dei a batata para ela — diz, afastando Kiersten de mim.

— Como você pôde? — sibila Kiersten. — Depois de eu te dar uma segunda chance? Depois de eu te perdoar?

— Perdoar? — cuspo. — É você quem deveria implorar perdão. Eu sei o que você fez. Era *sua* litogravura. Você a roubou do escritório do seu pai e botou a culpa em Gertie. Você arruinou a vida dela.

Kiersten levanta uma sobrancelha.

— Foi isso que ela contou?

— Vem, Tierney, vamos — Gertie diz, passando o braço pelo meu.

— Sim, a litogravura era do meu pai — diz Kiersten. — Mas não é por isso que ela foi condenada por depravação.

— Por favor... não. — Gertie sacode a cabeça, com um olhar apavorado.

— Você sabe o que ela fez? — Kiersten pergunta, seus olhos cheios d'água.

— Não a escute... — implora Gertie, mas eu fico firme.

— Ela tentou me beijar. E eu soube ali mesmo o que ela era... o que ela queria — Kiersten diz, com o queixo tremendo de raiva. — Ela queria que eu fizesse as coisas imundas daquela litogravura. Que eu pecasse contra Deus.

Sinto o peso do corpo de Gertie e percebo que seus joelhos cederam. Segurando o braço dela com mais força, damos nosso primeiro passo de volta para o alojamento quando a cabeça de Gertie é puxada para trás.

O som aterrorizante de uma lâmina sendo arrastada contra a nuca dela faz meu sangue congelar.

Eu me viro e a encontro agachada no chão ao meu lado, Kiersten acima dela, com a trança de Gertie enroscada em seu punho. Na ponta, um pedaço sangrento de pele pinga à luz da lua.

— **Você é um monstro** — sussurro.

— E você é uma tola — diz Kiersten, jogando os ombros para trás. — Mas eu sou misericordiosa. Vou te dar uma escolha. Aceite sua magia... ou encare a floresta.

As garotas observam, ansiosas.

Olho para Gertie, mas ela está encolhida no chão como uma bolinha, balançando como uma gangorra quebrada.

— Eu não... — sussurro em resposta. — Não posso aceitar o que não sinto.

— Que seja — Kiersten responde, chacoalhando a trança de Gertie. — Adeus.

— Agora? — pergunto, lutando para controlar minha respiração. — Não posso... está escuro... pelo menos me dê até de manhã.

— Minha misericórdia acabou.

— Espere — digo, tentando chamar sua atenção. — Posso tentar. O que você quer que eu faça? Tire a roupa, uive para a lua? Quer que eu enfie minha mão no fogo, role no sumagre?

— Vocês estão ouvindo alguma coisa? — Kiersten pergunta, zombeteira, abanando o ar à sua frente. — Tem um mosquito irritante zumbindo no meu ouvido.

— Ou posso ser castigada. Quer um dedo, uma orelha, minha trança? O que você quiser, mas não me faça...

— Livrem-se dela.

Sem hesitar, as garotas pegam as pedras ao redor da fogueira e começam a jogá-las em mim. Uma passa por um triz da minha têmpora, então eu saio correndo.

Galhos pontudos açoitam minha pele enquanto eu luto contra a mata densa. Olho para o céu para me localizar, mas a lua e as estrelas estão escondidas atrás das nuvens, como se não aguentassem testemunhar. Correndo, sinto algo puxar minha saia. Começo a sacudir meus punhos enlouquecidamente, mas só acerto o matagal. Enquanto tento me desembolar, escuto algo atrás de mim. Ou talvez seja ao meu lado. Um fantasma, tentando possuir meu corpo? Ou um animal selvagem, faminto por carne humana? O que quer que seja, sinto em cada centímetro de minha pele. Estou sendo observada.

Puxando minha saia, corro na direção oposta... ou no que acredito ser a direção oposta. Meu coração bate forte, minhas pernas queimam com o esforço, mas minha cabeça está vazia, uma parte mais profunda tomando conta de mim.

Corro pela escuridão, sem enxergar nada, pelo que parecem horas, até bater em algo sólido.

Atordoada pelo impacto, caio para trás; choques de dor ressoam pelo meu corpo. Primeiro penso ter batido em uma árvore enorme, mas quando estico a mão para tocá-la, noto que a superfície é lisa demais, como se tivesse sido lixada.

— A cerca — sussurro.

Fico feliz por encontrar algo conhecido, capaz de me ancorar à realidade. O calor da minha fuga me abandona rapidamente, dando lugar ao frio. Aperto minha capa ao meu redor e escuto uma respiração ofegante. Espero que seja a minha, mas continuo a ouvi-la quando cubro minha boca, como o relógio de pêndulo no saguão de casa.

— É você? — sussurro por entre meus dedos trêmulos.

Não há resposta, mas juro sentir o calor do corpo do predador escorrendo por entre as fendas da madeira. É a mesma sensação de quando o encontrei pela primeira vez, na trilha.

— Por que não me matou? — pergunto, pressionando as palmas das mãos contra a cerca. — Você me deixou fugir duas vezes.

Escuto atentamente. Ouço o som de uma faca sendo desembainhada.

— Você não vai me machucar — sussurro, encostando o rosto na madeira lascada. — Eu sei.

Quando as nuvens se afastam, revelando a lua cheia e uma constelação de estrelas brilhantes, uma faca atravessa a fenda estreita na cerca e corta meu queixo.

Com um salto, fico de pé. O movimento repentino me deixa tonta, ou talvez seja o sangue quente escorrendo pelo meu pescoço. Quando o brilho do metal retrocede, olho pela abertura e encontro olhos frios e escuros me encarando de volta. A respiração dele é tão alta em meus ouvidos que é tudo o que consigo escutar. Dou mais uns passos para trás, então o mundo vira de cabeça para baixo, me jogando contra o chão gelado e duro, um véu de escuridão me cobrindo como um cobertor grosso de chumbo.

Inverno

Galhos esqueléticos e cintilantes balançam acima de mim. Minha respiração se condensa no ar, pesada. Me apoiando nos cotovelos para olhar ao redor, estremeço quando o vento forte atinge meu queixo. Eu o toco e sinto o sangue coagulado grudento, a terra debaixo das minhas unhas fazendo o corte arder.

— A noite de ontem realmente aconteceu — sussurro.

Olho pela fenda da cerca por onde a faca passou e não acredito que achei que ele não fosse me machucar. Não escuto mais a respiração, mas não vou me aproximar para averiguar. Meu pai dizia que esta é uma das minhas melhores qualidades: não preciso cometer o mesmo erro duas vezes para aprender a lição. Talvez o predador tenha pensado que eu estivesse morta e partido para outra. A ideia de ter sido observada por ele enquanto eu estava inconsciente e sangrando me deixa enjoada.

Encaro a floresta densa que me separa do acampamento e sei o que preciso fazer. Com ou sem fantasmas, não vou durar mais um dia sem água. Só de pensar nisso, minha língua dói. Os animais devem beber de algum lugar.

Quando fico de pé, a tontura volta. Preciso me curvar e apoiar as mãos nos joelhos para o mundo parar de girar. Sinto que preciso vomitar, mas tudo o que consigo é engasgar um pouco. Não há nada para botar para fora. Nem mesmo cuspe.

Eu me apoio em uma arvorezinha e dou meu primeiro passo floresta adentro. O vento farfalha entre os galhos altos, me fazendo tremer. Até o som das folhas quebrando sob minhas botas parece sinistro.

Eu amava a floresta. Costumava passar qualquer momento do meu tempo livre explorando a profundidade de tesouros escondidos nela, mas desta vez é diferente.

Um pássaro solta um guincho de aviso. Não posso deixar de considerar se o aviso é para outros pássaros ou para mim.

— Sou filha do meu pai — sussurro, empertigando minha coluna.

Acredito na medicina. Nos fatos. Nas verdades. Não vou me deixar levar por superstições. Talvez seja preciso acreditar em fantasmas para que eles consigam nos machucar. Preciso pensar assim, porque meus nervos estão por um fio.

Não faço ideia de onde estou, de quão longe cheguei ontem do acampamento, mas quando olho para cima para me localizar, o céu não ajuda. Parece ter sido coberto com lama do rio: uma mancha opaca e infinita de cinza. No condado, eu mal pensava no sol, mas aqui ele é tudo.

Quando o sol ressurge por um instante, corro para uma área ensolarada, desesperada para senti-lo em minha pele, mas, quando chego lá, ele já se foi. Agora parece pessoal, como se Eva estivesse brincando comigo.

Enquanto engatinho sobre uma área de calcário, tentando alcançar outro raio de luz, noto um trecho com algas verdes presas na beira de um pequeno lago. Só de olhar, minha garganta queima de sede. Quanto tempo faz desde que eu bebi qualquer coisa? Horas... dias... não consigo lembrar. Quando me aproximo, noto um movimento. Um rabo balançando. Há uma criatura curvada sobre o laguinho. Ela levanta a cabeça e dois olhos pretos me encaram. Reconheço as orelhas pontudas, o nariz comprido, a cor acobreada dos pelos, mas algo está errado. Piscando com força, vejo uma raposa, mas parece que alguém pintou um sorriso vermelho vivo sobre a boca e o bigode. Ouvi rumores de que os animais da floresta são loucos, mas quando me aproximo, vejo um coelho aberto a seus pés. Sangue escorre na água parada do lago como um pote de tinta derrubado na chuva.

Meu estômago embrulha. Estou tão tonta que sinto que minha cabeça pode sair flutuando a qualquer momento. Pressiono o rosto contra uma pedra fria e musguenta e tento me controlar.

— Você está bem. Vai passar.

Penso em esperar a raposa ir embora e beber a água sangrenta, mas uma brisa me atinge e eu a sigo por uma inclinação íngreme, lembrando que minha mãe disse que a água é melhor quando vem do alto, da nascente. E a água do lago certamente veio de algum outro lugar.

Seguindo o som distante de pingos, uso os arbustos de azevinho para me guiar pela colina arborizada, mas sempre que agarro um galho, os espinhos furam meus dedos. Meus pés não estão firmes. Minha visão está tão enevoada que preciso parar a cada poucos metros para me recompor, mas quando finalmente chego ao topo, me deparo com a melhor imagem possível: água jorrando entre o calcário, formando um lago pequeno e profundo. A água parece cristalina, sem sinal de algas ou sangue, mas preciso tomar cuidado. É difícil saber o que é ou não real. Engatinho até a superfície e me curvo, enfiando as mãos na água congelante, trazendo-a à minha boca. A maior parte escorre pelo queixo, encharcando meu vestido, mas não me importo. O gosto é limpo, não se parece em nada com a água do poço.

Quando vou beber outro gole, vejo um movimento no fundo do laguinho. Entre duas pedras maiores, há um amontoado de conchas escuras que parecem couro de sapato enrolado. Algum tipo de molusco.

Sei que posso morrer indo atrás deles, mas também posso morrer de fome se não for. Tiro a roupa e, devagar, tento entrar na água, mas cada centímetro da minha pele parece estar sendo comido vivo. Ofegando três vezes, mergulho de corpo inteiro na água. O choque parece me reanimar um pouco, agilizando meus movimentos. Solto dois moluscos, mas um terceiro permanece firme no lugar. Tiro a cabeça da água para respirar, deixo as duas conchas na beirada do lago e saio em busca de uma pedra pontuda. O ar está tão quente e gostoso que não quero voltar à água, mas preciso de toda a comida que puder arranjar.

 Mergulhando de novo, uso a pedra para tentar soltar a terceira concha, então me lembro de quando meu pai me levou ao grande rio. Eu estava determinada a pescar meu primeiro peixe. Com a primeira linha, peguei uma linda truta-arco-íris. O peixe lutou tanto que puxá-lo exigiu toda a minha força. Até chegar à costa, seu corpo se jogava de um lado para o outro, batendo a cabeça no chão. Quando eu estava prestes a esmagá-lo com um galho, meu pai o soltou e o jogou de volta na água.

 — É preciso respeitar quem quer viver tanto assim — disse ele.

 Eu lembro que fiquei furiosa, mas agora entendo.

 Aquele molusco não está pronto para ceder. Nem eu.

 Voltando à superfície, me impulsiono para fora da água, pego minhas roupas e imediatamente começo a tentar abrir as duas conchas que colhi, mas estou tremendo tanto que mal consigo segurar a pedra.

 — Respire, Tierney — sussurro.

 Levanto o capuz da capa e me afundo em mim mesma, formando uma bolinha com meu corpo, soprando ar quente nas minhas mãos até meus dedos voltarem a sentir.

 Com as mãos firmes, tento de novo usar a pedra para abrir cuidadosamente uma das conchas. A carne é clara, com tons de rosa, azul e cinza. Não sei exatamente o que é, mas é algum tipo de mexilhão ou marisco. Eu o cutuco e ele estremece. No condado, comíamos esse tipo de animal o mais rápido possível, para não sentir o gosto, mas quero sentir. Quero sentir o gosto de qualquer coisa além de bile. Só espero não vomitar. Separando cuidadosamente o mexilhão da concha, eu o ponho na boca. Mastigo cada pedacinho, saboreando até a última gota de líquido salgado. Queria deixar o outro para depois, mas não consigo esperar. Abro a concha e chupo o mexilhão, mas imediatamente mordo um pedaço duro. Acho que é só uma lasca de concha, mas quando cuspo na minha mão, vejo que é uma pérola de água doce, como as do meu vestido do Dia do Véu. Eu a reviro na mão, estudando cada face, cada brilho furta-cor, cada cavidade e curva. Essas pérolas são raras. Agora tenho duas delas. Eu a guardo no bolso, junto com a que June me deu. Talvez, ao voltar para casa, eu possa dá-las para Clara e Penny. Noto que é a primeira vez em meses que penso em voltar para casa... em sair viva daqui.

Um som leve chama minha atenção. É suave demais para ser das folhas. De algum modo, me faz lembrar de casa.

Escalo até o alto da colina, acima da nascente, e encontro um platô largo, coberto de restos secos de mato, com uma corzinha no canto direito.

Ando naquela direção, tentando não me deixar levar — mas e se for a flor do meu sonho?

Ao chegar, me ajoelho e vejo que não é a flor, mas a ponta puída de uma fita vermelha. Uma onda de ânimo me percorre. Se outras garotas estiveram aqui... se sobreviveram à floresta... eu também posso sobreviver.

Puxo a fita, mas ela parece estar presa em alguma coisa. Ajusto o corpo para puxá-la com mais força, mas sinto algo rachar sob meu joelho. É um som pouco natural, lembrando porcelana quebrada. Afasto as folhas mortas e os pedaços de terra e encontro algo sólido. Estou tentando entender o que é quando acidentalmente enfio o polegar em um buraco na pedra.

Mas não é um buraco... nem uma pedra.

É um crânio humano ainda com os dentes.

A fita vermelha enforca os ossos do pescoço.

Meu estômago se embrulha, formando um nó duro. Largo o crânio no chão e tento freneticamente cobri-lo com terra, mas só consigo pensar nas garotas que entraram na floresta e nunca saíram.

Talvez as histórias de fantasmas sejam verdade.

Querendo colocar o máximo de distância possível entre eu e a verdade sombria do topo da colina, desço correndo e imediatamente perco o equilíbrio, rolando o restante do caminho e batendo em um tronco quebrado e podre. Fico deitada de costas, olhando para o céu vasto. Parte de mim se pergunta se já morri. Se aqueles são meus ossos. Talvez centenas de anos tenham passado em um piscar de olhos e eu seja só uma sombra agora. No entanto, quando minha visão volta a ficar nítida, a dor também volta. Morrer não doeria tanto. Usando um emaranhado de raízes expostas, me apoio para me levantar. Meu cérebro leva alguns minutos para acompanhar meu corpo, mas não tenho tempo para esperar. O sol está começando a descer.

 O cheiro de aveia queimando em uma panela de ferro me atrai de volta ao acampamento. Tento marcar o caminho como posso para poder voltar à nascente, se precisar. Subo em uma conífera perto do perímetro e observo as garotas na clareira, rindo, se divertindo, como se não tivessem nada com que se preocupar. Elas estão felizes com minha partida. Não sei se é minha inveja ou minha imaginação saindo do controle, mas algo nelas me lembra os caçadores de pele voltando das margens, chapados de cicuta, cheirando a caos. É difícil acreditar que, alguns dias antes, eu era uma delas. Parece fazer anos.

Gertrude atravessa a clareira, sua nuca brilhando sob a luz fraca. Eu me inclino para ver se consigo chamar a atenção dela, para dizer que estou bem, mas um dos galhos quebra sob meus pés. Isso chama a atenção de Gertie, mas também a de Kiersten.

Eu me equilibro, tentando não fazer som algum, mas as garotas se aproximam da borda da clareira.

— É um fantasma — sussurra Jenna.

— Talvez seja Tierney — Helen diz, acariciando Pombinha. — Em busca de vingança.

— Ela não ousaria voltar, viva ou morta — diz Kiersten, estreitando os olhos. — Tenho muitos outros pedaços de Gertie para cortar se ela decidir me testar.

E eu posso jurar que ela está olhando bem para mim, como se sussurrasse no meu ouvido.

Pulando, me afasto da árvore – do olhar de Kiersten – e volto para a floresta.

Como um fantasma, vago pela noite.

Não sei onde estou, aonde vou, mas não estou perdida, porque ninguém me procura. Não tenho para onde ir. Achei que estar entre as garotas no acampamento, vendo todas lentamente enlouquecerem, seria a maior solidão possível.

Eu estava errada.

Passo os dias decorando a floresta, marcando novas trilhas, procurando comida e, à noite, me instalo onde puder, sob um tronco derrubado, uma reentrância causada pela chuva em alguma rocha, mas nunca fico no mesmo lugar mais de uma vez. A abundância de pegadas de animais indica que não estou sozinha, e pelo tamanho, sei que há coisas muito piores que fantasmas aqui.

O único lado bom é que ficar longe do acampamento parece ter me dado alguma clareza. Ainda fico tonta de tempos em tempos, mas não me sinto mais tão transtornada, como se a terra pudesse se abrir e me devorar. Talvez só estar na companhia das garotas é o que espalha a doença. Um veneno mental.

Além de raízes que encontro ao acaso ou nozes que os esquilos às vezes largam por aí, não como há semanas. Meu estômago não ronca mais. Nem dói. Quando respiro fundo, imagino o ar me preenchendo, me alimentando. Não sei se isso é bom ou ruim, mas parece ser o suficiente.

De vez em quando, sinto cheiro de sopa de chicória ou carne gordurosa assando na fogueira, mas sei que as garotas não têm nada assim no acampamento. Mesmo se tivessem, não estão em condições de dar conta de uma refeição do tipo.

Sigo o cheiro até a cerca. Parte de mim quer escalar a barreira e chegar do outro lado, mas talvez seja assim que os predadores nos atraiam. Ou talvez seja minha cabeça me enganando.

Anos atrás, meu pai tinha um paciente que insistia sentir o cheiro de dente-de-leão em pleno inverno. Foi logo antes de um pedaço da cabeça dele explodir e ele sangrar até morrer.

— Não. — Puxo minha trança com força. Preciso me concentrar, ficar longe da cerca. Não me importa que a garota dos meus sonhos tenha me trazido até aqui.

De tanto entreouvir as conversas dos caçadores de peles que voltam do mato, sei que o maior inimigo aqui não é a vida selvagem nem a natureza, mas minha própria cabeça. Sempre me considerei uma criatura solitária – ah, quanto eu quis estar sozinha –, mas não tinha me dado conta de quão falsa essa ideia era até chegar aqui. Eu só desejava a solidão para me sentir forte... melhor do que as outras. Passei a maior parte da vida observando as pessoas, julgando-as, classificando-as em categorias, porque assim desviava minha atenção de mim mesma. Eu me pergunto o que veria se encontrasse hoje com Tierney James. E agora estou falando de mim na terceira pessoa.

Tento me ocupar, mas é mais difícil do que parece. Quando me sinto divagando, entrando naquela área sombria dentro de mim, de dúvida e culpa, sacrilégio e remorso, me controlo executando pequenas tarefas. Tranço uma corda para subir a colina com mais facilidade. Lembro que eu e Michael fizemos isso alguns anos antes, para chegar à ribanceira acima de Turtle Pond. Nunca esquecerei a sensação de pular da beirada e voar pelo ar, batendo na água gelada com um tremendo esguicho.

Pensar nele dói. Não o desejo como uma garota desesperada por um véu. Dói pensar em como me enganei em relação ao que ele sentia por mim. Eu me pergunto se me enganei com outras coisas também. Coisas importantes.

Eu me protejo do vento atrás de um carvalho gigante, pressionando meu corpo contra o tronco. No começo, é reconfortante, me lembra de que ainda sou humana, mas meus pensamentos acabam divagando e eu me pergunto se ficarei petrificada aqui, se me fundirei à árvore. Daqui a cem anos passarão por aqui e uma menina chamará a atenção do pai. *Você viu a moça na árvore?*, ela perguntará, e ele dará um tapinha na cabeça dela, dizendo *Você imagina muito*. Talvez, olhando de perto, ela consiga me ver piscar. Se tocar a casca da árvore com a mão, sentirá meu coração bater.

Nas manhãs de tempo bom, escalo até o cume depois da nascente. A cada dia fica mais difícil, mas vale a pena. Através de um mar de galhos nus, vislumbro a ilha inteira, cercada por uma crosta de gelo que leva à água mais profundamente azul que já vi.

Se não soubesse o que é este lugar, o horror do que se passa aqui, diria que é de tirar o fôlego.

Mas os ossos são um lembrete constante.

Seja a garota dos meus sonhos, seja uma garota do condado sem nome nem rosto, ela está sempre presente, me lembrando do que pode acontecer se eu cometer um deslize. Se eu baixar a guarda.

Espero que ela tenha tido tempo de encontrar paz, qualquer que tenha sido o motivo de sua morte. Uma vez meu pai tratou um caçador de peles da mata que tinha uma machadinha enfiada no crânio, o corpo dele convulsionando com o menor movimento. Meu pai ofereceu duas opções: arrancar a machadinha e fazê-lo sangrar rapidamente ou deixá-la para ele morrer devagar. O caçador escolheu a segunda opção. Eu me lembro de pensar que era a escolha covarde, mas agora não tenho mais certeza. Não há morte gentil, então por que acelerá-la? Aquele homem lutou bravamente até respirar pela última vez. Passando a mão pela terra, quero acreditar que essa garota fez o mesmo. Talvez tenha se arrastado do acampamento até o ponto mais alto da ilha em busca de refúgio. Morrer com esta vista não seria a pior escolha.

Mesmo assim, a parte mais sombria de mim não deixa de pensar que talvez outras garotas tenham feito isso com ela. Que talvez o mesmo aconteça comigo.

Hoje, há uma nuvem de fumaça subindo do acampamento das garotas. Elas visivelmente estão usando lenha verde. Outros filetes de fumaça sobem de todos os lados da enseada, o que me leva a crer que os predadores devem ter seus próprios acampamentos. Eles parecem estar instalados ao redor da ilha, em intervalos de distância regulares. Isso me diz que são organizados. Metódicos. Ainda não entendi como eles nos atraem, como nos exaurem até conseguir nos caçar, mas estou fazendo o melhor para me manter racional.

Gostaria de ficar no alto para sempre, mas agora me canso com facilidade. Até ficar de pé contra o vento exige esforço. Às vezes, parece que o ar é capaz de me levantar e me carregar até outra terra, mas é um pensamento mágico demais. E não há magia alguma em morrer de frio e inanição.

Descendo do penhasco para começar outro dia entediante atrás de raízes comestíveis, vejo um grande roedor sair da nascente com o último molusco do rio preso entre os dentes.

— Rato-almiscarado — sibilo.

Ele desce a colina e eu corro atrás dele. Eu o sigo pela floresta inteira, passando por um bosque de pinheiros e até a barreira, onde ele para. Acho que venci, mas ele se vira e se enfia sob a cerca. Eu me jogo contra ele, esticando a mão por dentro do buraco, mas é tarde demais.

Apoiando o rosto no chão, começo a chorar. Sei que é patético, mas parecia que eu poderia sobreviver desde que aquele mexilhão sobrevivesse. A verdade, no entanto, é que meu tempo está se esgotando. Meus recursos também.

Olho pelo buraco da cerca, tentando pensar no que raios fazer, quando me ocorre: a cerca... Hans.

No caminho do acampamento, Hans me disse que ele era responsável por vigiar a barreira, porque queria se manter por perto. Se avisarem que a cerca está danificada, ele vai precisar consertá-la. Sei que é contra a lei confraternizar com os guardas, mas Hans é meu amigo. Ele sempre me protegeu o quanto pôde no condado. Se ele jogou minha mochila sobre a cerca quando chegamos aqui, talvez estivesse disposto a me trazer comida... ou até um cobertor, só até eu me recuperar.

No entanto, ninguém vai notar um buraquinho do tamanho de um rato tão longe do portão. Analisando a madeira, vejo que a enorme tora de cedro está apodrecendo. Quando mexo nela, pedaços grandes saem facilmente na minha mão, mas não tenho tempo nem energia para passar dias arrancando lascas. Usando o salto da minha bota, chuto a madeira macia até fazer um buraco grande o suficiente para passar uma chaleira, sem dúvida algo que até o mais burro dos predadores notaria e denunciaria.

Então, eu me sento.

E espero.

Parece uma ideia no mínimo improvável de dar certo, mas estou desesperada.

Um vento violento atravessa a fenda na cerca; aperto a capa ao meu redor. Não acredito que eu amava esta época do ano, toda enroscada em casulos de lã, a ponto de uma criança ser indistinguível da outra. Mas o mesmo não acontecia com as mulheres. Após o Ano da Graça, seus rostos precisam estar sempre livres e visíveis, para garantir que não estejam escondendo magia nenhuma. As esposas mal saíam de casa nesses meses, mas, quando emergiam na primavera, era como ver borboletas voarem da crisálida. Eram gestos pequenos, como pegar o caminho mais longo até o mercado. Atravessar a rua para pegar um raio de sol.

Às vezes, eu via uma delas tirar um sapato, encostar um dedo do pé desnudo na grama recém-nascida. Um toque selvagem, um lugar secreto no coração que nunca poderia ser contido.

Deitada em um ninho de folhas e cascas de árvore, olho pelo buraco da cerca, memorizando cada torrão, rachadura e farpa da madeira podre, e me pergunto se é assim que sou por dentro agora, se tudo o que resta em mim é um espaço oco.

Volto minha atenção para o vasto céu acima e deixo minha mente viajar pela terra. Às vezes é impossível pensar que a vida continua fora deste lugar. Os predadores vivem suas vidas, as garotas do Ano da Graça também, meus pais, minhas irmãs, Michael – para todos, o tempo avança, mas eu só tenho isso. É como se eu estivesse lentamente perdendo contato com a realidade, com o tempo, com ser humana. Tudo se limita às necessidades fisiológicas. Comer. Evacuar. Suar. Tremer. Dormir. É isso que significa existir. Em todos aqueles anos em casa, estava apenas matando o tempo, esperando minha vida verdadeira começar, mas era *aquela* a minha vida verdadeira, o melhor que eu viria a viver, e eu nem sabia.

Está tão frio que vejo minha respiração condensar. Se fechar os olhos, consigo sentir o cheiro de verde e amarelo, tocar o sol com minha pele, mas quando os abro, só vejo cinza e marrom, o fedor de morte preenchendo minhas narinas, talvez de minha própria morte. Uma deterioração lenta da minha mente e espírito

Achei que só tivesse fechado os olhos por um momento, mas deve ter se passado muito mais tempo. Algumas horas, ou talvez até dias, porque a escuridão está a caminho.

Aproveitando a luz, suficiente apenas para procurar um pouco de lenha seca para queimar, pego um punhado de folhas e faço um ninho. Uso meu sílex e me debruço sobre as folhas – centelha depois de centelha, até finalmente pegar fogo.

Pego o ninho e sopro de leve. Penso em Michael, em como soprávamos dentes-de-leão na infância, fazendo pedidos.

Sempre pedi uma vida honesta. Nunca perguntei pelo que ele pedia... me pergunto se o que ele pedia era eu.

Na cerimônia, ele disse *Você não precisa mudar por mim*, mas não é exatamente verdade. Naquele momento, me tornei propriedade dele. Uma morte mais lenta do que qualquer coisa que enfrentarei aqui. Por mais que ele acredite me amar, sua lealdade à família, sua fé e seu sexo sempre prevalecerão. Vi um sinal disso quando discutimos no Dia do Véu. Ele pode até dizer que só está tentando me proteger, mas sempre haverá algo nele que quer me conter, me esconder do mundo.

A cantiga que Ami estava cantando ecoa pelas árvores. Sem pensar, canto com ela.

Cabeleira dourada, Eva no trono, empertigada,
A noite chega, à noite venta, e pelos homens amaldiçoados lamenta.
Cuidado, meninas mal-educadas para a tumba serão mandadas.

Não sei por quanto tempo fico ali, encarando as chamas, cantando a cantiga, mas quando me dou conta, o fogo já quase apagou, deixando somente as brasas, e só minha voz soa na floresta. Talvez ela não estivesse nem cantando. Lembro, então, que Ami morreu.

Faço uma bolinha com meu corpo e me enrosco ao lado da fogueira, me embrulhando cuidadosamente com a capa. Quando sinto que todas as possíveis aberturas foram cobertas, fico imóvel. O truque é ficar perfeitamente parada. Qualquer movimento permitirá que o vento invada meu espaço como um exército brutal. E quando o frio se instala, é quase impossível de expulsar.

Estou deitada, tremendo, rezando para dormir, quando ouço algo adentrar meu acampamento. A princípio, penso que pode ser o fantasma, a garota enterrada na colina, mas os passos são pesados demais, o resfôlego, alto demais, e o odor fedido demais. É inteiramente corpóreo. Animal.

Penso em correr, mas estou exausta demais para me mover e fraca demais para lutar. De qualquer forma, se abandonar esta fogueira, se abandonar meu casulo frágil, vou morrer congelada. Então, fico completamente imóvel, encarando as brasas, desejando que o que quer que seja passe direto, mas só se aproxima mais, tanto que sinto uma presença acima de mim. A coisa cutuca minhas costas. Minha mente grita para que eu corra, mas forço meu corpo a ficar mole. Me finjo de morta. É minha única defesa agora, e honestamente, nem é tão distante da verdade.

O animal solta um grunhido horripilante; uma gota comprida de baba escorre no meu rosto. Conheço o som. Conheço o cheiro. *Urso.* Preciso apertar meu maxilar para me impedir de berrar. Ele me cutuca com o focinho, dá patadas no meu tronco. O som das garras rasgando a lã da minha capa me deixa tonta. Estou pensando que é isto, que é o fim, quando escuto algo cair no chão da floresta a poucos metros de mim. O urso também deve ter escutado, porque decide parar de me atacar e ir investigar. Ouço mordidas ferozes e mais um baque, desta vez um pouco mais longe. E outro baque, ainda mais distante. A cada passo mais longe de mim, respiro melhor, e quando escuto o urso chegar ao barranco, do outro lado dos pinheiros, sei que por alguma razão ele desistiu. Quero limpar a baba fedorenta do meu rosto, então procuro uma folha, mas minha mão esbarra em algo quente e úmido. Pego um dos galhos ainda em chamas para iluminar e, apertando os olhos, encontro os restos gordurosos de um pedaço destroçado de carne fresca. Sem nem pensar, o enfio na boca. Engasgo e mastigo ao mesmo tempo, enojada e grata por este pequeno milagre. Olho para as árvores e me pergunto de onde poderia ter vindo. É então que ouço. Há alguém do outro lado da cerca.

Engatinhando, cochicho pelo buraco na madeira:
— É você, Hans?
Mas a única resposta são passos na direção oposta.

Ao primeiro sinal do amanhecer, frio e cinzento, apoio as mãos no chão congelado para me levantar e noto pontinhos espalhados ao meu redor.

A princípio, acho que é neve – o ar indica que vai nevar a qualquer momento –, mas a forma é diferente, a cor é diferente: creme, com manchinhas vermelhas. Cutuco um com a bota e o objeto rola. É um feijão. Tenho certeza. Quando me curvo para pegá-lo, mais feijões caem no chão.

De onde vieram? Penso que Hans pode tê-los jogados com a carne, mas quando me levanto, vejo mais um cair da minha capa.

Enfio os dedos nas beiradas rasgadas da lã e sinto um monte de pequenos calombos duros. Desfaço a costura da barra com cuidado e puxo o cinza macio, revelando um labirinto elaborado de sementes, que foram cosidas em cada camada do forro. Centenas de sementes.

Abóbora, tomate, aipo e outras que nem reconheço.
— June — sussurro, a compreensão tirando meu ar. Ela deve ter passado meses trabalhando nessa estratégia, mas como sabia que eu precisaria disso? A não ser que o mesmo tenha acontecido

com ela. Cubro a boca com a mão, tentando abafar um soluço de dor, mas não consigo. Lágrimas escorrem pelo meu rosto e só consigo pensar em como quero vê-la de novo. Como quero ver todos eles: minha mãe e meu pai, Clara e Penny, Ivy... até Michael. Quero agradecê-los, me desculpar, mas para isso preciso sobreviver.

Por semanas, me senti nadando em águas profundas, mas hoje não, agora não mais. Apesar do tempo terrível, do frio queimando minha pele, do vazio apodrecendo dentro de mim, meus passos recuperam o vigor. Um novo fio de esperança, um que eu carreguei comigo esse tempo todo.

Escalando a colina, passo pela nascente, pelos ossos da garota, e me esforço para alcançar o cume mais alto. Lembro que June disse ter costurado forros diferentes para cada estação, mas vou plantar todas as sementes. Talvez eu nunca chegue à próxima estação.

Não sei quase nada sobre agricultura, só o pouquinho que assimilei das histórias de June, mas me lembro de uma cantiga que ela ensinou para Clara e Penny. Eu me lembro até dos gestos que ela fazia enquanto cantava. Eu me sinto boba fazendo isso, mas me faz sorrir, inesperadamente: *Cavar, jogar, cobrir, bater... água, sol, crescer, comer.* Ergo o rosto para o céu, desejando que o sol apareça, que me traga um sinal, quando algo cai no meu olho. Minha pele se agita em uma onda de calafrios.

— Neve — sussurro, sentindo meu coração afundar.

No condado, eu estaria extasiada com a chegada da neve. Eu e Michael passaríamos o dia inteiro planejando um reino de neve, enfiando punhados de gelo nas roupas um do outro, e voltaríamos para casa à noite com dedos dormentes e cílios cobertos de gelo brilhante. Eu me aqueceria perto da lareira, beberia quentão e tiraria uma camada de roupa por vez, ao som da minha mãe descontando sua frustração no tricô, do jornal do meu pai e das vozes tranquilas de Clara e Penny se revezando na leitura.

Piscando com força, tento apagar as memórias do meu cérebro, mas estou fraca demais para impedi-las. Preciso que essa horta funcione.

Seco minhas lágrimas e enfio os dedos freneticamente no solo, mas o chão está duro, de tão congelado. Qualquer pessoa sã esperaria a primavera, mas não posso me dar a esse luxo.

Usando pedras afiadas e galhos, eu trabalho o dia inteiro, gastando cada resto de energia que tenho para lavrar o solo, até não sentir mais as mãos. E quando o sol começa a se pôr, o frio se entranha nos meus ossos, ameaçando me congelar aqui mesmo. Parte de mim quer se enroscar no chão e fechar os olhos, mas sei que, se eu fizer isso, não conseguirei me levantar de novo. Morrerei nesta colina mas, por mais fraca e exausta que esteja, ainda não estou pronta para desistir.

Com dedos feridos e sangrentos, coloco cada semente no solo e cubro com terra congelada. Rezo em silêncio por cada uma. Sei que mulheres rezarem em silêncio é contra a lei, mas sou o único Deus aqui.

Planto a última semente e, olhando ao meu redor, vejo que a neve cobriu a floresta inteira, como se quisesse me esconder do mundo, me preparando para um pesadelo há muito esquecido.

— Por que está fazendo isso comigo? — sussurro.

As nuvens soltam um gemido profundo, como se respondessem; calafrios percorrem meu corpo inteiro.

Tempestade de neve.

— É só uma coincidência. Só isso — digo, arrumando minhas coisas, mas, antes de descer a colina, outro trovão sacode o chão sob meus pés.

Eva não será ignorada.

A tempestade cai na ilha como um mau augúrio.

Sei que deveria procurar abrigo até ela passar, porque já ouvi os caçadores de pele falarem dessas tempestades, mas se essa horta não sobreviver, eu também não sobreviverei.

Levantando o capuz da minha capa, me preparo enquanto atravesso gelo, vento e neve. É difícil ver o chão à minha frente, que dirá as fileiras plantadas para conseguir me desviar delas.

Um relâmpago atravessa o ar, atingindo o solo à minha frente. Meu cabelo se arrepia, mas estou bem e acho que a horta também está bem, então a terra solta um gemido aterrorizante e o chão começa a balançar. Estou correndo pelas pedras, enfiando as mãos congeladas na terra, tentando juntar o solo em desespero, mas ele está se desintegrando sob meus pés. Eu me levanto correndo e consigo me agarrar a alguns cipós quando metade do penhasco se rompe, despencando pela ribanceira.

Olho para as sementes, flutuando pela erosão, e começo a chorar. Era tudo que eu tinha. Minha última chance. A única coisa que posso fazer agora é observá-la ser levada, escorrer por entre meus dedos. Eu me seguro na beirada, olho para o céu e grito:

— O que eu fiz para merecer isso?

Uma rajada de trovão parece me responder, mais alto que um rugido de leão, e consigo sentir seu poder, sua ira, o que me deixa furiosa — de algum modo, sinto que fui traída, mas nunca me prometeram nada, não havia pacto secreto a ser quebrado. Ninguém me disse que seria justo, ou fácil. Não consigo deixar de sentir que talvez eu não devesse estar aqui. Talvez eu não deva sobreviver. Grito com toda a força e durante o maior tempo que posso, enfurecida contra tudo que me trouxe até este lugar, e quando caio na lama congelada, ouço um grito ecoar de volta, um grito que não é meu.

Primeiro penso que deve ser um animal capturado, o último apelo de um alce, mas, quando acontece de novo, sei que é um grito humano. Um berro paralisante, vindo da direção do acampamento.

— Gertrude — sussurro.

Abandonando a horta arruinada, corro pela floresta. Eu a conheço de cor agora, cada tronco caído, cada galho sorrateiro.

Conforme me aproximo do acampamento, os gritos aumentam, mas as risadas e a cantoria também. Irrompo na clareira e encontro as garotas girando, cobertas de lama e neve. Uma delas está em cima da latrina, sacudindo as mãos como se orquestrasse tudo.

— Você viu meu véu? — Uma garota tropeça na minha direção, encharcada até os ossos, os cílios escuros grudados com gelo. É Molly. Quero dizer que ela não recebeu um véu, mas, quando vejo, ela já se afastou, entorpecida.

Não sei se elas pioraram ou se eu que melhorei, mas isso é insanidade pura.

Kiersten agarra a mão de Tamara e a puxa para o centro da clareira. Elas dançam loucamente, girando cada vez mais rápido, rindo e gritando na escuridão profunda, então um raio perfura o céu e atinge a terra bem diante delas. Sinto o cheiro da eletricidade no ar, mas há algo além disso. Sinto cheiro de cabelo em chamas e pele queimada. Tamara está no chão, seu corpo convulsionando em uma poça rasa.

Helen se aproxima aos tropeços para ver melhor e cobre a boca. Não sei se está rindo ou chorando – talvez nem ela saiba.

Outro raio desce, levando todas a se esconderem, exceto Kiersten, que agarra os braços trêmulos de Tamara e a arrasta até o portão.

— Abram o portão — ela grita.

— Espere... o que você está fazendo? — Corro pela clareira, mas Kiersten me empurra.

— É um golpe de misericórdia — ela responde.

Tamara encontra meu olhar. Ela não consegue falar, mas vejo seu pavor.

— Você não pode — digo, me levantando. — Ela ainda está respirando.

— Você quer que as irmãs dela sejam expulsas, mandadas para as margens? — Kiersten pergunta. — Ela merece uma morte honrada.

Conforme as garotas correm para abrir os portões, eu imploro para que parem, mas é como se não me vissem... não me ouvissem.

Olho ao redor da clareira em busca de alguém que me escute e vejo Gertrude escondida atrás da Árvore do Castigo, lágrimas escorrendo pelo seu rosto. É assim que sei que ela ainda está consciente: não importa o que esteja acontecendo nem quanto nos afastemos, em algum lugar dentro dela, ela sabe que isso é errado.

Quando elas erguem o corpo de Tamara para jogá-la para o outro lado do portão, um relâmpago enorme irrompe na clareira, iluminando seu rosto, que estampa um berro de terror silencioso.

A luz se dissipa; o baque denso do corpo de Tamara atinge o chão. O ranger apavorante do portão é seguido pelo claque da trinca, como o último prego em um caixão.

Aglomeradas na cerca, as garotas pressionam o rosto contra as fendas da madeira lascada, tentando enxergar.

Grasnos doentios ecoam da enseada.

Passos pesados correm do outro lado do portão e eu me afasto.

Não preciso ver para saber o que está acontecendo. Consigo ouvir. Consigo sentir: facas rasgando carne, o grito silencioso de Tamara crescendo e se encorpando até ser tudo o que consigo ouvir.

Algumas das garotas desviam o rosto, Jessica fechando os olho com força, Martha se jogando ao chão e vomitando tudo o que pode de uma vez, mas elas nunca escaparão do que testemunharam. Do que fizeram. O restante delas continua ali, incapaz de se afastar da carnificina – elas veem isso como um julgamento, como o desejo de Deus, mas é apenas o desejo de Kiersten.

— Você a matou — digo. — Tamara era uma das suas melhores amigas e você a assassinou.

Kiersten se volta contra mim com um olhar selvagem.

— É... é a Tierney? — Helen pergunta, aos tropeços, com Pombinha no bolso da capa.

— Ela voltou? — pergunta Katie, cutucando meu braço. — Como?

Jenna chega perto do meu rosto. Suas pupilas estão tão dilatadas que parecem bolas de gude pretas.

— É um fantasma?

Kiersten pega o machado apoiado na cerca.

— Só tem um jeito de descobrir.

Ela avança na minha direção e eu fujo, andando para trás.

A cada passo, sinto o peso das minhas pernas, os pés inchados dentro das botas, o coração batendo na garganta.

As garotas zunem ao meu redor, como moscas varejeiras em cima de carniça.

— Todo mundo sabe que fantasmas não sangram... então só precisamos...

Kiersten perde o equilíbrio e cai para a frente, me acertando com tanta força que tropeço para trás.

As garotas assistem à cena com os olhos arregalados. Kiersten fica boquiaberta; uma gargalhada rouca, nervosa, escapa de sua garganta.

Logo, todas estão rindo.

Seguindo seus olhares, abaixo o rosto e me deparo com o machado enfiado entre meu ombro e meu peito. Parece de mentira, como os pregos de metal que colamos nos pés e nas mãos do padre Edmonds para a cerimônia de crucificação do Pessach.

Agarro o cabo com as duas mãos e puxo com força, o que só as faz rir mais alto. Continuo puxando até o machado ceder, então sangue vem junto. Sangue demais.

Elas riem com tanta força que lágrimas escorrem por seus rostos. Pensam que é tudo algum tipo de brincadeira.

Mas ainda estou de pé. E não há ninguém mais me segurando.

Segurando o machado com a mão direita, saio correndo pela floresta. Tenho certeza de que elas não me seguirão. Estou errada. Minha única vantagem é que conheço o terreno, mas o que as garotas não têm de conhecimento, parecem ter de determinação.

— Por aqui — alguém grita atrás de mim.

Mesmo tropeçando e batendo em galhos e umas nas outras, elas parecem se levantar imediatamente, como se a dor não as afetasse. Talvez seja a magia ou talvez seja o que quer que as tenha contaminado, mas minha melhor aposta é me esconder e esperar que elas se cansem.

Pulo sobre um cedro caído e me abrigo no escuro para recuperar o fôlego. Duas garotas pulam atrás de mim; uma cai de mau jeito, e o som de seu tornozelo quebrando me faz tremer, mas mesmo assim ela consegue se levantar imediatamente, mancando atrás das outras.

Tento mexer meu braço para examinar a ferida, mas isso só me faz sangrar mais rápido. Preciso estancar o corte para ter qualquer chance de sobreviver à noite. Segurando o machado entre os joelhos, enfio a mão debaixo das saias e rasgo um pedaço de tecido da minha camisa. O som é mais alto do que eu imaginava. Amarro a atadura rapidamente ao redor do ombro, mas a dor já está começando a ficar mais aguda. Acompanhei muitos pacientes do meu pai, e sei que é o choque que está me mantendo de pé neste momento. Em breve, vai passar, e a dor vai chegar. Mais dor do que aguento, provavelmente. Se eu conseguir chegar à nascente, poderei limpar o corte e examiná-lo, mas preciso subir até lá primeiro. Estou criando coragem quando escuto passos na neve. Uma das garotas deve ter ouvido eu rasgar minha camisa e decidido voltar. Prendo a respiração, ficando o mais imóvel possível. Só preciso ficar quieta, escondida, até que ela resolva ir embora, mas algum animal parece estar aqui também. Um chiado baixinho, garrinhas arranhando minhas botas. Olho para baixo e vejo a ponta de um rabo fino surgindo sob minha saia.

Rato da floresta.

Ele escala minha saia. Penso que está se dirigindo à barra rasgada da minha capa, em busca de uma semente, mas ele passa direto pela abertura, seguindo na direção da ferida no meu ombro. Suor frio escorre pela minha testa. Ratos transmitem doenças e aqui não temos remédios. Espero o quanto posso, até não aguentar mais nenhum segundo, então uso minha mão saudável para jogar o rato para longe. Ele voa pelo ar, se revira e consegue se agarrar ao cabo do machado equilibrado entre minhas pernas. Antes de minha mente ter tempo de processar o que está acontecendo, o machado cai na terra, empalando o rato... bem aos pés de uma garota do Ano da Graça.

Curvando-se para olhar dentro do meu esconderijo, Meg Fisher sussurra:

— Aí está você.

Eu chuto com força sua cara, ela cai para trás e sangue jorra de seu nariz, mas ela apenas ri

Pego o machado, passo por ela e corro até o único lugar em que consigo pensar, o único lugar aonde ninguém, nem mesmo Meg, será louca o suficiente para me seguir. Usando o machado, quebro a madeira podre e mergulho de cabeça no buraco embaixo da cerca. Enquanto me arrasto, sinto dedos gelados se agarrarem ao meu tornozelo.

— Aonde acha que vai? — Meg diz, me puxando para trás. Lascas de madeira se enfiam no meu ombro. A dor é tão intensa que fico sem ar, mas não posso deixar que elas me levem.

Enfiando os dedos na terra congelada, chuto Meg e me arrasto até o outro lado, mas assim que me levanto, escuto um grasno vindo do sul. Aos tropeços, corro e me escondo atrás de um pinheiro destruído pelo vento.

— Você não vai conseguir se esconder de mim — ela grita, grunhindo e rindo, passando pela cerca com dificuldade.

Não sei se é a água, a comida ou até mesmo o ar que a faz se comportar assim, mas essa definitivamente não é a garota que conheci no condado, que pedia doações para a igreja e colheu flores de cenoura no campo de manhã cedo para deixá-las sob a Árvore do Castigo depois do enforcamento da mãe. Quero pedir que ela pare, pense no que está fazendo, mas ela está fora de si.

Outro grasno, desta vez mais perto.

Dou uma olhada ao lado da árvore e encontro os olhos pretos de Meg brilhando à luz da lua. Um enorme sorriso toma conta de seu rosto, como se os cantos de sua boca estivessem sendo puxados com força por um fio invisível.

— Peguei — ela grita, na direção da cerca. — Ela está bem aq...

Um zumbido grave atravessa o ar da noite e para abruptamente.

Meg cai de joelhos, arregalando os olhos; sangue escorre de sua boca aberta.

Estou tentando entender o que aconteceu quando vejo o brilho do aço enfiado em seu pescoço. Uma faca de arremesso, como a que quase atingiu Helen na trilha.

Estou prestes a engatinhar até ela para ajudá-la quando vejo uma sombra preta emergir do sul.

Predador.

Tento acompanhá-lo, mas ele se move tão rápido na escuridão que meus olhos não conseguem focar em nada.

Ele se joga sobre o corpo curvado de Meg e a ouço tentar falar, mas não consigo identificar palavras além do sangue borbulhando na garganta dela. Ele a puxa pelo cabelo, expondo a pele pálida do pescoço à luz da lua; um grasno agudo escapa de debaixo do manto dele, ecoando ao redor.

Fico tonta. Abraço o machado com força e caio atrás da árvore, apertando a coluna contra o tronco áspero, desesperada para me manter consciente, mas sinto meu sangue abandonando meu corpo. Eu me sinto desacelerar.

Logo, logo, este lugar estará repleto de predadores. Não vou conseguir chegar viva até o outro lado da cerca.

Estou me agarrando ao que ainda me resta de consciência. Talvez seja a hemorragia, o som dos predadores rasgando a carne, o completo desespero que sinto, mas começo a divagar...

Neve derrete na minha boca. Por um momento, estou de volta ao condado, no campo, pegando flocos de neve na língua. Tenho doze anos. Sei disso porque ainda uso a fita branca. Eu e Michael estamos deitados, fazendo anjos na neve, um ao lado do outro. Quando rolo para me levantar, ele me olha de um jeito esquisito, franzindo as sobrancelhas, como quando levantou uma pedra de cima de um veado à beira da morte no verão anterior, na floresta.

— Você está sangrando — sussurra ele.

Confiro meu nariz, meus joelhos... não há nada neles, mas Michael está certo. Há sangue na neve, exatamente onde eu estava deitada. A princípio, acho que deve ser um animal sofrendo debaixo da neve, mas a sensação úmida e grudenta entre minhas pernas me diz outra coisa.

Quero que tudo volte a ser como antes, quero fingir que nada aconteceu, mas ele sabe. Logo todos saberão. Não vejo nada disso como uma dor bonita, que me levará ao meu propósito, me aproximará de Deus; vejo apenas como uma sentença. Sem dizer uma palavra, Michael junta nossas coisas e anda comigo até minha casa. Quando chegamos à minha porta, ele abre a boca para falar, mas não sai nada. O que há a dizer?

Sou *eu* o animal sofrendo debaixo da neve.

Do outro lado do lago, o vento me encontra, sussurrando em meu ouvido: *O tempo está se esgotando.*

Ergo o olhar e avisto a garota dos olhos cinzas na enseada. Faz tanto tempo que não a vejo que sorrio.

Sei que tenho uma escolha a fazer: posso ficar aqui e morrer com as minhas memórias, ou embarcar em uma última aventura. Eu a sigo há tanto tempo, por que não mais uma vez?

As nuvens parecem se afastar, revelando uma lua tão iluminada, tão cheia, que temo que exploda.

Então, de repente, sei o que ela está tentando me dizer.

O *meu* tempo está se esgotando.

Talvez sacrificar minha carne seja o único modo de ser útil que me resta.

Porque não é este o maior pecado de uma mulher? Ser inútil?

Segurando o machado com mais força, engatinho. Não olho para trás. Em vez disso, eu me concentro no cheiro de alga e argila molhada. Quando o vento sopra sobre mim de novo, sei que estou a caminho da água, de casa.

Quando chego à costa pedregosa, uso o machado para me ajudar a levantar.

Olho para o horizonte e vejo duas luas.

Uma é de verdade, a outra, um reflexo.

É como a garota. Talvez ela sempre tenha sido só isso, um reflexo de quem eu queria ser.

Ando pelo gelo e me pergunto até onde ele vai... quanto tempo mais. Mais alguns metros... cinco... dez?

Quando o vento me fustiga de novo, eu fecho os olhos e abro os braços.

Neste momento, eu faria qualquer coisa para que a magia fosse real. Eu abriria mão de qualquer coisa para voar para bem longe daqui.

Mas nada acontece.

Não sinto nada.

Não sinto nem frio.

O som de passos na costa pedregosa me traz à realidade. Mas além do som, há uma sensação no fundo do meu corpo. Como se eu estivesse na beira de um penhasco.

Olho por sobre o ombro e não consigo identificar o rosto, mas sei que é ele pelo jeito que se move, como névoa pesada se aproximando da água.

Com o tecido escuro e esvoaçante tremeluzindo ao seu redor, ele parece o anjo da morte. Sem nome. Sem rosto. Não é exatamente assim, a morte?

Quando pisa no gelo, eu me viro para encará-lo.

Uma rachadura profunda cresce entre nós, paralisando-nos.

Sempre achei que, quando chegasse a hora, eu seria capaz de enfrentar minha morte com graça e dignidade, como vi inúmeras mulheres enfrentarem a forca na praça. No entanto, não há graça ou dignidade em morrer assim, esfolada viva.

Abaixando o rosto, firmo meus pés, seguro o machado com as duas mãos e o encaro.

Talvez seja Eva sob minha pele, talvez seja a lua, ou minha magia feminina me tornando cruel e astuta, mas tudo o que quero neste momento é derrubá-lo comigo.

Um calor percorre meu braço, minhas mãos, deixando o cabo do machado escorregadio de sangue. Mas tudo de que preciso é apenas um golpe certeiro.

Parecendo sentir minha intenção, ele ergue os braços à frente de seu corpo, como se tentasse acalmar um cavalo arisco antes de arreá-lo.

Ergo o machado. A luz da lua faz a lâmina brilhar, acendendo algo em mim – uma lembrança vindo à superfície, uma história que pensei ter enterrado há muito tempo: minha mãe curvada sobre minha cama, os olhos úmidos e suaves, o dedal de metal cintilando sob a luz da lamparina. *Sonhe, minha pequena. Sonhe com uma vida melhor. Uma vida honesta.*

Eu me pergunto se ela pode me ver agora, se pode me sentir, do outro lado do lago, além das trilhas traiçoeiras de cardos e espinhos. Eu me pergunto se ela sempre soube como isso acabaria.

Com lágrimas escorrendo pelo meu rosto, sussurro:

— Me perdoe.

Segurando o cabo com força, arremesso o machado no gelo.

Em um primeiro momento, não percebo nada além do choque do impacto reverberando em meus braços, penetrando minha ferida, fazendo com que lateje a cada batida do meu coração, mas então escuto um estouro abafado seguido por uma rachadura longa e contínua, como se meus ossos quebrassem ao meio.

Ele se joga na minha direção, mas é tarde demais. O gelo quebra sob mim e eu mergulho na água glacial, como uma uma agulha caindo nas profundezas, mas minhas saias inflam ao meu redor, desacelerando a descida. Talvez eu nem esteja descendo, e sim subindo. Talvez seja o vento inflando minhas saias, me fazendo flutuar acima da Terra. Meus pulmões queimam, querendo respirar fundo. Não sei se encherei o peito com água ou estrelas, mas sinto meu corpo desacelerar. Meu coração bate forte nos meus ouvidos, na minha garganta, nas pontas dos meus dedos, como uma marcha fúnebre.

Lento.

Mais lento.

E para.

Com a lua iluminando meu caminho, eu flutuo sob o gelo. Vejo o mundo passar por mim. Não me sinto triste nem perdida. Sinto paz, sabendo que abandonei o mundo do meu próprio jeito. É a única coisa que não conseguiram tirar de mim.

Estou tocando a superfície com os dedos quando escuto um trovão, o som de vidro quebrando. Alguma coisa puxa minha trança e sou rebocada em direção ao céu. Nós ásperos arranham minhas costas. Há algo batendo no meu peito, um calor nos lábios. Meus pulmões queimam de repente, e eu vomito líquido. Quando ofego com força, tudo queima – o ar parece estranho entrando em meu corpo, como uma traição.

Estou andando, mas não tenho pés. Flutuo pela floresta em uma nuvem de fumaça. Um grasno à distância. Minha boca coberta por uma mão ensanguentada. Meu olhar se concentra na única coisa que consigo entender: duas esferas pretas me encarando de volta, os olhos de meu carrasco. Meu inimigo.

Estico o pescoço e mordo com toda a força.

O mundo se apaga.
Não sou nada. Não sou ninguém.
Só pele e osso.

O som de uma lâmina serrilhada rasgando tecido se infiltra nos meus sentidos. Há um calor fervendo nas minhas costas, na minha coluna. Uma respiração longa e regular pulsando contra minha nuca. Um peso sobre mim, ao meu redor. Tento me desconectar do meu corpo, me manter alheia, como eu costumava fazer durante um castigo na praça, mas conforme a vida volta às minhas entranhas, a dor volta junto. Uma sensação latejante e profunda no meu ombro esquerdo.

Quando o calor se afasta de minhas costas, vejo um homem atravessar o cômodo, completamente nu, só músculos ondulando sob pele. Quero gritar, quero chorar, mas não encontro ar. Toda minha energia se esvai com os tremores violentos que sinto. Meus dentes batem com tanta força que temo que quebrem. Uma nuvem de tecido cor de carvão se ergue ao meu lado, e o predador está de volta. Olhos pretos me encarando do vazio.

Flutuando acima de mim, ele faz descer um líquido rançoso pela minha garganta. Tento cuspir, mas ele aperta a mão contra minha boca, me obrigando a engolir.

Então um brilho de aço, seguido pela pior dor que já senti.

A faca penetra minha carne. É como se estivesse arrancando meu braço, mas acontece de novo, de novo e de novo, mais vezes do que consigo contar. Sei que acreditam que a carne das garotas fica melhor quanto mais dor elas sentem, mas é mentira. Quero dizer que a magia não é real, que ele está apenas matando alguém a sangue frio, mas algo me diz que não faria diferença.

O líquido pesado se espalha pelo meu peito e sei o que significa. Sei o que é. A morte não está vindo me buscar… ela já chegou.

O vento uiva ao meu redor, e com ele vem o cheiro de hamamélis e carne podre.

Meu olhar percorre freneticamente o cômodo. Há fatias compridas de carne fibrosa penduradas em ganchos. Peles curtidas secando em um varal malfeito, e facas... tantas facas, espalhadas em uma mesa de açougueiro feita às pressas. Meu olhar se concentra em uma bolsa de couro claro e na fileira de pequenos frascos de vidro à frente dela.

Ferramentas da morte.

E os frascos são para mim.

Pânico passa pelos meus músculos. Meu coração bate com tanta força que temo que exploda.

Tento me levantar, mas não consigo mover os braços. Não consigo mover as pernas. Só consigo mover a cabeça, mas ela parece tão pesada, tão inchada, que mal a sustento.

Olho para baixo, para ver o que resta de mim, mas meu corpo está escondido embaixo de pesados cobertores de pele. Eu me pergunto se a pele de todo o meu corpo foi arrancada, se sob as cobertas sou um labirinto emaranhado de veias e nervos unidos por sangue coagulado.

Tento gritar, mas algo na minha boca me impede. O gosto é de sangue e cedro. Penso nos cavalos do condado, com crinas tranças e arreios enfiados no fundo da mandíbula, para controlarem seus movimentos. Entendo que é assim que estou agora. Sob o controle de outra pessoa.

Notando minha agitação, o predador emerge das sombras, coberto por seu manto cinzento. Ele ficou este tempo todo me observando. Provavelmente gostando de ver. Ele me força a engolir mais do fluido tóxico. Engasgo, mas ele não se importa. Posso ver em seu olhar. Sou só mais uma pele para ele. Um animal.

O líquido pesado se espalha pelo meu corpo e tento decidir se devo lutar ou ceder, se ainda tenho escolha. Avisto um brilho se movendo da lareira até meu lado esquerdo. Não oscila como uma vela, é vibrante e constante como uma estrela polar. Conforme a luz se aproxima de mim, vem a dor. Agonizante. Um grito silencioso fervilha dentro de mim. O cheiro de carne queimada preenche minhas narinas. Eu me lembro de ouvir que os predadores mais cruéis gostam de marcar sua caça, brincar com a presa antes de matá-la.

À beira de um desmaio, ouço um barulho: botas atravessando a neve pesada, sinos de vento balançando, mas o som é abafado demais para serem sinos de metal ou de vidro. Parece vir de blocos de madeira congelada se entrechocando.

O predador também deve ouvir, porque afasta o ferro da minha pele, o medo tomando seu olhar.

— Ryker, você está aí? — uma voz desconhecida invade o espaço apertado. Parece vir de muito longe.

Solto um gemido para pedir ajuda, qualquer coisa é melhor que isso, e o predador aperta sua mão imunda sobre minha boca e meu nariz. Luto contra a parte carnuda de sua palma, em busca de ao menos um pouco de ar, mas ele é forte demais. Encontrando seu olhar escuro e frio, vejo que em poucos segundos ele poderia me apagar sem a menor hesitação, e talvez isso fosse realmente melhor, mas penso na minha mãe, no meu pai, nas minhas irmãs, até em Michael. Prometi que faria tudo que pudesse para voltar para casa. Não em frascos de vidro... mas *viva*. Enquanto puder respirar, vou lutar.

Mas há muitas formas de lutar.

Pisco, olhando para o predador, e sinto lágrimas escorrerem dos cantos dos meus olhos, pingando nos meus ouvidos. Imploro silenciosamente para que ele me solte. Acho que ele entende, porque, quando estou à beira da morte, ele afasta a mão do meu rosto. Ofego desesperadamente e ele sussurra:

— Se fizer mais um som, será seu último. Entendeu?

Concordo com a cabeça. Pelo menos acho que é isso o que faço.

— Vamos lá, seu preguiçoso — diz a voz do desconhecido. — Você está perdendo.

— Não dá. Estou doente — responde o predador, sem tirar os olhos de mim.

— Então vou subir.

— Não.

O predador fica de pé num pulo, mostrando a faca em seu cinto e dando um último olhar de aviso antes de atravessar a porta pesada.

— Por que está usando seu manto em casa? — pergunta o outro. — Está ferido? Tentaram te puxar pro outro lado da cerca? — Sua voz soa urgente, mas fraca e distante, como se ele falasse por um tubo estreito. — Você foi amaldiçoado?

— É só febre — responde o predador. — Devo melhorar até a lua nova.

Eu me pergunto quanto tempo falta para isso... dias, semanas, se esse é o tempo que ele pretende me deixar aqui até finalmente me matar.

Estou me esforçando para me levantar, ou pelo menos erguer a cabeça o suficiente para entender onde estou... mas não adianta. Devo estar amarrada.

— Você soube? — pergunta o outro. — Pegamos duas, umas duas semanas atrás. Uma logo no portão. A outra chegou até a barreira sudeste. Seu território.

— É? — diz o caçador. — Devo ter dormido.

Ele está mentindo, mas isso significa algo. Eles não devem saber sobre o cedro apodrecido, sobre o buraco na cerca. Pelo que ele diz, não deve ser longe daqui. Se eu conseguir fugir, talvez possa voltar para o outro lado da cerca.

— A primeira durou uns dois dias, estava queimada nas costas e no peito, mas o Daniel conseguiu aproveitar a maior parte da carne.

— Tamara — sussurro, olhando para os frascos na mesa.

— A segunda coisa se afogou no próprio sangue antes mesmo do Niklaus arrancar os dedos. Pelo menos não estava queimada. — Ele ri. — Aquele sortudo imbecil.

Meu queixo começa a tremer. Ela não era uma "coisa". Ela tinha um nome. Meg.

— Disseram que tinha uma terceira. Um rastro de sangue levava até a costa, até um buraco enorme no gelo. Tentei pescar, mas só achei este trapo velho.

— Isso é lã? — pergunta o predador, com uma tensão estranha na voz. — Troco com você.

— Por quê? — pergunta o outro. — Está tudo rasgado... imundo. Provavelmente cheio de doença.

— Posso ferver... dá pra fazer uma boa bolsa.

— Você tem um pouco de cicuta? — pergunta o outro.

— Ainda não, mas aposto que dá pra encontrar na enseada quando chegar a primavera. Se interessar, tenho um bom couro de alce.

— Por que você trocaria uma boa pele por *isto*? O que está acontecendo?

— Olha, eu não gosto de me gabar. — O tom do predador muda. Fica leve. Animado. — Mas tem muita pele boa por aqui... *se* levar jeito com a faca.

— Ei, eu estou melhorando — diz o outro, com uma gargalhada robusta. — É só me deixar a uns três metros da presa que eu abato. Você vai ver.

Eles estão brincando sobre matar... sobre *nos* matar.

— Fechado? — o predador pergunta. — Pode pegar o couro que quiser.

— Você é que vai sair perdendo.

Escuto algo pesado sendo puxado do varal. O mesmo som de

quando os couros de rena chegam do norte ao mercado. Em seguida, ouço o predador pegar um objeto.

Eles se despedem e eu estico o pescoço, determinada a vislumbrar o ambiente ao meu redor, mas, quando ele volta, tudo o que vejo... tudo o que consigo ver é o monte cinzento e congelado em suas mãos.

Minha capa.

Só de vê-lo tocando minha capa, fico enfurecida. June fez com as próprias mãos. Para *mim*. É *minha*. Ele não tem nenhum direito sobre ela. Mas ele claramente quer um troféu.

Ele pendura a capa em um gancho de carne do outro lado do cômodo e algo ácido e quente enche minha garganta, mas em vez de virar a cabeça, deixar que escorra pelo canto da boca como uma vítima patética, eu engulo. Engulo tudo.

Não faço ideia do que ele planeja para o meu corpo, mas tenho meu próprio plano.

Na maior parte do tempo, não o vejo, mas sinto ele me observar. Lembro-me vagamente de vê-lo nu e de costas, mas não faço ideia de como é seu rosto, que tipo de deformidade esconde sob o manto. Na minha cabeça, ele é um monstro.

Só tenho certeza de que ele não está me observando quando cuida da lareira, o que faz com fervor quase religioso. Isso me mostra que ele é disciplinado. Cuidadoso. Vigilante. Mas eu sei ser invisível, agir como um passarinho machucado. Sou uma garota do Ano da Graça, afinal. Passei a vida treinando para isso.

Então eu paro de lutar.

Paro de cuspir e de gritar.

E, depois de alguns dias, a mordaça sai da minha boca.

Quando ele leva o copo à minha boca, em vez de tentar mordê-lo como um animal selvagem, eu abro os lábios, guardo o máximo de líquido possível dentro das bochechas e, assim que ele se vira para colocar o copo vazio em cima do banco, viro o rosto e cuspo o líquido lentamente no colchão de turfa. O cheiro fétido do favo de mel usado para esconder o gosto amargo da papoula me dá ânsia de vômito, mas nada mais sai de dentro de mim. Talvez isso seja parte do plano dele, do que ele pretende fazer: me secar como um pedaço de carne de sol.

Assim que paro de ingerir o líquido, o mundo começa a ficar mais nítido. Infelizmente, a dor também. Disfarço o máximo que posso, mordendo minha bochecha quando sinto arder, mas a febre fervendo em meu corpo não dá trégua. Sei que ele está tentando me deixar dopada para poder ir com calma, aproveitar cada pedaço meu. Não sei se a faca ou a infecção me matará primeiro, mas sei que meu tempo está se esgotando.

Ele sai duas vezes por dia, para buscar água e lenha, e eu aproveito para mover meus pés, flexionar minhas panturrilhas e coxas, mas meu movimento é limitado pelas cordas. Apesar de estar amarrado, meu braço direito parece funcionar bem. O braço esquerdo é outra história. Não parece estar preso, mas o menor movimento de meu mindinho é capaz de desencadear um raio de dor insuportável pelo braço inteiro, alcançando até o fundo do meu peito.

Preciso me lembrar de que a dor é um bom sinal.

O que quer que ele tenha feito comigo, significa que ainda tenho meu braço. Que ainda estou viva.

Conto quantos passos ele dá até a porta. Eu me imagino fazendo o mesmo, de novo, de novo e de novo. Às vezes, acordo de um sono irrequieto e acho que já o fiz, que estou livre, mas o borrão de tecido escuro esvoaçante na minha visão periférica me traz de volta à realidade, me lembra por que estou aqui.

Quando ele se curva sobre mim, tento não olhá-lo nos olhos. Não quero me entregar, mas é mais que isso. Tenho medo do que verei refletido. Do que me tornei. Quando sinto minha força ceder, encaro as figuras femininas rusticamente entalhadas sobre a cornija. Sem dúvida estão ali para lembrá-lo de quantas garotas ele já matou. Mas eu não me juntarei a elas.

Leva oito copos de líquido forçado goela abaixo e nove saídas do barraco até ele se descuidar o suficiente para deixar o cinto com a faca no banco ao meu lado.

Tento não olhá-la com desejo, mas ali está. É minha chance.

Assim que ele volta a atenção para a lareira, ergo o braço, tirando-o de debaixo das cobertas. A dor é tão intensa que preciso apertar os dentes para não gritar contra minha vontade. Meu braço treme e um suor frio encharca minha testa, mas assim que seguro o cabo da faca, outra coisa me domina. Uma determinação que não sinto há meses. Eu *vou* sair dessa. *Vou* sobreviver. Desembainho a lâmina e sangue fresco escorre do meu ombro, pingando no chão de madeira, mas não posso parar agora. Não posso soltar.

Escondendo a lâmina sob as cobertas, começo a cortar as amarras do meu braço direito. Me preparo para um esforço longo e árduo, mas a faca atravessa as amarras com facilidade, como se estivesse cortando um bloco fresco de banha. É surpreendente, mas bom. Significa que está afiada.

Troco a faca de mão, retorço meu corpo e rapidamente corto as amarras dos meus tornozelos.

Assim que me solto, tudo o que quero é jogar as cobertas para longe e correr para a porta, mas preciso ser esperta. Não sou boba o suficiente para acreditar que consigo correr mais rápido do que ele, não nestas condições. Agarrando a faca com mais força, fecho os olhos e faço uma das coisas mais difíceis que já fiz na vida: eu espero.

Tento ficar atenta aos seus passos, mas ele é tão silencioso – como na primeira vez em que nos encontramos, na trilha.

Eu me concentro na respiração dele, lenta e regular como o metrônomo na sala da sra. Wilkins. Todos achavam que ela havia voltado cega do Ano da Graça, mas me lembro de roubar uma bala de uma travessa de prata uma vez e o olhar dela me atingir como uma flecha.

E se ele estiver fazendo a mesma coisa? E se ele deixou o cinto ali como um teste, como uma armadilha? Rezo para que ele não note a bainha vazia... meu sangue nas tiras largas de madeira do chão... meu corpo encharcado de suor.

O cheiro de pinheiro, água do lago e fumaça enche meu nariz, então sei que ele está perto. Ele só precisa se curvar sobre mim, como fez centenas de vezes antes.

Quando ele encosta o punho na minha testa, prendo a respiração. Só terei uma oportunidade, e se errar... não posso nem pensar nisso.

Seguro a faca com toda a minha força, chuto as cobertas para longe e o ataco. Um som estranho escapa de seus lábios quando ele tropeça para trás, levando as mãos ao ventre. Não sei qual o tamanho do estrago que causei, mas vejo sangue.

Quando piso no chão frio, minhas pernas esqueléticas começam a ceder, mas não posso desistir assim. Se não sair daqui agora, não sairei nunca. Eu me impulsiono até a porta e atravesso o couro grosso de búfalo. O sol me atinge como um raio, me cegando e me fazendo parar de repente. O ar frio queima minha pele. Não vejo o predador atrás de mim, mas o escuto arrastar seu corpo pelo chão.

— Pare... não dê mais um passo.

Não sei aonde vou nem o que me espera lá fora, mas qualquer coisa é melhor do que isso. Assim que pontinhos de cor opaca começam a piscar em minha visão, dou meu primeiro passo para a liberdade... para um grande vazio.

Estou mergulhando nas profundezas quando algo me pega pelo punho. Tento gritar, mas a dor é tão devastadora que me deixa sem ar.

Quando o mundo lentamente volta a entrar em foco, me vejo pendurada a mais de dez metros do chão. A terra lá embaixo está coberta de neve espessa, e o vento do norte se infiltra nos meus ossos.

— Me segure com a outra mão — diz uma voz rouca.

Levanto o rosto e vejo a silhueta esvoaçante e cinzenta do predador curvada sobre uma plataforma estreita. Olhando ao redor, fico chocada ao descobrir que passei esse tempo todo em uma espécie de casa na árvore... uma *tocaia*, como as usadas no condado para caçar alces. Só que esta tocaia não é para alces. É para caçar garotas do Ano da Graça. Para *me* caçar.

— Só me solte logo — digo, meus olhos ardendo em lágrimas. — Assim isso tudo acaba de uma vez.

— É isso que você quer? — ele pergunta.

— É melhor do que ser esfolada viva.

— É isso que você acha que estou fazendo?

Pisco algumas vezes e encaro o rosto dele. Espero aquele mesmo olhar frio e desumano, mas o que encontro me confunde. Não sei se é a dor, o frio ou a doença me fazendo ver coisas, mas, sob esta luz, ele parece quase... bondoso.

Esticando a outra mão, agarro seu punho e deixo que ele me erga. Posso estar cometendo o maior erro da minha vida, mas, mesmo agora, depois de tudo o que aconteceu, ainda não estou pronta para desistir. Para me entregar.

Grunho quando meu corpo raspa do lado da plataforma áspera de madeira. Meu corpo *nu*. Procuro minhas roupas pelo cômodo e só encontro faixas de linho espalhadas perto da lareira.

— O que você fez com minhas roupas? *Comigo*? — pergunto, fazendo o melhor que posso para me cobrir com as mãos.

— Não se engane — ele diz, pegando uma faixa de pano e amarrando-a ao redor de seu tronco sangrento.

— Mas estou nua... *você* estava nu. Eu vi...

— Você ia morrer congelada. Era a forma mais rápida de te aquecer — explica, puxando um pedaço de couro da cama e jogando na minha direção. — De nada.

Eu me enrosco no couro, envergonhada pelo conforto que me proporciona.

— Mas eu te vi com a faca... você me cortou... me marcou.

Olho por dentro do couro. Ver o sangue escorrendo da atadura no meu ombro me deixa tonta.

— Eu não te *marquei* — se irrita ele. — Eu precisava cauterizar sua ferida, que você provavelmente abriu de novo.

Ele se aproxima de mim e eu ando para trás, batendo na parede e derrubando uma pilha de galhadas.

— Não me toque — sussurro, meus dedos tocando a ponta afiada da lâmina.

Estou pronta para atacá-lo de novo, se necessário, mas a voz dele suaviza:

— Posso? — pergunta, dando um passo lento na minha direção, apontando para o meu braço esquerdo.

Não gosto de não ver o rosto dele. É desconcertante, mas talvez seja esse o objetivo. Assim como os véus nos desumanizam, os mantos fazem o mesmo por eles. Um símbolo de inocência e um símbolo de morte.

Deixo o couro cair de meu ombro e ele estica a mão para desfazer a atadura.

Seus dedos são como gelo contra minha pele.

Inspiro rapidamente, sibilante.

— Que cheiro é esse? — pergunto.

Sigo seu olhar, na direção da carne viva em meu ombro.

Já vi feridas demais sob os cuidados de meu pai para saber que a minha está bem ruim, do tipo que já fez muitos homens fortes sucumbir. Uma onda de tontura cresce em mim, me desequilibrando.

— Tierney, é melhor deitar, você não está em condi...

— Como você sabe meu nome? — Eu o encaro, mas minha visão está começando a embaçar. — Quem é você?

Ele não responde, mas ouço um som, parecido com carne pesada e úmida chiando lentamente em uma frigideira.

Um movimento chama minha atenção. Aperto os olhos, examinando minha pele destroçada.

O quarto começa a girar, mas mantenho meus pés firmes no chão.

— Vermes — sussurro. — O cheiro está vindo de mim. É o cheiro da morte.

Eu sonho. Estranhamente, não com a garota nem com o condado, mas com este lugar, este predador. Sonho com um pano úmido na minha testa. Morder madeira flexível quando ele corta pele decrépita. Gotas de sangue pingando da atadura, que é torcida sobre uma bacia velha de cobre. O som constante de uma agulha grossa a costurar. Entra e sai. Sai e entra.

Às vezes, penso ver uma luz difusa entrando por entre as tábuas de madeira; às vezes, a escuridão é tanta que me sinto flutuar no espaço, livre da gravidade que me prende ao chão.

Tento contar o tempo, mas minha mente está perdida em sombras, em memórias.

Imagino que é como estar no ventre da mãe. O ritmo do coração à distância. O sangue correndo ao meu redor. Eu não estive presente no nascimento de Clara porque ainda não tinha sangrado, mas estive no de Penny. Dizem que no quinto parto o bebê simplesmente desliza para fora, mas não foi isso o que vi. Eu vi violência. Dor. Ossos se movendo. Tentei me afastar, mas minha mãe me segurou, me puxou para perto. *Esta é a magia de verdade*, sussurrou.

Na época, achei que ela estivesse delirando, louca de exaustão, mas me pergunto se ela sabia a verdade. Se estava tentando me contar alguma coisa.

Eu me sinto à beira de um precipício, como se um grão de areia voando na direção errada pudesse me derrubar nas profundezas do nunca mais, mas ainda estou aqui. Respirando.

Às vezes, falo só para ouvir minha voz. Para saber que ainda tenho língua. Garganta. Faço perguntas – *Quem é você? Por que não me matou?* –, mas nunca recebo respostas. Em vez disso, o predador canta. Canções antigas. Canções que só ouvi a brisa trazer, assobios distraídos escapando da boca dos caçadores de pele rumo ao norte. Ou talvez ele não esteja cantando. Talvez esteja falando. Lentamente, as palavras entrando e saindo de minha consciência.

— Beba — ele diz, trazendo o copo aos meus lábios.

Tento me concentrar nele, mas é como fumaça passando entre meus dedos.

— Dormi por quanto tempo?

— Dez sóis nascentes, nove luas poentes — ele diz, ajustando o tecido enrolado sob minha cabeça. — É melhor assim, considerando o que precisei fazer com você.

Tento mover meus braços e pernas, só para saber se ainda os tenho, mas isso me causa uma nova onda de dor.

Lembro a última vez em que estive acordada. A última vez em que nos falamos. Ele disse meu nome.

— Como você sabe meu nome?

— Você precisa beber. — Ele inclina o copo novamente. É difícil engolir o líquido espesso e doce. É difícil simplesmente engolir. Como se meu corpo não lembrasse mais como é.

Sinto a papoula se espalhando pelo meu peito, pelas minhas pernas, pelas minhas pálpebras, que parecem puxadas por um metal pesado.

— Como você sabe meu nome? — pergunto de novo.

Não espero resposta, mas uma voz suave escapa de debaixo do manto.

— Isso foi um erro.

Eu o estudo, o espaço largo e franzido entre seus olhos... Sempre pensei que fosse raiva, ódio, mas talvez eu estivesse errada... talvez seja preocupação.

— Por favor — sussurro. — Nós dois sabemos que eu provavelmente não vou sobreviver.

O olhar dele pousa em minha ferida.

— Eu nunca disse isso.

— Não precisa dizer.

Há um longo e insuportável silêncio. O peso de uma verdade profunda e sombria.

Acompanhado do som do vento que uiva entre as árvores, do fogo que crepita devagar, ele diz:

— Eu soube quem você era assim que vi seus olhos... vocês têm os mesmos olhos.

— A garota dos meus sonhos — digo, inspirando fundo, a lembrança dela me atingindo de uma vez. — Você também a viu... quem é ela?

— Que garota? — Ele pressiona o punho contra minha testa. Quero me esquivar do toque, mas a pele fria dele traz um alívio muito necessário para minha pele ardente. — Seu pai — ele diz, olhando para mim. — Você tem os olhos dele.

— Meu pai? — Eu tento me sentar, mas a dor é intensa demais. Eu sabia que meu pai escapava para as margens há anos, mas nunca imaginei algo assim. — Somos...? — tento acabar a frase, mas parece haver uma pedra na minha garganta. — Somos... *parentes*?

— Irmãos? Não. — O predador desfaz minha atadura; suas narinas se abrem. Talvez a ideia seja tão repulsiva para ele quanto para mim, ou talvez seja apenas um reflexo ao ver minha ferida. Talvez as duas coisas. — Seu pai não é desse tipo. Ele é um bom homem.

— Então por quê? — pergunto, lutando contra os efeitos da papoula. — Por que ele vem para cá?

Ele estreita os olhos.

— Você não sabe mesmo?

Sacudo a cabeça, mas meu crânio parece pesado, cheio de água.

— Ele trata as mulheres das margens, as crianças... ele salvou Anders — o predador diz, esmagando ervas com cuidado em um pote de pedra.

— Anders?

Ele suspira, como se estivesse com raiva de si mesmo por ter falado demais.

— Você não deve se lembrar, mas ele me visitou há algumas semanas.

— Como posso esquecer? — digo, fazendo uma careta quando ele espalha um cataplasma verde-musgo na minha ferida. — Você quase me matou sufocada.

O olhar dele gela.

— Teria sido prazeroso pra você, se comparado com o que ele faria se tivesse te descoberto aqui.

Eu olho para além dele, para os frascos vazios alinhados na mesa, pensando em Tamara e Meg. Nas coisas horríveis que fizeram com elas. Sinto um calafrio me atravessar.

— Precisamos tirar essa fita suja...

— Não — digo, ajeitando minha trança atrás de mim. — A fita fica aqui. A trança fica.

Ele suspira, irritado.

— Como quiser.

— Quem é Anders? — pergunto, tentando suavizar minha voz.

Vejo que ele está relutante, mas continuo a perguntar até ele responder.

— Crescemos juntos — ele diz, atando uma faixa limpa de linho ao redor do meu ombro. — Na última temporada de caça, a presa tentou levá-lo para o outro lado da cerca, então o mordeu, amaldiçoou a família dele inteira. Todo mundo morreu, mas seu pai conseguiu salvá-lo.

— Meu pai salvou um *predador*? — pergunto. — Mas ele seria exilado se alguém descobrisse, e minha mãe, minhas irmãs, nós seríamos...

— Claro que essa é sua maior preocupação — ele diz, apertando a atadura mais forte do que o necessário.

— Eu não quis... é só que... *por quê*? Por que ele se arriscaria?

— Você ainda não entendeu — ele responde.

Um grasno ecoa pela mata, nos fazendo estremecer.

— Eu não enten...

— Fizemos um trato — ele diz, afastando-se da cama e pegando as facas. — Em troca da vida de Anders, prometi que eu te pouparia se tivesse a oportunidade.

— Mas você me esfaqueou pela cerca.

— Eu *mal* te cortei. Você estava perto demais... confortável demais...

— Naquela noite na trilha... quando atravessei a barreira para ajudar Gertrude — digo, ficando sem ar.

— Sinceramente, se eu soubesse como você daria trabalho, teria pensado duas vezes — ele diz, jogando um pano molhado na minha direção. — Mas agora eu e seu pai estamos quites.

Ele apaga a vela e abre a porta.

— Espere. Aonde você vai?

— Fazer o meu trabalho. O que eu deveria estar fazendo esse tempo todo.

Sentada sozinha, tremendo no escuro, não posso deixar de pensar em todas as coisas cruéis que disse ao meu pai antes de partir do condado, na dor em seus olhos quando ele entrou na igreja com o meu véu. *Vaer sa snill, tilgi meg*, ele sussurrou ao me entregar a flor do meu pretendente.

Sempre achei que ele gostasse de me ensinar porque estava egoisticamente treinando para um futuro filho, mas talvez tenha sido por isso, para que eu sobrevivesse ao meu Ano da Graça. Talvez ele tenha feito isso tudo... por *mim*.

Lágrimas fazem meus olhos arderem. Quero me levantar e correr, fazer qualquer coisa além de ficar aqui sentada com esses sentimentos, mas quando me levanto, minhas pernas tremem como se fossem feitas de palha e gelatina. Tropeço, me agarrando à beira da mesa para me equilibrar, mas ela se desestabiliza; os frascos de vidro rolam na minha direção, as facas deslizam para mais perto de mim. Eu a ajeito bem a tempo, logo antes de tudo cair no chão. Inclinada sobre a mesa, tentando respirar, avisto um caderninho guardado atrás da bolsa gasta de couro. Eu o abro e me deparo com esboços de músculos e veias, estruturas esqueléticas, parecidas com as dos diários de campo que meu pai usa para fazer registros de seus pacientes. Quando chego à última página, encontro um diagrama de uma garota: cada pinta, cada cicatriz, cada mancha minuciosamente indicada, da marca do timbre do meu pai na sola do meu pé direito à cicatriz da vacina de catapora que meu pai aplicou na parte interna da minha coxa esquerda, no verão passado. É um mapa da minha pele, com traços indicando onde os cortes devem ser feitos. Há até uma lista detalhada de cada frasco que deve armazenar cada pedaço meu. Cem, no total. Um calafrio percorre meu corpo.

O predador manteve o acordo com meu pai. Mas, como ele disse, agora estão quites.

Olho para as facas, o funil de metal, as pinças, o martelo... meu estômago revira.

É inteiramente possível que ele esteja simplesmente se preparando, caso a infecção me derrube, mas uma parte dele inegavelmente quer que eu morra. Passo o dedo pelas linhas pontilhadas do desenho e penso na regra fundamental dos predadores, no motivo de nos esfolarem vivas em vez de nos matarem de uma vez. Quanto mais dor, mais poderosa a carne. Olho para meu sangue encharcando a atadura. Talvez ele não esteja curando minha ferida. Talvez esteja fazendo ela piorar, para que eu sofra o máximo possível.

Penso em pegar minha capa e me arriscar pela floresta, mas não tenho forças para isso.

Se eu quiser sobreviver, preciso que ele me veja não como uma coisa, não como uma presa, mas como um ser humano.

No entanto, não sou ingênua a ponto de achar que não preciso de um plano B.

Com as mãos tremendo, arrumo os frascos e o caderno e pego a menor faca da mesa. Eu me arrasto de volta para a cama, me cubro com as peles grossas, enfio a faca sob o colchão e pratico tirá-la rapidamente dali várias e várias vezes, até meu braço ficar dormente. Quero ficar acordada para esperá-lo chegar e garantir que não serei pega de surpresa, mas meus olhos estão pesados demais.

— *Vaer sa snill, tilgi meg* — sussurro na brisa, esperando que o vento carregue minha mensagem direto ao coração do meu pai, mas isso é considerar que magia existe, o que não ouso mais fazer.

Em vez disso, prometo a mim mesma que voltarei para casa, para falar com ele pessoalmente.

Acordo com o som de ossos sendo quebrados.

Ofego e estico meu braço em busca da faca, mas noto que o predador está do lado oposto do quarto, sentado em um banquinho em frente à mesa, cortando alguma coisa. Penso no pior, imaginando quem pode ser, mas vislumbro apenas um pé de coelho pendurado na beira da mesa. Inclinada sobre um lado da cama, pego o penico e vomito tudo que tenho no estômago.

Ele nem se mexe.

Limpo a bile da minha boca e me apoio no meu travesseiro improvisado.

— É isso que você faz à noite? Caça? — pergunto. Ele grunhe em resposta. Pode ser um sim, pode ser um não. Ele obviamente não está disposto a conversar, mas não posso deixar que isso me impeça.— Só coelhos, ou você caça outras coisas?

Sei a resposta, mas quero ouvi-lo dizer.

Ele se vira para mim, os olhos escuros e apertados:

— Caço qualquer coisa descuidada o suficiente para entrar no meu caminho.

— Presas — sussurro, sendo percorrida por uma corrente de gelo. — É assim que vocês nos chamam, não é?

— Melhor do que *predadores* — ele retruca, voltando ao trabalho e quebrando o pescoço do coelho.

— Você tem nome? — pergunto, tentando me sentar, mas a dor ainda é forte demais.

— Além de predador? — responde, seco. — Sim, tenho nome.

Espero que ele me diga, mas o nome nunca vem.

— Não vou implorar.

— Que bom — ele diz, continuando a trabalhar.

O som da respiração regular dele e o gotejar constante do gelo nas calhas me enlouquecem – o mesmo tipo de loucura de quando eu estava sozinha na floresta, mas agora não estou mais sozinha.

— Deixa para lá — digo, suspirando e voltando meu rosto para a porta.

— É Ryker — ele diz em voz baixa, por sobre o ombro.

— Ryker — repito. — Eu sabia. Ouvi o outro predador te chamar assim. É um antigo nome viking — me animo, tentando formar uma conexão. — *Deu ere n fin kanin* — digo, mas ele não parece entender.

Meu ombro está latejando. Uma camada de suor frio cobre meu corpo.

— Acho que preciso de mais remédio — digo, com o tom mais agradável possível.

— Não — ele responde, sem nem olhar para mim.

— Por quê? — solto. — Está doendo. Você *quer* que eu sinta dor, é isso?

Ele se vira para mim, arrancando a pele do coelho em um movimento longo e contínuo, casualmente, como se estivesse tirando uma meia de seda.

— Você não me assusta — sussurro.

— É mesmo? — ele diz, largando o coelho e se levantando de repente, com as mãos manchadas de sangue.

Ele se senta ao meu lado e eu deslizo a mão até a beira do colchão, enfiando os dedos ali em busca da faca, mas não encontro nada.

— É isso que você está procurando? — ele pergunta, tirando a faca da bainha presa ao seu tornozelo. — Da próxima vez que você levantar para bisbilhotar minhas coisas, é melhor tomar cuidado para não deixar um rastro de sangue no chão.

Estico o braço para bater nele, mas ele segura minha mão.

— Guarde essa energia. Quando estiver bem o suficiente para voltar ao rebanho, vai precisar dela.

Eu me esforço para soltar minha mão.

— Você não precisa mais de papoula — ele diz, me soltando. — A esta altura, vai atrapalhar mais do que ajudar. Agora está na mão dos Deuses. Você vai viver, ou vai morrer.

— Por que está fazendo isso? — pergunto, lágrimas escorrendo pelo meu rosto. — Eu vi o caderno. Você cumpriu mais de uma vez a promessa que fez ao meu pai. Por que ainda não me matou, ou me deixou morrer?

Ele franze as sobrancelhas, fazendo surgir uma ruga profunda entre seus olhos.

— Eu fico me perguntando a mesma coisa — ele diz, finalmente encontrando meu olhar. — Mas quando te vi no gelo, você parecia tão...

— Desamparada — sussurro, enojada e furiosa por ter sido isso o que me salvou.

— Não — ele responde, o olhar brilhando à luz do fogo. — Desafiadora. Quando você golpeou o gelo com o machado... foi uma das coisas mais corajosas que já vi.

***

Uma forte luz branca entra pela borda esvoaçante da pele de búfalo que cobre a porta.

— Estou vendo que você sobreviveu a mais uma noite — ele comenta, em pé diante de mim, suas roupas cheirando a neve fresca e fumaça de madeira queimada. Não sei se ele está feliz ou decepcionado. Talvez nem ele saiba.

Eu me jogo para o lado para vomitar. Ele faz um balde se aproximar com um chute, mas não é preciso. É só um pouco de baba e bile. Meu estômago agora rejeita qualquer coisa.

— O que está acontecendo comigo?

— É a infecção — ele diz, sentando-se em um banco para inspecionar minha ferida. Os dedos dele parecem feitos de gelo.

Olho para minha pele vermelha e machucada.

— Não quero morrer aqui — digo, arquejando.

— Então não morra — ele retruca, apertando meu braço com força, espremendo o pus da sutura.

Minha cabeça pende para a frente. Sinto como se fosse desmaiar a qualquer momento.

— Como isso aconteceu? — ele pergunta, sua voz forte em meus ouvidos, insistente.

Por um instante, não me lembro de nada, talvez não queira lembrar, mas de repente tudo me volta, em imagens soltas: o couro cabeludo de Gertie brilhando sob a luz da lua. A floresta. As sementes. A tempestade. O corpo trêmulo de Tamara jogado pelo portão.

— Kiersten — sussurro, meu ombro doendo só de lembrar. — Foi um machado.

Limpando o corte com hamamélis, ele pergunta:

— O que você fez para ela?

— Eu não *fiz* nada — digo, meu queixo começando a tremer. Tento me cobrir mais para esconder minhas emoções, mas me falta força. — Só queria que as coisas melhorassem... — sussurro. — Que fosse... *diferente*.

— Por quê? — ele pergunta, fazendo um novo curativo em meu ombro.

Não acho que ele esteja interessado, provavelmente só quer que eu continue falar, continue consciente, mas quero falar. Quero contar minha história a alguém, por garantia...

— Os sonhos — respondo. — As mulheres do condado não podem sonhar, mas desde criança eu sonho com uma garota.

Ele me olha, curioso.

— É a garota de quem você falou?

Não me lembro de ter falado dela, e isso me faz questionar o que mais contei neste estado entorpecido, mas não importa.

— Sei que parece loucura, mas ela existia de verdade para mim. Ela me mostrou coisas... me fez acreditar que podia ser diferente... não só para as garotas do Ano da Graça, mas para as trabalhadoras... para as mulheres das margens também.

Ele para e me encara.

— É essa a sua magia? — ele pergunta.

— Não. — Sacudo a cabeça.

— Então o que você acha que isso significa?

— Acho que não significa mais nada. É só uma fantasia. De como eu queria que fosse minha vida. — Pego a ponta da minha trança para me reconfortar, então a puxo para a frente e acaricio a fita vermelha. — No condado, só nossos maridos podem nos ver de cabelo solto, mas quando chegamos ao acampamento, as garotas desfizeram suas tranças como um símbolo de aceitação de sua magia. Eu me recusei. É por isso que se voltaram contra mim.

— Por que você se recusaria a aceitar sua magia? — ele pergunta, incapaz de conter sua expressão de choque.

Meus olhos se enchem d'água até minha vista ficar turva, mas me recuso a piscar.

— Porque não é real.

Falar em voz alta parece perigoso, mas também necessário.

Ele pressiona o punho contra minha testa e diz:

— Precisamos mesmo baixar sua febre.

Com um movimento brusco, afasto minha cabeça da mão dele.

— É sério. Não sei se é o ar, a água, a comida, mas algo está fazendo elas mudarem... começarem a ver e sentir coisas que não são reais. Também aconteceu comigo, mas quando elas me baniram do acampamento eu melhorei. Tudo ficou mais claro.

— Você estava morrendo de inanição quando te encontrei, sangrando...

— Você já as viu voar? — levanto a voz. — Já as viu desaparecer na sua frente? Já as *viu* fazer qualquer coisa... além de morrer? — As lágrimas finalmente escorrem, queimando meu rosto.

— Beba isto — ele diz, enchendo um copo com o caldo quente da chaleira.

Arregalo os olhos.

— Achei que não pudesse mais...

— É milefólio. Não vai aliviar a dor, mas pode ajudar com a febre.

Tomo um gole do caldo e tento esquecer a dor ardendo em meu ombro, pensar em qualquer outra coisa, mas meus pensamentos voltam sempre para minha família. Outro tipo de dor. Minhas irmãzinhas. Aposto que estão mortas de preocupação comigo, com o que acontecerá com elas se meu corpo não aparecer.

— Se eu morrer... prometa que vai me esfolar — digo, engolindo o líquido amargo. — Me dê uma morte honrada, para as minhas irmãs não serem punidas.

— Claro — ele responde sem a menor hesitação.

— Claro? — Tento erguer a cabeça. — Você não vai nem dizer "Ei, não diga isso, tenho certeza de que você vai sobreviver"?

— Estou habituado a dizer o que penso. — Ele apoia o copo na mesa. — Sempre sou sincero.

— Que luxo — digo, rindo e me afundando ainda mais nas cobertas, apesar de não ser nada engraçado. — Acho que nunca pude fazer isso.

— Por que não?

Tento me concentrar nele, mas sinto a febre me dominar.

— No condado, não há nada mais perigoso do que uma mulher que fala o que pensa. Foi o que aconteceu com Eva, sabia? Por isso fomos expulsas do paraíso. Somos criaturas perigosas. Cheias de feitiços demoníacos. Se tivermos a oportunidade, usaremos nossa magia para seduzir homens, para o pecado, a crueldade, a destruição. — Meus olhos estão pesados, pesados demais para eu revirá-los de forma dramática. — É por isso que nos mandam para cá.

— Para que vocês se livrem da magia — ele diz.

— Não — sussurro, pegando no sono. — Para nos destruir.

Um grasno agudo distante me acorda de sobressalto.

Ryker pega seu cinto de facas, mas logo para, voltando às sombras.

— Você não vai? — pergunto.

— É longe demais. O chamado está vindo do noroeste.

Pode ser verdade, mas quero acreditar que sua recusa não é somente pela distância, que talvez ele esteja começando a ver as garotas de outra forma.

Ele checa a lareira e meu olhar se dirige aos frascos de vidro alinhados sobre a mesa, um lembrete constante.

— Como você consegue? — pergunto, minha voz seca e vazia. — Matar garotas inocentes?

— Inocentes? — Ele olha para mim, focando no meu ombro. — Ninguém é inocente nisso tudo. Você deveria saber bem disso.

— Foi um acidente.

— Acidente ou não, você não faz ideia do que elas são capazes. A maldição. Vi com meus próprios olhos. — Ele atiça o fogo e seus ombros começam a relaxar. — Além disso, nada neste mundo é tão simples. Da morte vem a vida... é o que minha mãe sempre diz — ele acrescenta, baixinho.

— Você tem família? — pergunto.

Não sei por que nunca me ocorreu que predadores pudessem ter sentimentos... uma vida antes de se tornarem predadores.

Ele começa a falar, mas tensiona o maxilar.

— Olha, eu não quero estar aqui, assim como você não quer que eu esteja. Só estou tentando me distrair. — Ele continua em silêncio. Suspiro, irritada. — Tudo bem.

— Tenho uma mãe. Seis irmãs — ele diz, olhando para as figuras entalhadas na cornija.

Então eu as conto. São sete, no total. Achei que representassem as garotas que ele matou, mas agora estou quase certa de que são sua família.

— Seis irmãs? — pergunto, tentando erguer meu corpo para enxergar melhor, mas ainda estou muito fraca. — Não sabia que as mulheres das margens tinham tantos filhos.

— Não têm. — Ele põe a chaleira no fogo. — Não são de sangue. — Ele se vira para mim, mas não me olha nos olhos. — Minha mãe… ela acolhe as mais novas. As que ninguém quer.

Estou tentando compreender o que ele quer dizer quando o entendimento me vem à garganta, me fazendo engasgar com as palavras.

— As meninas do condado? As que são banidas?

Ele encara as chamas, seu olhar a quilômetros daqui.

— Algumas ficam tão traumatizadas que passam meses sem falar. No começo, eu as odiava, não conseguia entender, mas agora não penso nelas assim.

— Assim como? Como presas? — pergunto, minha voz estremecendo de raiva… de medo. — E você *ainda* nos preda?

— Não estamos predando ninguém — ele responde, irritado. — Fomos autorizados a abater o rebanho e somos muito bem pagos para entregar a carne das garotas para o condado. São seus pais, irmãos, maridos, mães e irmãs… são *eles* que consomem vocês. Não somos *nós*.

Um enjoo doentio percorre meu corpo, me fazendo lacrimejar.

— Eu não fazia ideia de que era o condado que arquitetava tudo isso.

— Se eu for embora, se não trabalhar como predador, minha família não receberá meu pagamento… vão morrer de fome. E, graças ao condado, tenho muitas bocas para alimentar.

— Quem te paga? — pergunto, tentando controlar minha respiração, meus pensamentos agitados.

— As mesmas pessoas que mandam vocês para cá — ele diz, servindo um copo de caldo fumegante. — No último dia da nossa temporada de caça, nos enfileiramos em frente ao portão. Os que aparecem com as mãos abanando recebem apenas o suficiente para suas famílias sobreviverem. Os que capturaram presas apresentam sua caça. Os frascos são contados, o timbre é verificado. Se as amostras estiverem saudáveis, devidamente preparadas, eles recebem um saco cheio de ouro, o bastante para levar suas famílias para oeste... para longe daqui, de vez.

— Mas não tem nada lá... nada além de morte.

— Ou talvez isso seja o que eles querem que acreditemos — ele diz, quase inaudível, erguendo meu rosto e me ajudando a beber o caldo.

Outro grasno ecoa pela floresta, desta vez mais perto, fazendo minha pele pinicar.

— Como eles conseguem? — pergunto, olhando para a porta. — Como atraem as garotas para fora do acampamento? É técnica... força bruta... persuasão?

Ryker deixa o caldo de lado.

— Nós não precisamos *fazer* nada. — Seu olhar pousa em minha ferida. — Elas cuidam disso sozinhas. Elas expulsam umas às outras.

Suas palavras são como um machado me retalhando de novo.

— Você já matou alguma garota do Ano da Graça? — sussurro, temendo a resposta, temendo não perguntar.

— Quase — ele responde, ajeitando minhas cobertas, me aquecendo. — Mas fico feliz por não ter matado.

— Você está queimando — ele diz, pressionando um pano frio na minha testa.

Abro os olhos com esforço, tentando focá-los nele, em qualquer coisa. Um retinir abafado chama minha atenção.

— Que barulho é esse? — sussurro.

— O vento.

— O outro. Já ouvi antes.

— Os sinos? — pergunta.

Sinto calafrios.

— Não me lembro do barulho de sinos de vento assim.

— São feitos de ossos.

— Por quê? — pergunto, tentando ficar de olhos abertos.

— Anders... ele gosta de construir coisas com ossos.

Acho que o ouvi direito, mas não consigo mais ter certeza de nada. Estico a mão, tentando pegar o tecido que cobre a boca dele.

— Preciso ver seu rosto — digo, batendo os dentes.

Ele me impede, puxando meus braços para debaixo das cobertas.

— É melhor assim.

— Não precisa se preocupar comigo... com a minha reação. Eu já vi todo tipo de deformidade. Meu pai tem um livro...

— Não é isso. — Ele abaixa o olhar. — É proibido.

— Por quê?

Tento umedecer meus lábios, mas parece que só consigo rachá-los ainda mais.

— Sem nossos mantos — ele responde, olhando para mim por entre seus cílios escuros —, não temos proteção contra a magia de vocês.

— Eu já disse, não tenho magia.

Mais uma vez, tento puxar o tecido esvoaçante.

— Você está enganada — ele diz, voltando a dobrar meus dedos esticados na palma da minha mão suada. — Você tem mais do que imagina.

Há algo nas palavras dele, na forma como ele as diz, que me faz corar; um calor desconhecido sobe pelo meu rosto. Quero discutir, dizer que a magia não é real, mas não tenho energia.

— Por favor — sussurro. — Não quero morrer sem ver o rosto da pessoa que tentou me salvar.

Ele me encara atentamente. Está tão quieto que nem sei se me ouviu.

Ao som da neve escorrendo das calhas, do fogo que crepita e sibila, ele começa a desenrolar seu manto cinzento. Meu coração bate mais forte a cada novo trecho de pele exposta. O ângulo marcado do nariz dele, do queixo. Lábios finos pressionados, cabelo escuro cacheado até o ombro. Ele é bonito? Talvez não para os padrões do condado, mas não consigo parar de olhá-lo.

Acordo ao som de Ryker cantando baixinho, suas costas nuas viradas para mim, seus músculos se movendo sob a pele enquanto ele atiça o fogo. É uma canção que reconheço do condado. Extremamente triste. As irmãs devem ter ensinado a ele.

Meu cabelo está molhado, meu corpo inteiro está úmido, mas minha boca e minha língua estão tão secas quanto a casca do sicômoro. Tento falar, pronunciar a mais simples palavra, mas nada sai. Estou com tanto calor que me sinto assando na fogueira. Usando toda a minha força, jogo as cobertas para longe.

Ryker se assusta quando elas atingem o chão com um baque abafado, mas não busca o manto cinzento para cobrir seu rosto.

Ajoelhado ao meu lado, com a testa franzida de preocupação, ele pressiona o punho contra minha testa. Juro sentir o coração dele batendo contra meu crânio, ou talvez seja o meu, então quando ele me olha, seu rosto se tranquiliza, um leve sorriso se formando nos cantos de sua boca.

— Sua febre baixou.

— Água — consigo dizer.

Com as mãos, ele pega água de um balde e traz aos meus lábios.

— Devagar.

O primeiro gole é tão bom, tão fresco ao descer pela garganta, que não consigo resistir a agarrar as mãos dele e beber tudo. Metade escorre pelo meu peito, mas não me importo. Estou viva. Afasto a camisa da minha pele. *Minha camisa.* Os remendos rudimentares, as barras desiguais. Ele a costurou para mim.

— Obrigada — sussurro.

— Não me agradeça ainda — ele diz, se curvando sobre mim para desfazer a atadura do meu ombro. — Você não viu o meu trabalho.

— Isso também é resultado do seu trabalho? — pergunto, passando o polegar pela cicatriz grossa e rosada em seu baixo-ventre.

Ele inspira com força, sua pele eriçando sob meu toque.

— Fui eu que fiz isso? — pergunto, me lembrando de atacá-lo com a faca quando tentei fugir.

— Acho que nós dois temos boas lembranças um do outro.

Olho para meu braço, para o que resta do músculo do meu ombro, para as cicatrizes denteadas, a pele inchada, e só sinto gratidão. Perdi a conta de quantas vezes ele salvou minha vida, mas preciso lembrar que ele ainda é um predador e eu ainda sou uma garota do Ano da Graça.

— Já é dia? — pergunto, olhando para a pele de búfalo que cobre a porta.

— Quer ver?

— Mesmo que eu conseguisse andar, não é perigoso? — pergunto.

Ele se levanta e empurra um alçapão. Ouço a neve molhada escorregar até o chão da floresta.

A luz do sol me cega por um momento, mas não me importo. O vento frio que sopra da água parece me reviver um pouco. Sinto cheiro de neve derretida, água do lago, lama do rio e cedro recém-cortado.

Quando volto a enxergar, ele está enrolando cascas de bétula e colocando-as no telhado.

— Para que serve isso?

— Está finalmente começando a descongelar. Assim a água não entrará aqui dentro.

Ainda estou me acostumando a vê-lo sem manto, mas gosto disso.

— Fome? — pergunta.

Penso por um minuto.

— Muita.

Ryker joga um saco de nozes na cama; algumas escapam, me assustando.

— Você precisa começar a ganhar músculo — ele diz, me entregando um quebra-nozes de aço.

— Não consigo.

— Se você teve força para pegar aquela faca debaixo do colchão, você tem força para isso.

— Aquilo foi autopreservação.

— Isso também é. Quer morrer de fome de novo? Comer qualquer resto de carne que eu decida jogar pela cerca?

— Foi você? — pergunto.

— Quem mais seria?

Achei que tivesse sido Hans, mas não digo nada.

— Você precisa começar a se ajudar — diz Ryker. — Tomar conta de você mesma.

Eu me levanto um pouco e pego uma noz. Tento usar o quebra-nozes, apertando com toda minha força, mas a casca não fica sequer um pouco amassada.

— Assim — ele mostra, abrindo uma noz sem o menor esforço e jogando o conteúdo dentro da boca, com um enorme sorriso.

Meu estômago ronca.

— Eu sei o que você está tentando fazer, sabe — digo, olhando feio para ele. — Aos cinco anos, fui ao pomar com meu pai. Ele conseguia levantar o braço e pegar as maçãs direto do galho. Pedi para ele me levantar para que eu fizesse o mesmo, mas ele se recusou. "Você é esperta o suficiente para pegar uma sozinha", ele disse. Fiquei furiosa, mas ele estava certo. Então peguei um pedaço de pau comprido e bati no galho até uma maçã cair. — Rio ao lembrar. — Preciso admitir que foi a melhor maçã que já comi.

Ele sorri, mas vejo outra coisa em seu olhar. Um toque de tristeza... arrependimento.

— Você conhece seu pai? — pergunto.

— Eu nasci em junho. — Ele me olha como se eu devesse saber o que isso significa.

— E eu, em abril.

— Faz sentido — ele diz. — Teimosa. Insistente. Tente essa daqui. — Ele rola uma noz na minha direção. — Eu nasci nove meses depois de os predadores voltarem da temporada de caça.

— Ah — digo, sentindo um calor subir pelo meu rosto. — Então ele é predador?

— *Era* predador.

— Sinto muito... ele se foi?

— Se você estiver falando de ir para o outro lado da montanha, sim, foi. — Ryker abre mais uma noz. — Ele conseguiu matar uma presa, mas não nos levou junto. Se ofereceu para levar minha mãe e eu, mas não as meninas. Ele nunca conseguiu vê-las como qualquer coisa além de inimigas.

— Que nem o Anders? — pergunto, pensando em como ele fala das garotas do Ano da Graça.

Ele suspira profundamente.

— Anders é complicado. A mãe dele já foi uma garota do Ano da Graça. Ela se livrou da magia e quase morreu no processo. Ficou com uma cicatriz atravessando seu rosto, mas o noivo não gostou dessa nova aparência dela, então ela foi banida.

— Minha mãe me contou essa história — sussurro. — Ela era uma das garotas Wendell.

Ele dá de ombros.

— Ela odiava o condado. E tudo o que ele representa. Foi assim que criou os filhos.

— Ela teve mais de um menino? — pergunto, me empertigando.

— É raro, eu sei. — Ele junta as cascas vazias. — Ela os amava. Os mimava. Especialmente William, o irmãozinho de Anders. Ele vivia tão... *feliz*. Anders queria matar uma presa só para que o irmão não precisasse fazer o mesmo. Mas agora eles se foram... — Sua voz falha.

— A maldição? — pergunto.

Ryker assente.

— Minha mãe acredita que tudo acontece por um motivo, mas ela acredita em muitas coisas. Acho que se a maldição nunca tivesse acontecido, se seu pai não tivesse salvado Anders, nós dois não estaríamos aqui agora.

Ele levanta o rosto. Seus olhos são da cor de açúcar queimado. Não tinha notado. Engulo em seco.

— Sua mãe parece ótima. Como ela é?

— Bondosa, linda, cheia de vida. — Enquanto ele fala, vejo seu corpo relaxar. Normalmente ele tensiona os músculos como se fossem cordas, pronto para qualquer coisa, mas agora vejo a tranquilidade chegar. — Mas tem suas épocas. Ela trabalha duro, dá tudo que pode, mas está envelhecendo. Antes de eu atingir a maioridade, era minha responsabilidade tirar minhas irmãs da choupana quando ela recebia visitantes... E ajudá-la a se recuperar.

— Recuperar.

Ele abaixa os ombros.

— Às vezes são ataques de choro. Uma nuvem escura pairando sobre ela. Às vezes é mais sério e preciso procurar o curandeiro.

— Como assim, mais sério?

Ainda estou tentando quebrar a noz, mas não tenho força nos músculos.

— As esposas são poupadas disso — ele diz, pegando mais uma noz. — Enquanto vocês são receptáculos dos filhos, as mulheres das margens são receptáculos do desejo deles. Da raiva. — Seu olhar se estreita. — Alguns homens só são aceitos nas choupanas quando falta comida para as famílias. — Penso nos Tommy Pearsons e Velhotes Fallow do mundo e um calafrio me atravessa. — Ou pior, os guardas — acrescenta.

— Guardas? Mas eles são operados. Não têm...

Finalmente consigo quebrar a casca da noz.

Ele ergue uma sobrancelha; parece quase se divertir com minha falta de jeito.

— A operação não castra a *mente* deles. Até piora.

— Como assim? — pergunto, abrindo a casca, finalmente tendo o que comer.

— É que, não importa o que façam, nunca poderão ficar realmente... *satisfeitos*.

Penso em Hans chorando na casa de cura, com gelo entre as pernas... no olhar de completo desespero enquanto escoltava as garotas retornando de seu primeiro Ano da Graça como guarda, sem a garota que amava. O tique de passar a mão sobre o coração, como se pudesse consertá-lo. A mão tremendo ao soltar minha fita do poste. Talvez isso seja verdade para alguns guardas, mas não para Hans.

— É como dizer que todos os predadores são animais — digo.

— Talvez sejamos mesmo.

Ele olha para mim, tentando medir minha reação. Ele quer saber o que penso dele.

Mas tenho medo do que escapará se eu abrir a boca.

— Aqui — ele diz, se inclinando e cobrindo minha mão com a dele, para me ajudar a quebrar mais uma noz.

Talvez eu ainda esteja delirante de febre, apesar de ela já ter baixado, ou atordoada com o ar puro, mas quando ele afasta sua mão da minha, meus dedos parecem permanecer no éter, como se a desejassem perto outra vez.

Primavera

O inverno que chegou como leão foi embora como cordeiro. A neve derreteu sob o sol claro e tranquilo. Os pássaros cantam, clorofila enche o ar e a lua cheia se ergue sobre nós. Toda noite eu a vejo crescer pela claraboia, parecendo refletir meus sentimentos por Ryker. Às vezes, quando olho para ele, sinto minha costela se expandir, abrindo espaço para mais ar; dói, mas é um sentimento que eu não sei se quero que passe.

Para matar o tempo, manter nossas mentes entretidas e nossas mãos curiosas ocupadas, eu e Ryker jogamos uma adaga de um para o outro. No começo, eu mal conseguia dobrar os dedos o suficiente para segurar o cabo, mas já melhorei bastante. Fiquei rápida. Também me interessei por ajudá-lo a montar armadilhas, trabalho minucioso e manual que exige firmeza e usa músculos completamente diferentes. Ironicamente, Ryker disse que eu seria uma predadora razoável.

Quando ele sai para caçar, eu me esforço para ficar de pé, andar, fortalecer minhas pernas, mas é também uma desculpa para explorar o espaço ao meu redor. Ele é organizado, cada cantinho parece ter um propósito, mas há toques pessoais aqui e ali. Um pedaço de tronco em forma de gaivota, um montinho de pedras polidas que ele pegou na enseada. As bonequinhas que entalha quando está com saudade de casa. Ao fim da temporada de caça, ele as leva de volta à família e então entalha outras, para registrar quanto suas irmãs cresceram ao longo do ano.

À noite, falamos por horas sobre tudo e sobre nada. Ele me ensina a respeito das ervas; eu o ensino a respeito da língua das flores. Ele já tinha aprendido um pouco com Anders. É a única coisa do condado à qual a mãe de Anders se ateve.

Há dias em que me basta ficar de pé sob a claraboia, sentir o ar primaveril se infiltrar em meus ossos, mas em outros sinto falta de sair, as solas dos meus pés coçam de desejo de explorar, estar sozinha. Só obedecer a mim mesma. Eu nunca tive essa chance, de qualquer forma. Sempre tive que obedecer a alguém.

Eu e Ryker concordamos que, assim que eu estivesse melhor, voltaria ao acampamento.

Estou melhor, mas continuo aqui.

No segundo em que ouço os passos dele no primeiro degrau da escada, volto à cama e finjo fraqueza. Eu digo a mim mesma que é apenas por sobrevivência, porque aqui tenho uma cama quente, comida na barriga e proteção, mas sei que é mais que isso. É ele.

Não sei qual é sua cor preferida, seu hino preferido, se ele prefere mirtilos ou amoras, mas sei que ele tensiona o maxilar quando está pensando, sei como seu peito sobe e desce antes de dormir, o som de seus passos na floresta, o cheiro da sua pele: sal, suor, água do lago e pinho.

Viemos de mundos completamente diferentes, mas me sinto mais próxima dele do que já me senti de qualquer outra pessoa.

Não falamos do futuro nem do passado, então é fácil fingir. Quando ele sai para caçar, digo a mim mesma que está simplesmente indo trabalhar, talvez indo até uma ilha vizinha. Às vezes, finjo que estamos exilados, escondidos de forças do mal, o que não é completamente diferente da realidade, mas acaba parecendo verdadeiro demais. Perigoso.

Durante o crepúsculo, naquele espaço sombrio entre o sono e os sonhos, é quando a dor é maior. Quando a realidade se coloca entre nós.

Nos meus momentos de fraqueza, me permito fantasiar que poderíamos dar um jeito. Talvez conseguíssemos nos encontrar na floresta do norte todo ano, no dia da Cerimônia do Véu, mas nunca seria o suficiente.

O fato é que, se eu não voltar ao condado quando o Ano da Graça chegar ao fim, minhas irmãs serão punidas em meu lugar e, se ele sumir, sua família não receberá seu pagamento. Morrerá de fome.

Ryker e eu podemos ter muitos defeitos, mas nunca magoaríamos de propósito aqueles que amamos.

Isso precisa acabar antes mesmo de começar.

Nesta noite, quando retorna, ele tira o manto, as botas, as facas e a camisa, pendurando-a perto da lareira, então fica imóvel. Ele provavelmente quer ter certeza de que estou dormindo antes de tirar a calça. Fecho os olhos, respirando o mais tranquilamente possível. Assim que ouço sua calça cair no chão, não resisto a olhar. Lembro que senti tanto medo quando o vi assim, sem roupa, na noite em que ele me trouxe até aqui. Vi violência nas cicatrizes que cobrem seu corpo, força bruta nos músculos dele se movendo sob a pele, mas agora vejo outra coisa. Há força, mas também resistência. Há cicatrizes, mas também cura.

Ele se ajoelha ao meu lado e pressiona o punho contra minha testa. Talvez por hábito, ou como desculpa para me tocar. De qualquer forma, não me incomoda.

Finjo acordar.

Ele puxa um dos cobertores de pele da cama e se cobre.

— Espero não ter te assustado — diz, o rosto e o pescoço lindamente corados.

— Você não me assusta — sussurro.

Seu olhar encontra o meu. E o que deveria ser apenas um gesto inofensivo parece elétrico.

— Ryker, você está aí? — uma voz perfura o ar entre nós.

Ele pressiona um dedo contra minha boca para que eu me cale, mas não acho que eu seria capaz de emitir qualquer som, mesmo se quisesse.

É só quando ouvimos um pé subir o primeiro degrau da escada que Ryker reage. Levantando-se num pulo, ele diz:

— Anders, desculpa, eu estava dormindo.

Ele me lança um olhar de pedido de desculpas antes de passar pela porta.

— Você agora só veste pele de coelho? — Anders pergunta, brincando.

— Parece que sim. — Ryker solta uma risada nervosa.

— Ned pegou uma lá no lado leste da cerca — Anders comenta.

Eu me sento, tensa como uma flecha. Deve ter sido por isso o grasno que ouvimos na noite anterior.

— Mal tem carne, a cabeça está toda embaralhada, mas Ned resolveu a vida dele. Você está perdendo tempo. Já é a décima sexta que você deixa passar, dormindo.

— *Dezesseis* — sussurro.

— Estão morrendo bem mais rápido desta vez. Martin diz que a magia é muito forte neste ano.

— É mesmo? — responde Ryker, mas posso sentir o desconforto em sua voz, o que significa que Anders também deve sentir.

Eu o escuto subir outro degrau.

— No que deu aquela lã?

— Lã?

Meu olhar recai sobre minha capa, pendurada perto da lareira.

— Aquela que você trocou comigo por couro de alce.

— Ah, sim, virou uma ótima bolsa pra ervas.

— Quero ver. — O predador sobe mais um degrau.

Uma onda de pânico me percorre. Se ele chegar aqui em cima, preciso estar pronta para correr... para lutar.

— Ainda não comecei — explica Ryker. — Mas vou começar assim que o tempo esfriar.

Eu me levanto o mais silenciosamente possível, andando nas pontas dos pés pelo quarto, para pegar minha capa e minhas botas. Então o assoalho solta um gemido profundo.

Há uma pausa constrangida na conversa. Estou esperando que Anders suba correndo a escada, para ver o que está acontecendo, quando ele diz:

— Sabe, hoje faz um ano que fui amaldiçoado... que você me levou para casa.

— É verdade — Ryker responde, sua voz mais suave.

— Achei que eu fosse um homem morto.

— Mas você aguentou. Você sobreviveu.

— Elas me devem uma — Anders diz, com a voz sombria. — Mataram minha família inteira. Tudo de que preciso é um golpe certeiro. Teríamos bem mais chances de pegar uma delas se você estivesse lá comigo. Só precisamos matar uma presa para conseguirmos levar sua família embora daqui de vez. Como planejamos.

— Olha só para o céu — Ryker comenta, visivelmente tentando mudar de assunto. Ou talvez tentando me dar mais tempo.

Calço as botas e pego uma faca da mesa.

— É. O tempo está virando rápido — Anders responde. — Passarinhos voando baixo. É melhor fechar o alçapão, a chaminé. A primavera está prestes a explodir.

Solto o ar, tremendo, quando escuto Anders descer a escada, os pés atingindo o chão com força.

— Ei — ele grita para cima. — Você sabe que pode me contar qualquer coisa. Qualquer problema, estou aqui. Para o que você precisar.

Eles se despedem e eu me sento na beira da cama, de botas e capa, meu corpo coberto por uma camada de suor frio.

— Sinto muito — sussurra Ryker, voltando. É a primeira vez que ele me diz isso.

— Eu me pergunto quem foi a presa de ontem — murmuro. — Pode ter sido Nanette, Molly, Helen... — Ele tira minhas botas. — Talvez Ravenna, Katie, Jessica...— Ele tira minha capa. — Becca, Lucy, Martha... *Gertie*... — sussurro, meu queixo tremendo. — Elas não merecem isso. Elas não devem suas vidas a ele.

Tirando a faca de minha mão, Ryker se senta ao meu lado.

— Eu sei que é difícil, mas você não sabe do que as presas são capazes... quer dizer, as garotas — ele se corrige. — Quando encontrei Anders ano passado, ele estava à beira da morte. Começou com uma ferida perto da mordida que ele levou, mas, quando cheguei às margens, as feridas já cobriam seu corpo inteiro. Ele estava fervendo de febre, vomitando sangue, coberto de bolinhas brancas que estouravam ao toque. Em uma semana, a família inteira dele estava morta.

— Bolinhas brancas? — pergunto, secando minhas lágrimas com o dorso da mão. — Do tamanho de ervilhas pequenas?

— Você já viu?

— O Anders tem alguma cicatriz? — pergunto, tentando controlar minha respiração.

— Sim — ele responde com cautela.

— Que nem a da minha coxa?

Ele pensa por um momento e assente; suas bochechas coram.

— É da vacina que meu pai me deu.

— Também tenho uma — ele diz, apontando para uma manchinha atrás de seu ombro.

— Meu pai te deu uma injeção? — pergunto, passando a mão pela cicatriz dele.

— Deu — responde. — Depois do nosso pacto.

Uma imagem me volta à lembrança. A orelha no frasco na farmácia, coberta de pústulas. Meu pai não estava comprando para ele nem para minha mãe... era para *isso*.

— Não é uma maldição — sussurro, lágrimas escorrendo pelo meu rosto. — É varíola. Um vírus. Não sei por que nunca associei uma coisa a outra, mas meu pai trabalha na descoberta de uma cura há anos. Você precisa contar aos outros — digo, ficando de pé. — Se você contar a verdade... eles vão parar.

Ryker sacode a cabeça.

— Nunca acreditariam em mim, e, mesmo se acreditassem, pense... — Horror perpassa seu rosto. — Se eles acharem que a maldição não é verdade, o que os impedirá de atravessar a cerca e caçá-las? Todas estariam mortas antes do amanhecer.

Eu volto a sentar na cama. Não sei por quanto tempo ficamos assim, sentados um ao lado do outro, mas o centímetro de distância entre nós parece um quilômetro.

* * *

— Ryker — sussurro no escuro.

O fogo está quase apagado, as últimas brasas mal se agarrando à vida. Por um breve momento, eu me pergunto se ele já saiu para caçar, mas, quando olho na direção da porta, vislumbro o topo de sua cabeça. Ele está sentado no chão ao meu lado, encostado no colchão. Pela respiração, noto que ele está dormindo profundamente.

Sei que é errado, mas me pego esticando a mão para tocar o cabelo dele. Passar os dedos por suas pontas cacheadas me enche de calor. Toquei o cabelo de Michael um milhão de vezes no condado e nunca senti nada assim. Sei que deveria parar, mas, em vez disso, afundo ainda mais meus dedos.

Ryker acorda em sobressalto.

Apertando o punho, tento controlar minha respiração.

— Outro pesadelo? — pergunto.

— Tente voltar a dormir — ele sussurra, olhando para a escuridão.

— Com o que você sonha?

— Não importa. — ele responde. — São só sonhos.

Sei que ele está certo, mas dói ouvi-lo dizer isso, especialmente depois que contei sobre a garota dos meus sonhos e o que ela significa para mim.

Como se pudesse adivinhar o que eu sinto, ele obriga seus ombros a relaxar e volta a se encostar na cama, olhando bem para a porta.

— Estou na floresta — diz, baixinho. — Vejo água. Está perto, mas não consigo alcançar.

— O que você está fazendo lá? — pergunto, sentindo o cheiro de seu corpo.

— Procurando alguma coisa... *esperando* alguma coisa... mas não sei o que é. Ando pela floresta, mas meus passos não fazem barulho, não deixam rastros. Um veado se aproxima, correndo pelas árvores. Puxo minha melhor faca, mas o animal me atravessa completamente. — Vejo o pomo de adão dele se mover sob a luz da lareira. — Quando acordo, sinto uma coisa horrível, uma dor nas entranhas, como se nunca fosse conseguir sair da floresta, nunca fosse chegar à costa. Sinto que ficarei sozinho... para sempre.

Quero tocá-lo de novo. Quero dizer que estou aqui, que ele não está sozinho, mas de que adiantaria? Quaisquer que sejam as circunstâncias que nos juntaram, ele sempre será um predador. Eu sempre serei uma presa. Nada vai mudar isso. Assim que eu voltar para o outro lado da cerca, tudo isso terá sido apenas um sonho.

Um sonho incrível e terrível.

Quando acordo, vejo que Ryker pendurou uma linha de pesca em um canto da cabaninha e jogou peles em cima dela para esconder uma tina de metal repleta de água quente fumegante.

— Achei que você talvez quisesse tomar banho — ele diz.

Afastando a camisa da minha pele úmida, aproximo o rosto do meu peito e inalo. Ele achou certo.

Enquanto ele cuida da lareira, eu me escondo atrás das peles penduradas. Encontro um potinho de óleo de melaleuca e um pente de teca me esperando.

Espio por entre as peles. Parece besteira. Ele já me viu nua centenas de vezes; ele tem até um mapa de cada centímetro do meu corpo, pelo amor de Deus, mas agora é diferente.

Tiro a camisa e entro na tina. Um ronco de trovão sacode o metal.

— Anders estava certo, vem uma tempestade aí — digo.

Tirando a fita do cabelo, solto o maior suspiro da minha vida. Eu me sinto culpada por ter afastado a mão dele ao tentar soltar minha trança quando cheguei. Não sei se foi a tradição ou a ideia da magia que me impeliu a isso, mas me fez notar quanto o condado ainda está arraigado em mim.

Mergulho na água, tão quente que temo me escaldar, mas a sensação é boa demais para parar. Não consigo imaginar quantas chaleiras ele teve que esquentar para encher isso tudo.

Esfrego o óleo de melaleuca no cabelo e sinto um leve toque na minha perna. Estou prestes a pular para fora da banheira quando vejo que é uma pétala de flor. Ofego. Rosas. No condado, se banhar com flores é pecado, uma perversão punida com chibatadas.

— Tudo bem? — ele pergunta.

Ele está prestando muita atenção em mim agora. Provavelmente escuta até minha respiração mudando.

— Tem pétalas de rosa no meu banho — digo, tentando soar o mais calma possível.

— É um banho de perfume. Soube que faz bem para a pele. Achei que pudesse ajudar com suas cicatrizes, mas posso tirar se...

— Não. Claro. É muito gentil — digo, revirando os olhos para minha própria estupidez; pareço estar aceitando o braço de um cavalheiro para atravessar uma poça d'água que posso muito bem pular sozinha.

Afundo na água e tento evitar tocar as pétalas, mas devo admitir que é agradável.

Outro rugido de trovão treme sob mim, me deixando tensa. Lembro a última grande tempestade que caiu. Não acabou tão bem. Molho a cicatriz no meu ombro com a água de rosas e tento pensar em outra coisa, qualquer coisa.

— Você tem um apelido? — pergunto.

— O que é isso?

— Como Ry, ou Grande Ryker, ou...

— Não. — Ele ri um pouquinho. Acho que nunca tinha ouvido ele rir. — E você?

Dou de ombros. A dor no meu ombro diminuiu a ponto de eu mal estremecer quando mexo o braço.

— Alguns me chamam de Tierney Terrível.

— Você é terrível?

— Provavelmente. — Sorrio, afundando mais na água.

— Quem te deu um véu? — ele solta.

A pergunta me pega de surpresa.

— Um garoto muito bobo. — Eu o observo pela fresta entre as peles, notando a tensão em seu rosto. — Por quê?

— Só curiosidade.

— Você achou que ninguém seria louco o bastante para me dar um véu? — digo, torcendo meu cabelo para tirar o excesso de água.

— Não foi o que eu disse — ele responde, encarando o fogo com atenção.

— Ele se chama Michael — digo, penteando o cabelo. — Michael Welk. O pai dele é dono da farmácia. Ele vai herdar a liderança do Conselho.

— Você diz isso como se fosse ruim. — Ele olha para mim. — Qual é o problema dele?

— Não é um *problema* — digo, trançando meu cabelo com a fita. — Ele é meu melhor amigo desde a infância. Por isso achei que ele me entendesse. Ele sabia que eu não queria ser esposa, sabia dos meus sonhos. Quando ergueu meu véu, quis socar a cara dele. Ele ainda teve a cara de pau de me dizer que sempre me amou... que eu não precisaria mudar por ele.

— Talvez seja verdade. Talvez ele queira te ajudar. — Ele cutuca a lenha. — Parece que ele poderia te denunciar a qualquer momento pelos sonhos, mas escolheu te proteger. Parece um homem decente.

Amarro a ponta da trança e olho feio para ele pela fresta entre as peles.

— Você está de que lado?

— Do meu — ele diz, encontrando meu olhar. — Sempre do meu. — Ele volta a atenção para a lareira, mas noto que está pensando em outra coisa. — Talvez você tenha a oportunidade de mudar as coisas. Talvez possa ajudar as mulheres das margens também. Que nem a usurpadora.

— Você sabe da usurpadora? — Pulo para fora do banho e visto minha camisa. — Você já a viu?

Eu me sento ao lado dele, perto dos restos de brasa da lareira.

— Não. — Ele se vira para mim e seu olhar se demora. — Mas soube que elas se encontram na fronteira, em uma clareira escondida. Elas dão as mãos, formando um círculo, e conversam a noite toda.

— Quem te contou?

Com um dedo, ele pega uma gota de água que pinga da ponta da minha trança.

— Rachelle... — diz, olhando para mim por entre os cílios escuros. — Uma garota que eu conheço.

— Ah — respondo, soando mais irritada do que eu gostaria. — É... você tem... tem alguém te esperando em casa? — pergunto, me atrapalhando.

Ele me olha com curiosidade.

— Somos caçadores. Temos um estilo de vida nômade. Não podemos formar vínculos... nem espalhar a semente bastarda.

Não resisto a abaixar o olhar para a calça dele.

— Então você é que nem os guardas?

— Não. — Ele se mexe um pouco ao pensar. — Estou todo... intacto.

— Então você nunca...

— Claro que já — ele diz, dando um sorriso que chega aos olhos. — Com quem você acha que as mulheres treinam?

— Achei que vocês fossem proibidos de se reproduzir.

— Há várias outras formas de se estar com uma mulher. Além disso, elas conhecem os próprios corpos. Sabem quando estão férteis.

Um calor intenso toma meu rosto. Não sei por que me sinto incomodada. As garotas do condado fazem o mesmo no campo, tentando arranjar um marido, mas isso parece diferente. Por algum motivo, não consigo deixar de pensar na garota da litogravura de Gertie. É com isso que ele está acostumado? É assim com elas?

— Podemos voltar para casa alguns dias por ano, entre as temporadas de caça, mas eu vou só para ver minha mãe e minhas irmãs. Então a resposta é não. — Ele me encara atentamente e eu me sinto sem ar. — Não há ninguém especial me esperando em casa.

Finjo me interessar pela costura da minha camisa, qualquer coisa que me distraia do descontrole que percorre meu sangue, mas até a costura me faz pensar nas mãos dele, no fato de que ele remendou minha roupa para que eu me sentisse mais à vontade. Continuo me obrigando a lembrar que o único motivo pelo qual ele não me matou foi o acordo que fez com meu pai, mas o porquê de eu ainda estar viva não parece mais importar. Talvez seja a proximidade, o fato de que perdi a conta de quantas vezes ele me salvou, ou talvez seja o fato de tudo isso ser proibido que faz com que eu me sinta assim, mas não penso mais em sair daqui. Não penso em voltar para casa. Penso em como seria... o toque dos lábios dele... sua pele contra a minha.

Uma rajada forte de vento entra pela chaminé, jogando uma onda de brasas na nossa direção. Ryker me pega no colo e me joga na cama.

Enquanto ele apaga o fogo da minha pele, eu não grito de dor. Não solto um pio. Só sinto o peso do corpo dele sobre o meu.

— Calma — ele diz, afastando uma mecha molhada de cabelo da minha clavícula, soprando minha pele devagar. Ele está tentando apagar o fogo, mas só parece atiçar algo que queima ainda mais fundo em mim. Outro tipo de calor. Não sei como contê-lo. Nem sei se quero.

Ele mergulha um pano em um pote de água de aloe vera e o passa pelas marquinhas de queimadura no meu pescoço, na minha clavícula. Olho para ele, perdida nos ossos de seu rosto, e ele para na barra de renda da minha camisa; uma gota de água escorre pelo peito dele. Há uma pausa pesada.

Tento ignorar, fingir que nada disso está acontecendo, mas, neste momento, queria que ele não tivesse remendado minha roupa. Queria que não houvesse nada entre nós.

Ele me encara com a mesma intensidade de quando nos conhecemos, mas o que eu antes via como raiva, agora identifico como medo.

— Você tem medo de mim? — sussurro. — Da minha magia?

— Não tenho medo de você — ele diz, observando meus lábios. — Tenho medo do que você me faz sentir.

Enquanto nos olhamos, o mundo ao nosso redor parece desaparecer. Esqueço as garotas no acampamento, os predadores que as caçam. Esqueço os sonhos, o mundo ao qual terei de voltar no outono.

Quero me perder.

Entendo por que as garotas no acampamento se agarram à magia. É pelo mesmo motivo de eu me agarrar a isso. Estamos todas desesperadas por uma válvula de escape, por uma folga da vida que foi escolhida para nós.

Agora, isso é tudo o que tenho. E há formas piores de passar o tempo.

Não sei se ergo o rosto ou se ele se abaixa, mas estamos tão próximos agora que sinto sua respiração pulsando contra minha pele.

Quando ele toca os lábios nos meus, sinto uma onda de calor percorrer meu corpo e, quando nossas línguas se encontram, outra parte de mim me domina.

Afundando as mãos no cabelo dele, me enroscando em seu corpo, o puxo para mais perto... então ele é arrancado de mim.

Um garoto com loucura estampada nos olhos está na beira da cama, segurando Ryker. Seu manto escorregou, revelando pequenas cicatrizes espalhadas pelo rosto. *Anders.*

— Eu sabia que tinha algo errado — ele ofega. — A coisa te mordeu?

— Não é o que você pensa — Ryker diz, me olhando com súplica.

— Não olhe para ela. A presa deve ter usado magia pra te enfeitiçar. Corre, pega o manto, antes que ela faça coisa pior.

Ryker solta um grande suspiro:

— Vou pegar meu manto.

Anders o solta e puxa uma faca da bainha em seu cinto. Enquanto ele se aproxima de mim, Ryker pega o pano cinzento pendurado ao lado da lareira. Eu me pergunto se ele acredita mesmo nisso... que eu o enfeiticei.

Estou me encolhendo na cama, encostando na parede, quando Ryker dá um passo na direção de Anders, agarra seus punhos com o manto, retorce seu braço e o obriga a soltar a faca. Antes que ele consiga reagir, Ryker já amarrou as mãos dele nas costas e está com a faca pressionada em sua garganta.

— Não me faça te machucar — ele diz.

— O que você está fazendo? — Anders pergunta, tentando se soltar. — Não vou *roubá-la* de você. É *sua* presa.

Ryker chuta o banco para longe da mesa em que estão suas facas, aproximando-o da lareira.

— Quero explicar o que está acontecendo.

— Não tem o que explicar. A presa te enfeitiçou. Qualquer um pode perceber.

— Não é feitiço nenhum — Ryker diz, obrigando-o a sentar.

Infelizmente, Anders fica bem de frente para mim, aproveitando para me encarar como se pudesse me esfaquear com os olhos.

— Ela se chama Tierney.

Anders sacode a cabeça com violência.

— Essa coisa não tem nome. É uma presa, só isso.

— É a filha do dr. James. O homem que salvou sua vida.

— E daí?

— E daí que... temos uma dívida com ele.

Anders solta uma gargalhada esganiçada.

— Você vai ficar com isso... como um bichinho de estimação?

— Ainda não sei o que vou fazer.

— Olha. — Anders suaviza a voz. — Eu entendo, você se sente sozinho. Todo mundo aqui fica meio solitário. Mas você vai ter que matá-la uma horas dessas. Ou pode deixar que eu faço isso por você. — O olhar dele se acende. — Você pode ficar com ela até o fim da temporada, mas quando acabar...

— Não quero matá-la — diz Ryker. — Quero *ficar* com ela.

A confissão me choca quase tanto quanto choca Anders.

— Vo-você está falando sério? — gagueja ele. — Somos predadores. Fizemos um juramento.

— Há juramentos mais importantes. — Ryker olha para mim e eu só gostaria de poder me encolher mais, sumir na parede. — Sempre dissemos que iríamos embora assim que tivéssemos uma oportunidade.

— *Essa* é a nossa oportunidade — Anders diz, apontando para mim com a cabeça. — Se você estripar essa presa, poderemos levar sua família para o oeste, como combinamos. Você pode escolher qualquer garota das margens...

— Há outros jeitos de ir embora — Ryker diz.

— Espera... você não... — Anders empalidece. — Você não está pensando em desertar, está? E a sua família? Seu pagamento? Elas vão morrer de fome...

— Não se você adotá-las como sua família. — Ryker se curva para a frente, olhando para Anders com atenção.

— Você está falando sério — sussurra Anders, lacrimejando. — E os guardas? Já pensou nisso? Eu vi um deles se esgueirando por aí. Ele vai trazer a madeira para consertar o buraco na cerca qualquer dia desses. Se pegarem ela aqui...

— Não vai acontecer.

— A não ser que eu te denuncie — murmura Anders.

Ryker investe contra ele, apertando a faca contra sua jugular com tanta força que a escuto friccionar a barba de Anders.

— Prefiro morrer a deixar que a machuquem. Entendeu?

— E eu? — pergunta Anders, olhando para ele, e quase posso sentir sua tristeza. — E nossos planos?

— Você é meu irmão — diz Ryker, abraçando a cabeça de Anders. — Isso nunca vai mudar. Quando eu e ela estivermos instalados e seguros, vou mandar buscar você e minha família.

— Você acha que é só ir em direção ao lindo pôr-do-sol? — Anders pergunta, inflando as narinas.

— Por que não? Tem muita terra por aí para eu conquistar. Sou um bom caçador.

— Não tão bom assim — Anders diz, me encarando.

— Ela está comigo agora. — Ryker entra na frente de Anders, quebrando o contato visual dele comigo. — A pergunta é: e você? — Ele aperta a faca com mais força. — Preciso saber agora qual é sua posição. Com quem você está?

— Com você — sussurra Anders. — Sempre estive com você, irmão. Até o fim.

Ryker olha para mim como se esperasse minha aprovação. Eu assinto. Não sei o que mais poderia fazer.

Ryker se curva para desatar as mãos de Anders e diz:

— Eu sei que é pedir muito, mas vai dar tudo certo. Você vai ver.

Ele aperta os ombros do amigo antes de soltá-lo.

Anders anda em direção à porta e eu me preparo para qualquer reação dele, mas Ryker parece ter acalmado a raiva do amigo. Antes de sair, Anders para por um momento.

— Eu deixei um pote de cicuta por aqui. Foi por isso que vim... queria te mostrar. A tempestade trouxe um monte à tona.

— Vai vender bem à beça — diz Ryker, animado.

— Tem mais na terceira enseada — diz Anders. — A gente pode ir buscar juntos. Dividir meio a meio.

— Não, pode ficar com tudo, mas te ajudo a trazer.

— Sério? Você faria isso? — pergunta Anders, timidamente.

— Ainda estamos juntos nessa — diz Ryker. — Agora só temos mais uma pessoa conosco.

Anders olha na minha direção. Ainda não consegue me olhar nos olhos, mas é um começo.

— Te encontro na enseada ao amanhecer — Anders diz, com um sorrisinho. Por um breve segundo, vejo o garoto doce de quem Ryker falou.

Imediatamente, começo a arrumar a casa. Não sei o que mais fazer... com minha cabeça... com meu corpo.

Ryker se apoia na parede e me observa.

— O que quer que esteja pensando...

— Pensando? No que eu posso estar pensando? — Pego o manto do chão. — Ah, não sei... talvez que você acabou de imobilizar alguém com isto... alguém que queria me matar, ou que você me matasse, ou que vocês me matassem juntos. Quer dizer... matassem *a presa*.

Ele faz uma cara de sofrimento.

— Você precisa entender — ele diz, se aproximando de mim. — Ele foi levado para o outro lado da cerca por uma presa, que o *mordeu*, e ele acredita que a família inteira dele foi devastada pela maldição... mas ele vai acabar entendendo. Só dê uma chance. Ele nunca faria nada para me machucar.

— Não é com você que estou preocupada. — Eu passo por ele com um empurrão, então pego o banco e o levo de volta para perto da mesa. — E que história é essa de *ficar* comigo? — rio. — Não acha que deveria pelo menos ter me consultado? Ou você acha que sou uma propriedade sua, como os homens do condado?

— Eu só achei que... o.k., tudo bem — ele diz, me seguindo de perto. — Podemos casar, se for melhor.

— Não! — grito, andando irritada até um canto, mas continuo perto demais dele. Não tenho aonde ir. Chuto acidentalmente alguma coisa, que rola para baixo da cama.

— Você não precisa casar comigo — ele diz, jogando as mãos para o alto. — Só achei que, por causa da trança... da fita... de como você foi criada... que pudesse ser... *importante*.

Eu me ajoelho e enfio a mão debaixo da cama para pegar o que que chutei. É um pote. Eu o ergo na direção da luz e fico confusa.

— Estou tentando conversar com você. Você pode, por favor, me ou...

— Espera. Esta é a cicuta que Anders mencionou?

— Você encontrou — Ryker diz, tentando pegar o pote da minha mão.

— Tem *certeza* de que é isto? — puxo o pote de volta, obrigando-o a olhar nos meus olhos.

— Absoluta — ele responde, visivelmente surpreso com minha intensidade. — Dá para reconhecer pelo tom forte do verde e pelas bordas que se espalham que nem...

— Qual é o efeito disso em alguém?

— Nunca toquei nisso, mas as bruxas velhas da mata do norte usam em suas vidências. Só uma gotinha na língua pode dar visões. Dizem que conecta as pessoas com o mundo dos espíritos, os de cima *e* os de baixo.

— E o uso prolongado... todo dia... o dia todo?

— A pessoa enlouqueceria.

Cubro a boca com a mão para conter um soluço de choro, mas ele escapa entre meus dedos.

— Então eu não estou louca. — Solto o ar contido, soluçando. — Você não vê? — Com as mãos tremendo, eu o agarro. — É isso que acontece com as garotas do Ano da Graça. Eu sabia que tinha alguma coisa na água, na comida, no ar, e é *isso*... a alga... dentro do poço. Todas elas bebem a água de lá. Eu também bebia quando estava no acampamento. Ficava tonta, sentia coisas na pele que não existiam. Quando fui banida para a floresta e comecei a beber a água da nascente, me senti melhor, mais lúcida. — Meu olho se enche de lágrimas. — Não é magia... é veneno. — Eu me levanto e começo a andar em círculos. — Elas precisam saber. *Todos* precisam saber.

Ele sacode a cabeça.

— Não faria diferença nenhuma.

— Como você pode dizer isso? Faria toda a diferença. Elas não estariam enlouquecendo... não agiriam assim. O Ano da Graça poderia acabar.

— A maldição. A magia. Mesmo que acreditassem que nada disso é verdade, não *mudaria* nada — diz ele. — Enquanto houver mercado para a carne das garotas, haverá predadores. Sempre haverá um Ano da Graça.

— Temos que fazer alguma coisa — digo, meus olhos cheios de lágrimas.

— Podemos ir embora — ele diz, secando uma lágrima do meu rosto. — No ano passado, um caçador do norte trouxe um recado de uma família que conhecíamos. Eles conseguiram atravessar as montanhas, as planícies, e chegaram a uma vila onde homens e mulheres vivem lado a lado, como iguais. Onde são livres.

Tento imaginar como seria viver assim. Tudo em mim quer aceitar o que ele diz, fugir da dor, mas uma sensação horrível se espalha do fundo do meu estômago até minha garganta.

— Nossas famílias...

— Anders vai cuidar da minha família. Elas vão receber o dinheiro dele e, assim que nos instalarmos...

— E a minha família? Se eu não voltar e meu corpo não for identificado, minhas irmãs serão punidas, mandadas para as margens.

— Se Michael for metade do que você diz que ele é, nunca deixaria isso acontecer.

Eu estremeço ao ouvir o nome dele. Parece errado, saindo da boca de Ryker.

— Vamos deixá-lo de fora disso.

— Mesmo se elas fossem mandadas para as margens, minha mãe as acolheria.

— Mas seria esperado que elas...

— Só depois de sangrar — ele diz, tranquilamente.

— E depois? — pergunto, sofrendo ao imaginar a resposta.

— Assim que estivermos instalados, vamos mandar buscá-las.

— E se nunca nos *instalarmos*? — pergunto, querendo dizer outra coisa. Mas cansei de não dizer o que penso, então pergunto de novo. — E se não *sobrevivermos*? O que acontecerá com elas?

— Vamos sobreviver... mas por que minhas irmãs podem trabalhar nas margens e as suas não? — pergunta ele.

— Não é... — digo, completamente perturbada. — É que só de pensar nas minhas irmãs sendo obrigadas a receber um homem do condado, um homem como Tommy Pearson, ou qualquer outro que tenha afagado a cabeça delas na igreja, ouvido elas cantarem no coro, as visto crescer, fico enjoada.

— Quando eu te encontrei no gelo, você estava pronta para acabar com sua própria vida para não entregá-la a um predador. Suas irmãs teriam sido mandadas para as margens. Por que você está hesitando agora?

— Eu não estava pensando direito — falo mais alto. — Você me viu... eu estava morrendo.

Ele me abraça, pressionando sua testa contra a minha, e suspira.

— Desculpa. Fui injusto.

A proximidade dele, seu calor, é como um bálsamo que me acalma.

— Você confia em mim? — ele pergunta.

— Sim — respondo, sem hesitar.

— Então acredite que podemos fazer isso — ele pede. — Temos tempo para resolver tudo, mas, enquanto isso, saiba que eu vou encontrar um jeito. Para todos nós.

— Por que você quer isso? — pergunto, procurando respostas em seu rosto.

Ele cotorna minha trança até o fim da fita vermelha de seda.

— Quero te ver de cabelo solto, com a luz do sol no rosto.

Logo antes do amanhecer, Ryker desce a escada para encontrar Anders, e eu sinto esperança pela primeira vez em muito tempo. Deitada na cama, sentindo o cheiro forte dele, imagino como seria estarmos juntos, como marido e mulher, longe do condado, longe disso tudo. Sempre achei que minha melhor escolha fosse trabalhar na lavoura. Nunca imaginei nada além disso. Posso dizer que é porque sou realista, mas na verdade sou covarde. Não tentar significa não me magoar. Não sei quando aconteceu, quando parei de tentar. Talvez quando sangrei, o primeiro lembrete de nosso lugar neste mundo. Mas agora acho que estou pronta para tentar ir além.

Quando ouço as botas de Ryker na escada, pulo da cama. Ele deve ter esquecido alguma coisa, mas fico feliz. Vou surpreendê-lo, dizer que sim... mas uma figura de manto escuro emerge da porta. Antes que eu consiga pegar uma faca, ele me joga contra a parede, apertando o cabo de sua lâmina contra meu pescoço.

— Anders... — Tento me soltar, mas ele aumenta a força. — Não diga nada. Ouça. Hoje, quando a lua estiver alta no céu, você vai partir.

Arranho a parede atrás de mim, procurando desesperadamente por algo que possa usar como arma.

— Uma vela e um manto estarão à sua espera no pé da escada — ele continua.

Resisto, tentando segurar os braços dele, mas não adianta.

— Vou garantir que seu caminho esteja livre e devidamente indicado até o buraco na cerca. Chegando lá, você vai tirar o manto, deixá-lo para trás, e se esgueirar de volta ao buraco que você pertence — conclui.

— Ryker... — sussurro, com dificuldade. — Ele vai te matar.

— Você precisa saber que voltarei aqui ao amanhecer, com todos os predadores deste acampamento. Se você não tiver ido embora e Ryker escolher te proteger, não serei capaz de impedi-los.

— Ele nunca vai te perdoar.

— Se você contar qualquer coisa a ele... se não seguir exatamente minhas instruções, mato você. Você acha que está segura atrás da cerca, mas está errada. Você viu meu rosto? — ele pergunta, me obrigando a olhá-lo nos olhos. — Sou o único sobrevivente da maldição, o que significa que sou imune. Se você tentar deixar algum recado para ele... se tentar atraí-lo para a cerca... se você sequer respirar na direção dele, eu vou saber. Prefiro vê-lo morrer mil vezes a vê-lo trair a família... o juramento.

— Trair *você*, é o que você quer dizer — consigo falar.

Ele chega tão perto do meu rosto que sinto o cheiro das ervas amargas em seu hálito.

— Não há nada que eu gostaria mais do que arrancar a pele do seu rosto como a de um pêssego maduro. — Ele respira fundo, se recompondo. — Mas não quero magoá-lo. Acho que você também não quer. Faça tudo direitinho, siga minhas instruções. Ou eu irei atrás de você.

Não sei quanto tempo fico ali sentada, pensando em todas as possibilidades, mas quando encontro forças para me levantar, o dia já acabou. O céu está manchado de rosa e roxo... assim como meu pescoço estará de manhã.

Ouço o som de botas no primeiro degrau da escada. Começo a correr de um lado para o outro, juntando minhas coisas, minha capa, minhas botas, minhas meias. Não sei o que vou dizer, mas nem sei se é Ryker. E se for Anders, voltando para terminar o que começou... ou os guardas? Mesmo se for Hans, como posso começar a explicar a situação?

Pego uma faca e me agacho ao lado da mesa, minhas mãos tremendo.

Uma figura coberta por um manto adentra a cabana. Estou pronta para rasgar seus tendões.

— Tierney? — Ryker me chama.

Solto o ar, trêmula; ele se vira e me encontra encolhida no chão.

— Ei... ei... está tudo bem — ele diz. — Estou aqui. Não vou deixar que nada aconteça com você. Eu já disse.

Quando ele tira a faca da minha mão e me ajuda a levantar, me agarro a ele com mais força do que jamais me agarrei a qualquer pessoa.

— Está tudo bem agora. Conversei com o Anders. Ele está do nosso lado. Você não tem o que temer, ele quer ajudar.

Abro a boca para tentar contar o que aconteceu, mas ele volta a falar:

— Trouxe um presente para você. Anders me ajudou a encontrar. Ele conhece um lugar.

Ele tira um pedaço de linho do bolso com tanto cuidado que é quase como se segurasse uma borboleta. Abrindo o envelope, ele revela um amassado amor-perfeito azul.

Sinto o chamado de uma lembrança distante. O Dia do Véu. Eu estava a caminho do meu encontro com Michael quando parei para olhar as flores... uma mulher que trabalhava na estufa me disse que um dia alguém me daria uma flor, um pouco caída, mas com o mesmo significado. Uma onda de emoção pura cresce dentro de mim. O que ela não disse é que o significado seria muito maior.

Olho para ele e pisco para afastar as lágrimas. Duvido que Ryker saiba o que significa... ele provavelmente só a achou bonita, mas é difícil não encará-la como um sinal.

— Esta é a flor do adeus — digo. — Das despedidas agridoces.

— Achei que significasse amor eterno — ele diz.

— Não, essa é a violeta azul — explico.

— Acho que Anders não sabe tanto de flores quanto pensa.

— São parecidas — respondo, mas acho que Anders sabia exatamente do significado desta flor ao escolhê-la.

— Podemos fingir que é uma violeta? — Ele sorri.

Desesperada para esconder meus sentimentos, assinto e me viro rapidamente para deixar a flor na beira da mesa.

Quando ele tira o manto, me dou conta de como fiquei boa em fingir.

Fingir não notar as facas que cobrem cada superfície da cabana, facas especialmente projetadas para arrancar minha pele. Fingir normalidade ao comer conservas no mesmo tipo de pote em que guardam partes do nosso corpo para vender no condado. Fingir que nada disso é loucura... que conseguiremos escapar... viver felizes para sempre.

Mas há uma coisa nisso tudo que não é fingimento.

Estou apaixonada por ele.

Talvez não possa passar a vida com ele, envelhecer ao lado dele, mas posso escolher lhe entregar meu coração. Meu corpo. Minha alma. Isso nunca conseguirão controlar em mim.

Desfazendo o laço da minha fita, eu espero por ele.

Ele engole em seco antes de se aproximar.

Respirando fundo e devagar, ele enrosca a fita no dedo.

Nossos olhares se encontram. A energia que irradia entre nós é tão intensa que parecemos capazes de incendiar o mundo todo.

Ele puxa a fita, soltando minha trança, e eu sei que deveria desviar o rosto, olhar para Deus, como aprendi, mas, neste momento, tudo que quero é que ele me veja. Quero ser vista.

Quando ele tira minha camisa, é como se erguesse meu véu.

Quando desabotoo a calça dele, estou aceitando sua flor.

Quando ele pressiona a pele contra a minha, a flor que escolheu para mim se abre, enchendo o espaço com um perfume inebriante de desejo e dor. Inteiramente efêmero. Totalmente proibido. E completamente fora do nosso controle.

Largo a fita no chão, a última marca de restrição do condado sobre mim, e o levo para a cama.

Ele é um predador. Eu sou a presa. Nada mudará esses fatos. Mas, nesta cabana em cima da árvore, longe de casa e dos homens que nos nomearam, ainda somos seres humanos e desejamos conexão, sentir algo além de desespero neste ano sombrio.

Com nada além da lua e das estrelas como testemunhas, ele se deita ao meu lado. Juntamos nossas mãos, entrelaçamos os dedos e respiramos juntos. Aqui é exatamente onde devemos estar. Não há dúvida nem questionamento. E, quando seus lábios encontram os meus, o mundo desaparece.

Como magia.

À noite, deitada ao lado dele, decoro cada centímetro seu com meus dedos. Cada cicatriz. Cada reentrância entalhada em seu corpo. Cochicho segredos em sua pele, tudo o que já quis contar e, quando me falta o ar, deixo a flor azul na palma da mão dele. Ele saberá o que significa. Por mais agridoce que seja, não consigo deixar de pensar que sobrevivi exatamente para esta ocasião. Porque palavras me faltariam, minha boca me trairia, mas essa flor dirá tudo o que ele quer ouvir, tudo o que ele precisa dizer a si mesmo. Ele pode ler cada pétala, cada curva, cada ponta do caule, mas o significado será o mesmo. Adeus.

Ele provavelmente vai se perguntar se fez alguma coisa ou disse algo que me levou a partir, ou talvez pense apenas que me assustei com Anders. Qualquer que seja o motivo, qualquer que seja a dor, ele entenderá que foi melhor assim... inevitável.

Ele salvou minha vida. Agora é minha vez de salvar a dele.

Junto minhas coisas e desço a escada. Vejo que Anders cumpriu o prometido, deixando a vela e o manto ali embaixo, mas a vela já queimou toda, restando somente uma poça de cera líquida. Olho para o céu e o pavor me assoma. Pensei que ainda fosse de madrugada, mas o sol já nasceu há horas, só está escondido atrás de nuvens escuras e pesadas. Demorei demais.

Eu me cubro inteira com o manto, o corpo e o rosto, então sinto cheiro de carne fétida e ervas amargas. O cheiro de Anders.

Esbarro em algo pendurado na escada, mas rapidamente o seguro para interromper o barulho. Conheço o som. É o sino de vento feito por Anders. Fico pensando se estes são os ossos descartados de garotas do Ano da Graça. Se o mesmo acontecerá comigo.

Parece errado me afastar da costa, andar na direção da cerca. Parece que meu corpo não deveria ir. Anders disse que deixaria a trilha indicada. Estou procurando por um padrão, qualquer coisa que se destaque, quando noto folhas amarelas-alaranjadas de erva daninha borboleta marcando uma trilha. O significado não poderia ser mais claro: vá e não volte nunca mais. Anders definitivamente conhece a linguagem das flores.

Enquanto sigo a trilha de pétalas, parte de mim se pergunta se tudo isso é uma armadilha elaborada, um caminho que me levará à ponta da faca de Anders, mas quando passo pelas últimas árvores e dou de cara com a enorme cerca, sei que ele foi sincero em cada palavra. Mas onde está o buraco no cercado? Estou me perguntando se demorei demais, se Hans já o consertou, quando vejo uma pilha gigantesca de folhas amontoadas junto à cerca. Eu me ajoelho e começo a revirá-las, ao mesmo tempo aliviada e devastada por descobrir que o buraco ainda está ali. Menor do que eu lembrava.

Mas o mundo todo era menor antes.

Estou prestes a engatinhar para o outro lado quando ouço um som estranho atrás de mim. Como seda sendo acariciada por dedos ásperos. Eu disse a mim mesma que não olharia para trás, mas, por instinto, viro a cabeça. Não há nada ali. Nada que eu possa ver, mas a primavera está em flor, e tudo parece escondido de mim pelas folhas. Até o topo da tocaia de Ryker foi engolido pela folhagem. Nada além de uma lembrança. Outro sonho que eu tive.

Me arrastando pelo buraco, eu arranco o manto, mas não consigo me livrar do cheiro de Anders, da faca dele na minha garganta.

Eu me apoio em um pinheiro, tentando respirar e me recompor, mas retornar ao acampamento traz novamente a sensação de claustrofobia.

Encaro a trilha à frente e penso em me esconder na floresta, esperar o restante do ano passar. Aprendi muitos truques de sobrevivência com Ryker nos últimos meses, mas isso seria optar pela saída covarde. Eu nunca conseguiria viver sabendo que poderia ter ajudado as garotas, que poderia ter feito isso parar.

Apesar de tudo o que fizeram comigo, elas merecem saber a verdade.

A mata está diferente desde a última vez em que estive aqui, todos os tons de verde crescendo ao meu redor, mas as rochas, as árvores e as trilhas irregulares parecem ter sido gravadas em minha memória. A cada passo, tento não lembrar a loucura, a crueldade e o caos, mas assim que chego ao perímetro do acampamento, à beira da clareira, meu coração começa a bater com força no peito, minhas palmas suam, minhas pernas tremem. Não faço ideia do que farão comigo, mas agora é tarde demais para desistir.

Amarrando a fita vermelha de seda no punho, entro no acampamento.

Espero uma comoção agitada, o mesmo pânico excitado de quando os caçadores voltam da mata, retornam dos mortos, mas ninguém parece me notar. Na verdade, as primeiras garotas que passam por mim parecem nem me enxergar. Eu me pergunto se elas pensam que sou um fantasma, uma aparição que veio assombrá-las. Por um momento, me pergunto se isso é verdade. Talvez eu tenha morrido aquela noite, talvez Ryker tenha me estripado, talvez isso tudo seja uma alucinação elaborada que eu mesma criei.

Porque, mesmo livre do veneno da água do poço, me sinto tonta na presença delas. Transparente. À flor da pele. Como se qualquer brisa pudesse me transformar em poeira estelar.

— Eu conheço você. — Uma garota tropeça na minha direção. Acho que é Hannah, mas é difícil saber, devido à sujeira e terra. — Tierney Terrível.

Assinto.

— Tinha alguém te procurando. — Ela coça a cabeça, mas acaba arrancando um tufo de cabelo. — Não lembro quem era — ela completa, antes de seguir seu caminho.

Cuidadosamente, ando pelo acampamento. As panelas e chaleiras estão amontoadas perto da fogueira, com comida podre no fundo, arroz espalhado no chão, potes e latas vazios jogados. Baratas brigam pelos restos. Passo pela gaiola de Pombinha, certa de que a encontrarei morta, mas me deparo com um passarinho magrelo encolhido num dos cantos. Ela não arrulha, mas pia com ferocidade quando passo um dedo pela grade para acariciá-la.

— É assim que ela diz bom-dia — uma voz fraca diz atrás de mim. Eu me viro e vejo Vivi se arrastando até o portão, onde uma parte das outras meninas está agrupada.

Os galhos da Árvore do Castigo estão pesados, repletos de novos enfeites, o solo encharcado de sangue fresco. Há uma garota atrás da árvore, tão magra que quase não a vejo. Ela acaricia uma trança comprida e ruiva que obviamente antes estava presa à sua cabeça. Me faz pensar em Gertie. *Onde ela está?*

Abro a porta do alojamento e o fedor me atinge como uma carroça desgovernada.

Urina, doença, podridão e imundície. Eu me pergunto se já fedia assim quando eu morava aqui, ou se é novidade.

Há algumas garotas deitadas nas camas, tão imóveis que por um momento penso que estão mortas, mas detecto o movimento leve de sua respiração. Eu as encaro, mas elas não olham para mim. Parecem estar perdidas em mundos imaginários.

Encontro o espaço onde ficava minha cama. Lembro o medo que senti da última vez em que estive aqui, mas também me lembro de Gertrude, Helen, Nanette e Martha, de conversarmos até tarde da noite. Tínhamos tanta esperança no começo. Achávamos mesmo que poderíamos mudar tudo, mas, uma a uma, elas sucumbiram à influência da água... de Kiersten.

As camas delas sumiram. Eu digo a mim mesma que talvez só tenham sido levadas para o outro lado do quarto, mas quando olho para a pilha crescente de estruturas de ferro no canto, sei que estou me enganando.

Adoraria me fazer de boba, fingir que dormi tranquilamente todo esse tempo, mas ouvi os grasnos na floresta, dormi todas as noites com um predador, sem fazer nada para ajudá-las, nada para avisá-las.

— Eu sinto tanto, Gertie — sussurro, tremendo.

— Ela não está aqui — diz uma voz no fundo do quarto, fazendo minha pele se arrepiar. Não vejo ninguém ali, mas, indo em direção ao som, uma mão surge debaixo de uma das camas e agarra meu tornozelo.

Eu grito.

— Shhh... — ela cochicha, aparecendo embaixo das molas enferrujadas. — Não grite, senão acordará os fantasmas.

É Helen. Ou o que sobrou de Helen. Há uma cicatriz inchada em formato de meia-lua no lugar de seu olho direito.

— O que aconteceu com você?

— Você consegue me ver? — ela pergunta, abrindo um sorriso enorme.

Assinto, tentando não encará-la demais.

— Fiquei tão invisível que não conseguia mais me enxergar. Tiveram que arrancar meu olho para eu voltar, mas a Gertie... — diz, olhando para longe. — Elas a levaram para a despensa.

— A despensa? — pergunto. — Por quê?

Ela encolhe o queixo contra o peito.

— Gertie era suja demais — Helen ri, mas a risada logo se transforma em um choro suave.

Me afastando dela, saio do alojamento e atravesso a clareira até a despensa. Cada passo parece mais difícil do que o anterior, como se eu estivesse andando contra uma forte corrente. As garotas param e me encaram, Jessica, Ravenna, mas ninguém me interrompe. Ninguém vem atrás de mim. Por enquanto.

O calor grudento fez a porta inchar. Quando consigo abri-la à força, um enxame de moscas escapa, mas tudo que encontro é uma cama coberta de lençóis puídos. Agora entendo o que Helen quis dizer: o cheiro é insuportável. Cubro a boca e o nariz com minha saia e olho bem ao meu redor. As prateleiras foram esvaziadas; há um balde no chão, ao lado da cama, cheio de bile e outros dejetos. Avisto uma capa verde-escura debaixo dos cobertores ásperos de lã.

— Gertie — sussurro.

Nada.

Tento de novo.

— Gertrude?

— Tierney? — responde uma voz baixa.

Fico sem ar. Remexo nos cobertores e a encontro. Ela está esquelética, com a pele da cor de um céu de tarde de janeiro.

— Onde você esteve? — ela pergunta.

Preciso de todas as minhas forças para não desabar.

— Estou aqui agora — digo, segurando a mão dela.

Sinto seu pulso, mas está tão fraco que temo que seu coração pare a qualquer momento.

— Vou cuidar de você — digo, afastando os cobertores e apertando seu corpo, tentando fazer o sangue dela fluir. — Elas pararam de te alimentar? — sussurro.

— Não. — Ela pisca. — Só não consigo segurar nada no estômago.

— Há quanto tempo você está assim?

— Estamos no ano-novo? — pergunta.

— Estamos em junho.

Levanto o pescoço dela para apoiá-lo em um cobertor dobrado, mas meus dedos tocam uma superfície mole e gosmenta. Pego a lamparina empoeirada do gancho e a aproximo para enxergar melhor. O que vejo me causa náusea. Quero vomitar, mas não posso deixar que ela saiba que está tão ruim assim.

— Isso dói? — pergunto, pressionando a pele vermelha e inchada ao redor da ferida na nuca dela.

— Não. Mas acho que perdi minha trança — ela diz, passando a mão em uma linha imaginária onde antes esteve seu cabelo.

Então eu percebo que o tempo deve ter parado para ela naquele dia, quando sua trança foi arrancada de seu corpo. Quando fui banida para a floresta.

— Onde ela está? — A voz de Kiersten sobe pela minha espinha. Eu poderia me esconder, obrigá-la a vir me procurar, mas Gertie já passou por sofrimento demais.

— Já volto — cochicho, cobrindo-a com um lençol, e atravesso a porta da despensa.

Encontro Kiersten andando bem na minha direção, vindo do leste da barreira, cercada por um enxame de garotas. Ela se move como um predador ferido, com passos lentos e calculados, arrastando um machado enferrujado. Preciso de toda a minha coragem para me manter firme.

— Trouxe isso para você — ela diz, balançando o machado à sua frente.

Instintivamente, eu me esquivo, mas ela só larga a lâmina aos meus pés.

— Precisamos de lenha.

Olho bem para ela e vejo seu cabelo sujo e amarelo, o rosto afundado, a pele macilenta, os olhos que já foram azuis agora inteiramente engolidos pelas pupilas... então percebo que não é só Gertie. Kiersten também não se lembra de nada. Ninguém lembra.

Eu me abaixo para pegar o machado, mas ela o segura com o pé.

— Espera aí. Você não pode soltar sua trança até aceitar sua magia.

Todas no acampamento passam a prestar atenção, como se sentissem o cheiro de veneno no ar.

— Eu aceitei — respondo, uma onda de pânico fervilhando no meu peito. — Você me ajudou. Lembra?

O olhar dela se estreita.

— Você me desafiou a entrar na floresta. Eu fiquei muito tempo perdida... à beira da morte...

— Você sobreviveu à floresta? Aos fantasmas? — pergunta Hannah.

— Sim. — Olho para as árvores, me lembrando das histórias de fantasmas que elas contavam ao redor da fogueira. — Eles conversaram comigo... me salvaram... me guiaram de volta.

Espero que meu rosto não deixe transparecer o que acontece no meu estômago. Eu me sinto covarde por mentir, mas é melhor do que perder a língua.

Kiersten tira o pé da lâmina, relutante.

Pego o machado. O cabo ainda está quente por causa de seu toque. Um calor que não sinto há muito tempo me percorre. Parte de mim quer retribuir a gentileza, olho por olho, dente por dente, mas preciso lembrar que o comportamento delas é consequência do consumo da água do poço. Elas estão doentes.

— Eles estão aqui agora? — Jenna pergunta, olhando ao redor da clareira como um animal assustado.

Procuro alguma coisa no acampamento que possa acalmá-las, então vejo Megan de pé perto do portão, quase um fantasma, com uma expressão macabra.

— Tem um bem ali — digo, apontando na direção dela. — Mas é inofensivo. Só está procurando uma saída... só quer voltar para casa.

Quando elas olham para o portão, sei que estão pensando exatamente a mesma coisa.

Kiersten se aproxima de mim, ficando tão perto que posso sentir sua respiração em minha pele.

— Como você sobreviveu na floresta sem comida nem água?

Busco respostas, tentando decidir o que dizer, quando penso em contar a verdade. Talvez eu possa usar isso para ajudá-las a parar de beber a água do poço por vontade própria.

— Os fantasmas... me mostraram uma nascente na floresta. Eu estava muito doente, mas a água me curou.

Cochichos zumbem ao meu redor, como uma colmeia agitada.

Penso que ela vai dizer que estou blefando, que vai me derrubar, mas, em vez disso, empurra o caldeirão na minha direção.

— Prove. — Baratas saem correndo pelos seus pés descalços, mas ela nem repara. — Traga este caldeirão cheio de água dos fantasmas, ou nem pense em voltar — diz.

— Claro. — Engulo em seco. — Só quero falar com Gertie antes — digo, voltando para a despensa.

Kiersten entra no meu caminho.

— Eu cuido da Gertie até você voltar.

Conheço Kiersten bem o suficiente para saber que isso não é uma gentileza. É uma ameaça.

Só quando estou segura, engolida pela mata, que caio no chão da floresta e libero tudo. Não sei se choro por elas ou por mim, mas preciso dar um jeito. Consertar as coisas.

Posso ter quebrado meus juramentos e envergonhado o nome da minha família, mas ainda sou uma garota do Ano da Graça.

Sou uma delas.

E, se não ajudá-las, quem o fará?

Prendendo o machado na minha saia, encontro os vagos indícios da trilha que abri meses antes. Vou cortando os cipós e as barbas-de-velho, mas então um pensamento aflitivo me ocorre. E se eu não encontrar a nascente? E se tiver sido engolida pela floresta, ou tiver secado? Se eu não voltar com o caldeirão cheio de água, elas nunca acreditarão em uma palavra do que digo. Aperto o passo e escalo a inclinação íngreme, aliviada ao encontrar a nascente ali. Me ajoelho ao lado da água. Tudo que quero é tirar a roupa, mergulhar, me refrescar, mas preciso voltar para Gertie. Não gostei da forma como Kiersten falou que cuidaria dela até eu retornar.

Estou limpando o caldeirão quando ouço um som suave, como o que ouvi mais cedo, antes de atravessar a cerca. Sigo o som e subo os rochedos, mas não estou preparada para o que vejo. Como se preparar para algo assim? A garota morta. Seus ossos brancos expostos à superfície. Da última vez em que estive aqui, apenas o crânio aparecia na terra. Sei que a tempestade foi violenta, que arrancou metade dos rochedos e levou minhas sementes embora, mas não achei que pudesse fazer *isto*.

Ando na direção do corpo e noto que ela está encolhida em uma bolinha apertada, cada osso delicado em formação perfeita; até os restos puídos da fita continuam enroscados nas vértebras do pescoço.

Parte de mim deseja poder realmente se comunicar com os mortos. O que ela me diria? Quem fez isso com ela? Por quê? Deixar o corpo abandonado neste lugar é um pecado quase maior do que o assassinato em si. Todas sabemos o que um corpo abandonado significa para nossas famílias. Quem quer que tenha feito isso a odiava a ponto de condenar a família dela inteira. Mesmo depois de tudo que testemunhei aqui, é difícil imaginar que uma garota do Ano da Graça seja capaz de um crime tão cruel.

Uma onda de enjoo me percorre. Eu engatinho até o precipício, respirando fundo, tentando me acalmar, então avisto algo simplesmente incrível. Uma mudinha de ervilha.

Não parece muito, mas me agarro aos cipós e me inclino o máximo possível.

Há vida. Tanta vida.

Abobrinha, tomate, alho-poró, cenoura, batata, cebola, ruibarbo, repolho e acelga — tanta abundância, tanta riqueza que fico sem ar.

— A horta de June — sussurro, meus olhos ardendo em lágrimas. — Não acredito.

Seguro algumas folhas, as únicas que alcanço, e colho cenouras parrudas e algumas beterrabas antes de me ajeitar no lugar. É o melhor que consigo até providenciar algumas cordas, mas renderá uma refeição melhor do que qualquer coisa que elas devem ter comido nos últimos meses.

Quero cantar e dançar, beijar o chão, mas logo lembro que não tenho com quem compartilhar minha alegria. A pessoa para quem eu gostaria de contar está do outro lado da cerca, mas é como se estivesse do outro lado do mundo.

Olhando para a garota morta, penso nas palavras de Ryker. Da morte vem a vida. Meus olhos se enchem d'água, mas não posso pensar nele agora. Não tenho tempo para me emocionar.

Depois de cortar lenha e encher o caldeirão com água fresca, pego um punhado de argila e guardo na minha meia.

Usando uma das minhas saias como bolsa, amarro a lenha nas minhas costas. Os vegetais vão no meu bolso, e as ervas selvagens e flores que coleto, no meu peito. Descer com o caldeirão cheio d'água e levá-lo de volta ao acampamento é difícil, especialmente com a lenha pesada nas costas, mas é a única coisa que pode salvá-las, salvar todas nós.

Quando paro para respirar, noto que este é o ponto da floresta onde eu costumava virar na direção do buraco na cerca, mas não é isso que me faz chorar. Vejo uma flor de tomilho escondida sob um campo de trevos. É uma flor pequena, tão comum que quase ninguém se lembra dela, mas na língua antiga simbolizava perdão. Meu primeiro instinto é pensar em todas as pessoas que magoei, para quem gostaria de dá-la – Ryker, Michael, meu pai, minha mãe, minhas irmãs –, mas nenhuma delas está aqui, e seu perdão está fora de meu alcance. No entanto, há outra pessoa que precisa desesperadamente de perdão, alguém sobre quem tenho total controle: eu mesma. Fiz o melhor que pude com o que me foi dado. Eu me mantive firme nas minhas crenças. Eu sobrevivi apesar das adversidades. Eu me apaixonei e entreguei meu coração abertamente, mesmo sabendo que acabaria ferida. Não posso me arrepender das minhas escolhas, então preciso aceitá-las. Prendo a flor no alto da minha camisa e ouço um movimento atrás de mim.

Provavelmente estou apenas sendo paranoica. Com motivos, já que na última vez em que estive no acampamento elas tentaram arrancar minha língua.

— Kiersten, é você? — sussurro.

Não há resposta, mas ouço o mesmo som leve de arranhão que escutei do outro lado da cerca, na colina. Pode ser qualquer coisa – uma criaturinha correndo pelas folhas, um javali distante raspando sua presa numa árvore – , mas juro que consigo sentir uma presença. Olhares em minha pele. Como se a floresta me encarasse.

Quando chego no acampamento, as garotas me cercam. Elas parecem impressionadas por eu ter voltado viva, *de novo*, mas mais ainda por eu ter trazido presentes.

Kiersten abre o caminho entre elas para inspecionar a água.

— Beba.

Seu olhar se concentra em mim e me dou conta de que ela acha que eu talvez esteja tentando envenená-la. Olho para o poço e quase rio. *Quase*.

Tirando a concha do bolso, pego um pouco d'água e bebo.

— Viu? Está limpa.

Ela está prestes a enfiar as mãos sujas dentro do caldeirão, mas eu a impeço.

— Os fantasmas que me deram isso. Vou dividir com vocês, mas se tentarem roubar de mim, sofrerão as consequências. — Aponto para a floresta. — Eles disseram que cada uma de vocês pode tomar apenas um gole agora. O restante é para o jantar.

Espero que ela me soque, ou pelo menos grite comigo, mas tudo o que faz é estender as mãos delicadamente, como se aceitasse um gole de vinho de uma taça incrustada de joias da igreja.

Mergulho a concha na água e entrego a ela. Kiersten dá um gole, aproveitando cada gota, exatamente como minha mãe faz quando o vinho de dente-de-leão está no fim.

Quando ela acaba, as garotas formam uma fila, esperando sua vez. Kiersten fica de guarda, fiscalizando. Eu me pergunto o que ela está pensando, se acha que ficará mais poderosa ao beber desta água, ou imune aos fantasmas... o que quer que esteja ocorrendo em seu cérebro entorpecido pela cicuta, fico grata.

Depois de a última garota provar da água, Kiersten as afasta com um gesto.

Elas se dispersam devagar e eu expiro longamente, em silêncio.

Descobri a única coisa que ainda as assusta: os fantasmas das garotas mortas nos Anos da Graça anteriores.

Não sei por quanto tempo conseguirei manter essa história, e espero que seja por tempo o suficiente para livrá-las do veneno da cicuta, mas minha maior prioridade é Gertrude. Não só porque ela é minha amiga, mas porque as outras sempre a excluíram, a largaram para morrer, e não vou deixar que isso aconteça de jeito nenhum.

Eu arrasto a cama dela para fora da barraca podre da despensa, para o sol de fim de tarde, e Gertrude pisca, chocada, antes de sorrir para mim. Me pergunto há quanto tempo ela não vê o sol. Cuidadosamente, usando o punhado que trouxe na meia, espalho argila no cabelo dela, no couro cabeludo, depois enxáguo com um balde de água do poço. Esmago as raízes que trouxe, fazendo uma pasta grossa, então aplico diretamente em sua ferida.

Pouco a pouco, esfrego o corpo esquelético de Gertrude com folhas de manjericão e sálvia. Tento tomar cuidado e não expor pele demais de uma vez, para que ela não sinta frio, mas ela treme tanto que até sacode as molas enferrujadas de seu colchão. Eu pergunto se ela está bem, mas ela só sorri.

— Olha que céu lindo — sussurra.

Contenho minhas lágrimas, olho para cima e concordo com a cabeça. Ela está tão incrivelmente grata, mas não deveria se sentir agradecida por isso, por ser tratada como um ser humano. Nenhuma de nós deveria.

Fora a infecção, ela parece mais lúcida do que as outras. Talvez porque não tenha conseguido engolir nada nos últimos tempos, nem mesmo a água do poço.

Ofereço alguns golinhos de água fresca para ela.

— Que gostoso — ela diz, agarrando-se ao copo, tentando engolir tudo.

Eu tomo o copo dela.

— Você precisa ir devagar.

Lembro que Ryker me disse a mesma coisa. É difícil pensar nele cuidando de mim assim, me dando banho, limpando vermes da minha ferida e meu vômito. Eu até o esfaqueei no estômago e ele ainda assim cuidou de mim. Mas não posso pensar em Ryker agora. Não posso pensar em nada além de livrar o acampamento desse veneno.

Quebro gravetos em fios compridos e finos, arrumo a lenha na fogueira e risco a pedra, de novo, de novo e de novo, até acender uma faísca. Estou sem prática, mas a madeira se incendeia perfeitamente. Guardo um pouco da água fresca em um pote de mel vazio na despensa e uso o restante para fazer um ensopado sobre o fogo crepitante.

Junto cenouras, beterrabas, cebola e ervas, então ponho a panela sobreas chamas. Logo todas as garotas do acampamento vêm na minha direção. Até Kiersten aparece, andando em círculos pela clareira como um animal enjaulado. Ela não pediu o machado de volta, então o mantenho por perto, para o caso de me atacarem, mas elas só ficam ali sentadas, passando a língua nos lábios, encarando as chamas.

Não sei há quanto tempo elas não fazem uma refeição. Parte de mim quer recusar dar comida a elas, dizer que é só para mim e Gertie — seria justo —, mas vê-las assim, esqueléticas, imundas, como crânios vazios vivos, me faz lembrar de que não é culpa delas. Foi a água que as fez agir daquela forma. Assim que forem desintoxicadas, tudo mudará.

Uma a uma, sirvo as porções. Ficamos sentadas ao redor da fogueira, como em nossa primeira noite, mas agora há muito menos bocas para alimentar.

Um barulho ressoa no perímetro. As outras garotas também devem ouvir, porque todas olham para a floresta. É o mesmo barulho que ouvi o dia todo, mas acho que é algo além... é familiar... uma lembrança me chamando... mas não consigo recordar onde o ouvi.

— O que eles estão dizendo? — pergunta Jenna.

Todas me olham, e percebo que acham que são os fantasmas. Meu primeiro instinto é dizer que não querem que bebamos a água do poço, mas seria demais. Muito óbvio. Preciso dar um jeito de convencer Kiersten que foi ideia dela. Se eu falar demais, cedo demais, ela saberá que estou tramando algo. É melhor ir aos poucos. Como sei que minto mal, começo com uma verdade.

— É a Tamara — sussurro, sentindo minha garganta fechar ao me lembrar da morte dela. — Ela viveu mais dois dias, com as costas e o peito queimados pelo raio, mas o predador conseguiu usar a maior parte de sua carne.

Elas olham para Kiersten, mas ela finge não notar, continuando a encarar as chamas.

Ouvimos outro som, agora mais perto.

— Quem é? — Jenna pergunta, olhando por entre os dedos de suas mãos.

— Meg — respondo.

As garotas ficam em silêncio.

— Ela desapareceu há meses — Deena sussurra, voltando a se lembrar da melhor amiga. — Achamos que tivesse sido pega pelos fantasmas.

— Não — sussurro. — Ela escapou por baixo da cerca, do lado leste... foi esfaqueada no pescoço. Se afogou no próprio sangue antes mesmo de um predador chegar até ela.

— Pare... pare. — Os ombros de Helen se sacodem. A princípio, acho que ela está rindo, como fez quando jogaram o corpo crispado de Tamara para o outro lado da cerca, mas, quando ela ergue o rosto, vejo que suas bochechas imundas estão molhadas. Ela abre a boca para falar, mas não sai nada. Talvez ainda não consiga dar voz ao que sente, talvez não saiba como, mas posso ver em seu rosto... a semente do arrependimento.

Olho ao redor da fogueira e é difícil imaginar que em poucos meses voltaremos todas para casa, nos tornaremos esposas dóceis, servas obedientes, trabalhadoras. Talvez algumas delas, as que têm mais fé, não se incomodem com nada disso, só se convençam de que tudo aconteceu conforme a vontade de Deus, um mal necessário para que pudessem voltar purificadas. A maioria de nós sentiu pela primeira vez o gosto da liberdade, e algumas podem até gostar de quem se tornaram, mas e as outras, as que só queriam sobreviver? Quando a "magia" passar, quando a memória voltar, como farão as pazes consigo mesmas em relação ao que aconteceu aqui? Ao horror que infligimos umas às outras?

Talvez a água do poço as faça acreditar que tudo não passou de um sonho estranho. Talvez não consigam distinguir fato e ficção, sonho e realidade. Talvez seja isso o que o olhar das mulheres que voltam carrega e que nunca consegui decifrar. Talvez elas nem saibam o que estão sentindo.

Desesperadamente tentando lembrar, mas abençoadas pelo esquecimento.

* * *

Após limpar a despensa, instalo Gertrude de volta lá dentro. As garotas insistiram para abrir espaço para nós duas no alojamento, mas não confio nelas, pelo menos não até estarem livres do veneno da cicuta.

Eu me sento ao lado de Gertie e a alimento com um caldo especial, que fiz com milefólio, gengibre e o que restou da raiz-de-sangue, a planta que usei para tratar sua ferida. Já vi meu pai preparar isso para pacientes infeccionados centenas de vezes.

— Isso deve ajudar com o enjoo e a febre.

— É gostoso.

Ela toma alguns goles, seus dentes batendo, e, ao me olhar, noto um resíduo vermelho ressecado nos cantos de sua boca, exatamente igual ao que vi em minha mãe antes de partir.

Tropeço em minha memória. Não era sangue de garotas do Ano da Graça, mas caldo. Eu me lembro do suor frio na testa de minha mãe, de seus dedos tremendo, de seu quase desmaio na igreja. Ela devia estar doente, mas por que tentaram esconder isso de mim?

Gertrude começa a coçar a cabeça, mas eu seguro a mão dela.

— Nada de coçar — digo. Rasgo uma tira da minha saia e enrolo o linho nas mãos dela, as amarrando como luvas. — É por isso que você está doente. Sua ferida está muito infeccionada.

— Ferida — ela sussurra, como se a lembrança do ocorrido a cobrisse com um véu sombrio. — Quero ver o Velhote Fallow gostar de mim agora. — Ela tenta fazer uma piada, mas não adianta.

Ficamos em silêncio por um tempo, até Gertrude falar de novo.

— Kiersten... — Ela engole em seco. — Preciso contar o que aconteceu.

— Você não precisa me contar nada, não me deve nenhuma expli...

— Eu quero — insiste. — Eu *preciso*.

Aperto a mão dela.

Eu tive o mesmo impulso de contar meus segredos quando estava doente, a mesma necessidade de contar minha história... por via das dúvidas.

— Kiersten achou a litogravura no escritório do pai dela. Ela pediu que nos encontrássemos antes da aula, na igreja, no confessionário, para me mostrar. — Passo um pano frio na testa de Gertrude e ela estremece. — Era meio de julho. Lá fora estava quente, mas dentro do confessionário até que estava fresco. — Ela encara a chama da vela. — Eu me lembro do cheiro de incenso, da almofada de couro vermelho sob meus joelhos, do som de cera pingando no pedestal. — Ela sorri levemente. — Kiersten estava tão esmagada ao meu lado que eu sentia seu coração bater contra meu ombro. Quando ela tirou o pergaminho de debaixo da saia, levei um minuto para entender o que estava vendo. Achei... — Os olhos dela estão à beira de lágrimas. — Achei que ela estivesse querendo me dar um recado. Achei que fosse um tipo de sinal. — Seu lábio estremece. — Eu a beijei. Como já tínhamos nos beijado várias vezes antes. Mas fomos pegas. Eu não estava pedindo para ela fazer aquelas coisas da litogravura. Eu só estava tentando dizer que a amava. Não foi sujo. Eu não sou suja...

— Eu sei.

Acaricio o rosto dela, secando suas lágrimas.

— Quando Kiersten ameaçou contar a você, eu cedi. Achei...

— O quê?

— Achei que, se você soubesse, não ia mais querer ser minha amiga.

— Você achou errado — digo.

Ela me observa, franzindo bem a testa. Quando tenta coçar a nuca de novo, eu a impeço.

— Você precisa se curar.

Ela me encara atentamente, com um olhar assustado.

— Será que um dia vamos realmente nos curar disso? — sussurra.

Entendo o que ela quer dizer. Entendo o que está perguntando.

Tiro a flor de tomilho da minha blusa e a entrego a ela. Seus olhos marejam. Ela tenta pegar a flor, mas não consegue, com as mãos embrulhadas em linho. Começamos a rir. Com esse pequeno gesto, neste minúsculo intervalo de tempo, sei que estamos bem... que Gertrude vai ficar bem.

— O que aconteceu conosco? — ela pergunta, me encarando. — Num minuto estávamos construindo coisas, mudando as coisas, no outro...

— Não é sua culpa. Não é culpa de ninguém... nem da Kiersten.

— Como você pode dizer uma coisa dessas? — ela pergunta.

Não sei quanto de tudo isso ela vai conseguir entender, mas posso confiar em Gertie. Parece que, se eu não contar, de alguma forma nada disso é verdade. Eu me aproximo e sussurro:

— É a água do poço. A alga... é cicuta. É a mesma planta que as velhas das margens usam para falar com os mortos.

Ela olha para mim e percebo que está começando a juntar as peças.

— A tontura, as alucinações, os impulsos violentos, é tudo da água do poço? Mas se a magia não é real... — ela diz, tocando meu cabelo. — Os fantasmas na floresta... Tamara, Meg, você inventou tudo aquilo?

— A parte dos fantasmas, sim, mas o que aconteceu com elas é verdade... como morreram.

— Como você sabe?

Eu me lembro do rosto de Meg, do olhar dela quando a adaga perfurou seu pescoço.

— Porque eu estava lá — cochicho.

Vejo um arrepio percorrer a pele de Gertie.

— Mas se os fantasmas não são de verdade... como você fez aqueles barulhos?

Quero tranquilizá-la e dizer que planejei tudo, mas nunca consegui mentir para Gertie.

— Não fui eu que fiz — sussurro, tentando não imaginar o que mais estaria pela floresta, tentando não pensar na ameaça de Anders.

— Quando você foi embora... Eu achei... — Os olhos de Gertie pesam. Ela luta contra o sono, como Clara fazia na hora de dormir. — É como se... você tivesse voltado dos mortos.

— Talvez seja isso mesmo — sussurro, cobrindo-a com o lençol.
— Fale do paraíso... como é? — pergunta, fechando os olhos.
Quando a última chama da vela finalmente se apaga, eu sussurro:
— O paraíso é um garoto numa casa da árvore, com mãos frias e coração quente.
— Ele disse que voltaria atrás de você — ela diz.
Levo um minuto para reconhecê-la, para entender que estou sonhando, então vejo a cabeça raspada, a marquinha vermelha debaixo do olho.
— Onde você esteve? — pergunto.
— Eu estava esperando — ela responde, em frente à porta.
— Esperando o quê?
— Você lembrar... abrir os olhos. — Ela escancara a porta.
Acordo assustada, curvada sobre a cama de Gertie, sentindo um cheiro leve de folhas de louro e limão, me fazendo lembrar da farmácia... da minha casa. Eu adorava esse cheiro, mas agora parece forte demais... adstringente demais.
Se foi só um sonho, por que a porta está aberta? Tenho certeza de que a fechei muito bem ontem à noite. Mas eu estava tão cansada que talvez a tenha aberto e não me lembro. Não vou enlouquecer só porque voltei ao acampamento. Respiro fundo e tento me concentrar em algo agradável e verdadeiro: o amanhecer nasce aos poucos, cinza e cor-de-rosa, com nuances de dourado. Acho que este é meu momento preferido do dia, talvez porque me lembre de Ryker. Se eu fechar os olhos, posso ouvi-lo subindo a escada, tirando o manto e deitando ao meu lado, sua pele cheirando a noite e suor.
— Viu, não cocei — Gertie diz, me assustando.
Eu viro o rosto e a vejo erguer suas luvas improvisadas.
— Que bom. — Sorrio para ela, grata pela interrupção, mas ainda mais grata por ver um pouquinho de cor voltar ao rosto dela.
Percebo que ela encara meu ombro esquerdo, a reentrância profunda onde antes havia carne e músculo. Cubro as cicatrizes com minha capa.

— Sinto muito — sussurra. — Nem imagino o horror que você deve ter enfrentado lá fora.

Quero contar a ela sobre Ryker, contar que ele salvou minha vida, que eu só parti para salvar a dele, mas nem todos os segredos têm o mesmo peso. No condado, se descobrissem o segredo de Gertie, ela seria banida para as margens, mas se descobrissem o meu, eu iria para a forca.

— Você precisa me ensinar a fazer uma trança assim — ela diz, tentando mudar de assunto. — Quer dizer... quando meu cabelo crescer — acrescenta.

Toco meu cabelo e noto que ele foi penteado em uma elaborada trança embutida.

Solto as pontas da trança e sacudo o cabelo, como se estivesse cheio de cobras. Eu não poderia ter feito algo do tipo durante a noite. Eu nem sei fazer uma trança dessas, mas conheço alguém que sabe... Kiersten. Ela usou uma trança parecida no Dia do Véu. Lembro nossa primeira noite no acampamento, quando as garotas falavam de Olga Vetrone, a garota que desapareceu na floresta. Disseram que ela estava sendo assombrada, que os fantasmas trançavam o cabelo dela à noite, amarravam a fita de jeitos estranhos, até ela enlouquecer. *Bela tentativa, Kiersten.*

Depois de ajudar Gertie a se situar, saio da despensa e encontro Kiersten e as outras garotas aglomeradas ao redor do poço. Quando começo a atravessar a clareira na direção da latrina, elas param de falar. Todas se viram para mim. Sinto os olhares como uma dezena de iscas pesadas enganchando minha pele.

— Venha — Kiersten ordena, e o tom de sua voz faz minhas entranhas encolherem.

Olho atrás de mim, rezando para que não seja comigo, mas não vejo mais ninguém.

Relutante, ando até ela. Tento não entrar em pânico, mas não consigo deixar de pensar que talvez ela tenha me ouvido cochichar com Gertie na noite anterior, que talvez ela lembre que fui banida... que ela me atacou com o machado.

— Mais perto — ela diz, segurando o balde d'água. A mancha de alga verde grudada na corda traz de volta a recordação daquele gosto repugnante, a sensação de a língua estar coberta por veludo molhado.

Jenna perde o equilíbrio e esbarra no braço de Kiersten sem querer, derrubando um pouco da água. Os olhos de Kiersten brilham.

Antes que eu tenha chance de respirar, ela, com força, dá uma pancada na cara de Jenna com o balde. O som dos dentes quebrados me faz estremecer. Sangue jorra da boca de Jenna, mas ela não grita... nem se esquiva. As outras garotas permanecem ali, como se estivessem acostumadas a esses arroubos repentinos de violência. Talvez eu tenha esquecido como é viver entre elas.

— Isso é para a Tierney — Kiersten diz, me oferecendo o balde.

O sangue de Jenna escorre pela borda, revirando meu estômago, mas Kiersten nunca confiará em mim se eu recusar. É um teste.

Pego o balde da mão dela e finjo tomar um gole, mas ela o empurra com força, obrigando o líquido a entrar na minha boca. Engasgo com cicuta, sangue e maldade, enquanto elas todas riem, suas pupilas ensandecidas me encarando.

Mal consigo chegar à floresta antes de me curvar e vomitar cada gota de líquido do meu estômago. Ofego diante da minha própria sujeira, me perguntando se cometi um erro terrível ao voltar para cá. Eu deveria ter usado o manto para ir embora deste lugar e nunca mais voltar...

— O manto — arquejo. *Anders.* É isso que a garota do sonho queria avisar? Ele disse que viria atrás de mim se eu não seguisse exatamente suas instruções, e eu deveria ter deixado o manto do outro lado da cerca.

Corro até o buraco na barreira, no lado leste, e paro de repente quando vejo que o manto não está mais ali. Ando pela área, tentando entender o que pode ter acontecido com ele. Talvez eu o tenha enfiado no buraco e simplesmente esquecido. Estava frustrada. Só me lembro de querer arrancá-lo de mim o mais rápido possível. Ou talvez um animal o tenha roubado... afinal, estava fedendo. Anders pode ter passado pelo buraco para pegá-lo de volta. Ele deixou claro que não tinha medo de cruzar a cerca. A cerca... foi consertada. Eu me ajoelho ao lado dela, passando a mão pelo pedaço fino de cedro que foi enfiado ali, e um sentimento estranho me toma. Achei que levaria pelo menos alguns dias para consertá-la, que trocariam a tora inteira. O trabalho está malfeito, mas não entendo por que me importo tanto. Talvez eu só quisesse ver um rosto amigo, agradecer Hans por devolver meus mantimentos quando chegamos, mas é mais do que isso.

A janela para Ryker foi fechada.

E parece irreversível.

Dando as costas para a cerca, prometo nunca mais voltar. Nada de bom pode sair dali.

Então me concentro na tarefa mais importante deste momento: devolver as garotas ao mundo... a elas mesmas. Seria mais simples levá-las à nascente, mas acho que, mesmo dopadas de veneno de cicuta, eu não conseguiria convencê-las a entrar na floresta comigo. As histórias de fantasmas estão arraigadas demais, são verdadeiras demais para elas, e eu não ajudei em nada com o que contei ontem.

Terei que levar a nascente até elas.

Como o acampamento fica numa região mais baixa, acho que posso construir um tipo de sistema de irrigação, mas, sem canos ou ferramentas, precisarei de criatividade.

Quando apoio a mão no tronco de uma bétula para pular uma pilha de cocô de veado, a casca da árvore se solta sob minha palma suada. Lembro que Ryker enrolava as cascas e as usava no telhado para drenar a neve derretida.

Usando o machado, faço um corte fundo na casca e arranco uma tira comprida. Se eu enrolar tiras o suficiente e conseguir conectá-las, talvez possa formar um cano. É uma tarefa tediosa, descascar todas as bétulas que encontrar, mas também catártica. Passei tanto tempo deitada que esqueci como é bom usar as mãos e a cabeça para um fim construtivo.

Eu junto as cascas para formar um tubo comprido e começo a cavar. Lembro que, em pleno inverno, tentei preparar o solo para plantar e foi muito difícil, mas agora é quase verão e o solo cede sob a menor pressão do machado. Depois de enterrar o tubo até o alto da inclinação, encaro o desafio de desviar o riacho. Não faço ideia se vai funcionar, mas cheguei até aqui. Cavo uma vala e vejo a água fluir para dentro do tubo. Corro colina abaixo, extasiada ao ver a água escapar ali. Após encher as panelas, me dou conta de que preciso encontrar um jeito de conter o fluxo. Procuro um sobreiro na floresta. Já vi um ou outro por ali. Se serve para guardar a cerveja nos barris lá de casa, deve servir para isso. Encontro uma árvore na inclinação ao norte e arranco um pedaço de seu tronco, entalhando até chegar ao tamanho apropriado. Enfio a rolha no tubo, mas a pressão a expulsa. Preciso de algo para mantê-la no lugar. Empurro uma pedra, seguro a rolha no tubo e uso os joelhos para encaixar a pedra embaixo dela. Espero que as cascas do tubo explodam, que a terra rejeite a água como o esguicho de uma baleia, mas parece que deu certo. Pelo menos por enquanto. Só consigo pensar no presente. E me sinto grata por isso, porque pensar no futuro me levará de volta ao condado, a um lugar muito sombrio.

Coberta de lama, casca de árvore e folhas, eu me arrasto de volta até o alto da colina, entro no riacho e deixo a água fresca me lavar.

Uma flor de macieira boia na superfície e me faz lembrar do banho de rosas que Ryker preparou para mim. Eu a removo da água e dou um mergulho, tentando obrigar a lembrança a ir embora. Quando volto à superfície para respirar, ouço aquele som estranho de novo. Feliz de ter uma distração, saio da água e sigo o barulho até o alto dos rochedos, até os restos da garota, onde a fita puída raspa nos ossos do pescoço dela. Não pode ser o mesmo barulho que ouvi no acampamento, ou o que ouvi do outro lado da cerca. É longe demais. Mas não é isso o que mais chama minha atenção. Parece haver algo enfiado dentro das costelas dela, algo que não tinha visto antes.

Eu me ajoelho ao lado dela e olho mais de perto. Ali, encontro uma flor. Um crisântemo vermelho. A flor do renascimento. Minha pele é percorrida por uma série de calafrios. Como isso veio parar aqui? Estico a mão para pegá-la, tomando cuidado para não tocar os ossos. Está um pouco amassada, mas o caule foi cortado na base, com cuidado e precisão. Penso se foi Kiersten quem fez isso para me assustar, mas nunca vi uma flor dessas no acampamento. Não consigo deixar de pensar na flor que Ryker me deu, que Anders o ajudou a encontrar, e me pergunto se o crisântemo veio de fora da cerca.

— Pare, Tierney — sussurro para mim mesma, esmagando a flor entre meus dedos. — Pare de paranoia. É só uma flor.

Mas uma flor nunca é só uma flor.

Pisco devagar e com força, como se assim pudesse pôr minha cabeça em ordem, mas quando abro os olhos, tudo continua igual.

Talvez seja só um resquício de água do poço se infiltrando no meu organismo, ou exaustão, mas parte de mim não consegue deixar de se perguntar se, ao fingir aceitar minha magia, dizer que eu podia me comunicar com os mortos, eu atraí o fantasma.

Verão

VERÃO

Os primeiros dias com as garotas são os piores: elas choram, se enfurecem, querem arrancar a própria pele com as unhas. Lembro que também me senti assim quando fui banida para a floresta, andando aos tropeços, tentando encontrar um caminho de volta para algum tipo de realidade.

Mas nos meses seguintes, parecemos entrar em uma rotina instável.

Na primeira lua cheia, todas sangram ao mesmo tempo. Não há nenhum castigo, nem novas alegações de magia, mas ainda me sinto fora de sincronia, fora do tempo.

Apesar de não ter bebido sequer uma gota de água do poço, às vezes sinto que bebi. São coisas pequenas: o barulho áspero parece me seguir em todo lugar; os ossos no rochedo parecem se mexer um pouco todo dia, virando a cabeça para o sol e os dedos para a terra, inclinando o quadril — como se ela pudesse ficar de pé a qualquer momento. Talvez seja só o poder da minha imaginação que me deixa assim. Conto histórias de fantasmas toda noite para satisfazer as garotas. Talvez eu esteja começando a acreditar nas minhas próprias mentiras, mas, quase todo dia, acordo sentindo cheiro de limão e louro e encontro meu cabelo trançado. Não comento nada com ninguém, porque não quero dar essa satisfação a Kiersten, mas vejo nos olhos dela que sua frustração comigo cresce.

Meu maior obstáculo, de longe, é impedir que meus pensamentos atravessem a cerca, andem até a enseada e subam a escada até a melhor coisa que já senti.

Quando tenho forças, me levanto e me coloco em movimento, encontrando uma ocupação: tranço cordas, reconstruo os barris para armazenar água da chuva, limpo e nivelo a trilha, para garantir uma largura suficiente para carregar a água sem desperdiçar uma gota. Mesmo assim, à noite, quando todas dormem e meu sono falha, não tenho outra escolha além de ficar ali sentada, revivendo, em um ciclo torturante, cada detalhe de minha última noite com Ryker. Às vezes, fecho os olhos e tento encontrá-lo nos meus sonhos, mas nunca mais tive um sonho. Com nada. Até a garota parece uma lembrança distante, alguém que conheci um dia... mais uma coisa que me abandonou.

Apesar de as garotas terem acesso a muita água fresca, ainda bebem do poço de vez em quando. Talvez seja por autopreservação, porque sabem o que o corpo pede.

Lembro que meu pai tratava os caçadores do norte servindo golezinhos de uísque de hora em hora. Não era o suficiente para satisfazê-los, mas servia para impedi-los de cair no pior da abstinência. E é exatamente isto o que está acontecendo aqui: abstinência. Não imagino como deve ser parar de ingerir veneno de cicuta de repente e andar por dois dias sem parar, expelindo tudo do corpo. Não me surpreende que as garotas voltem ao condado tão fora de si: metade delas morreu e a outra metade queria ter morrido.

Desta forma vai demorar mais, mas pelo menos elas não sentirão que seus ossos estão virando do avesso. Espero que pareça natural, como se estivessem se livrando da magia aos poucos, o que não está tão distante da verdade.

Algumas das garotas já estão bem o suficiente para demonstrar interesse em me ajudar no acampamento. No começo, me incomoda o olhar insistente de suas pupilas escuras, mas, conforme elas voltam lentamente ao mundo, eu lhes dou pequenas tarefas. Uma delas é cuidar de Helen. Ela me segue como uma sombra e rouba tudo que deixo para trás. Se uma colher some, aparece debaixo da cama dela. Se um botão desaparece, aparece no bolso dela. Mas é difícil me irritar com Helen. Ela não se recuperou tão bem quanto as outras. Não sei se conseguirá se recuperar algum dia.

Pelo lado bom, Pombinha retomou o arrulhar alegre de costume. Helen até permitiu que eu carregasse o passarinho um pouco, mas é melhor não me apegar. Lembro a Helen que vamos ter que deixar a pombinha para trás quando os guardas vierem nos buscar, mas ela não quer me ouvir. As mulheres não podem ter bichos de estimação no condado; *nós* somos os bichos de estimação.

Fora as visitas noturnas perturbadoras, Kiersten se mantém longe de mim. Mas, se tem uma coisa que aprendi sobre ela, é que nunca posso abaixar a guarda. Eu a observo, às vezes passando a noite toda acordada para tentar pegá-la entrando na floresta para mexer nos ossos, mas ela não parece sair do acampamento. Ela também me observa. Às vezes, quando nos reunimos ao redor da fogueira, eu a vejo me seguindo com os olhos como se fosse uma predadora. Tento ignorar, fingir que não me assusta, mas a verdade é que, quanto mais eu as ajudar, mais elas vão lembrar.

Conforme a segunda lua cheia se aproxima, eu me pego andando pelas sombras. Não me sinto mais confortável em lugar nenhum. Nem no meu corpo. Nem na minha pele.

Não é só o barulho da fita, ou os ossos remexidos no rochedo, mas uma presença que sinto sobre mim em toda parte. Até as garotas, que eu achei que estariam mais conscientes agora, ainda passam a maior parte do tempo ouvindo o vento, perdidas nas nuvens, falando da magia como se fosse real e presente. No começo, pensei que fosse só para agradar Kiersten, uma estratégia de sobrevivência, mas temo que seja mais do que isso. Talvez seja algo de que elas não querem abrir mão.

À noite, quando o sol abre espaço para a lua e um milhão de estrelas faz com que eu me sinta menor que um grão de areia, fico de pé no perímetro, ouvindo o barulho áspero e insistente. Está tão escuro que mal posso enxergar poucos palmos à minha frente, mas não consigo parar de imaginá-la ali, com a fita presa ao redor do pescoço, raspando nos ossos da garganta.

— Tierney — Gertrude me cutuca. — Elas fizeram uma pergunta.

Eu me viro e deparo com o acampamento todo olhando para mim.

— E aí? — insiste Jenna. — O que elas estão dizendo?

Ainda não falei da garota do rochedo; talvez eu considere sagrado demais, verdadeiro demais, então seria quase como um tipo de traição. Por outro lado, talvez seja o único segredo que eu não precise carregar sozinha.

— Não sei o nome dela — respondo —, mas seus ossos estão no rochedo mais alto desta ilha.

Quando fico de costas para a floresta, o barulho parece soar ainda mais insistente, mais... furioso, mas não deixo que me detenha.

— Vocês estão ouvindo isso? — pergunto. — É o barulho da fita vermelha puída dela, enroscada nos ossos de sua garganta. Ela foi estrangulada com tanta violência que a fita rasgou.

— Talvez ela esteja tentando encontrar a outra parte da fita — diz Jenna. — Como na história de Tahvo.

— Aquele viking? — pergunta Lucy.

Jenna assente, animada, e começa a contar:

— A tripulação toda se voltou contra ele e o esfaqueou cem vezes até ele morrer. Em vez de cremarem o corpo, um enterro digno de um guerreiro, deixaram seus ossos apodrecerem em uma costa distante. — Jenna se inclina para a frente e o fogo dança em seus olhos. — Mas em toda lua cheia ele se erguia dos mortos para se vingar. Levou oito anos para caçar cada um dos tripulantes e suas famílias. Só então ele teve a pira funerária que merecia e sua alma subiu ao céu.

Tento não deixar minha imaginação ir longe demais, mas e se as garotas do Ano da Graça da menina morta fizeram isso com ela? Talvez ela esteja atrás de vingança. E se estiver presa ao acampamento para sempre... talvez sejamos o mais perto disso que ela vai encontrar.

* * *

Quando Gertrude e eu nos instalamos na despensa, encharcadas de suor, ela diz:

— Se você não for deixar a porta aberta, é melhor pelo menos tirar a capa.

— Estou bem — digo, apertando ainda mais minha capa contra o corpo.

— Se estiver com medo da Helen roubar...

— Já disse que estou bem — digo, mais irritada do que gostaria, abraçando o machado.

O som dos dedos dela acariciando a pele cicatrizada em sua nuca me dá nos nervos.

— Você não anda bebendo água do poço, né? — pergunta.

— Não. — Olho para ela atentamente. — Claro que não.

— Então o que é... o que você não quer me contar?

Eu respiro fundo.

— Lembra que falei dos ossos no rochedo?

— Essa história de hoje foi ótima. E aquilo que a Jenna falou daquele viking... quase acreditei...

— Acho que pode ser verdade.

— O quê? — ela pergunta, tentando esconder os calafrios em seus braços.

— O barulho que escuto no campo... é o mesmo que escuto na colina... a fita raspando nos ossos.

Ela me encara por um momento e cai na gargalhada.

— Muito engraçado.

Rio junto com ela e me viro para o lado para que ela não veja as lágrimas em meus olhos.

— Você finalmente acordou — Gertie diz, ajeitando os potes de conserva na prateleira atrás dela. — Passei o verão todo implorando para você abrir a porta, e você só decide abrir agora que esfriou?

— Não abri — digo, me sentando e afastando a capa da minha pele.

— Eu te escutei — ela diz, revirando os olhos. — Ah, e que toque de mestre apagar a vela, arranhar a fita. As garotas vão amar.

— Do que você está falan...

Procuro a fita que estava amarrada no meu pulso, mas então congelo. Não está aqui. Não está no meu cabelo. Em pânico, me ajoelho no chão para procurar.

— Perdeu alguma coisa? — ela pergunta.

— Helen — suspiro, me levantando para ir até o alojamento. Ela precisa parar com isso de se esgueirar por aí, roubar as coisas dos outros. Não quero brigar com ela, mas ela precisa parar com isso se quer sobreviver ao condado.

Quando passo pelo poço, olho para baixo e vejo meu reflexo, uma linha vermelha cruzando meu pescoço. Volto e encaro a água mais uma vez. Meus dedos voam para o meu pescoço, e eu faço uma careta quando toco a seda.

Eu puxo a fita, tentando me soltar, mas está amarrada tão apertado que não consigo. Mexo no nó, mas só pareço apertá-lo ainda mais.

Eu me curvo, respirando com dificuldade, e vejo o reflexo de Kiersten bem atrás de mim.

— Cuidado — ela diz, levando as mãos ao meu pescoço e soltando o nó com destreza. — Beijo de Predador — ela cochicha no meu ouvido.

— O quê? — ofego, me segurando na beirada do poço.

— É o nome desse nó — ela diz, enrolando a fita no meu punho e amarrando com um laço delicado. — Quanto mais você puxa, mais apertado fica.

— Como você sabe disso? — pergunto, encarando o reflexo dela na água.

— Na última vez que vi uma garota olhar para a água assim, eu a fiz se afogar. Você se lembra da Laura, não lembra?

Engulo em seco.

— E, se me lembro bem, você não acreditou que foi por causa da minha magia... você não acreditava que nossa magia é real.

— Eu estava errada — sussurro, me virando para ela. — Isso foi antes de eu ir à floresta. Você me ajudou a entender.

Ela me encara, olhando bem no fundo dos meus olhos. Não consigo conter o arrepio que percorre minha pele. Eu achava que as pupilas pretas e enormes eram assustadoras, mas agora que a íris voltou, o tom azul-claro é ainda mais apavorante.

Quer ela tenha feito isso ou não, ela está começando a se lembrar.

Enquanto ela se afasta, não consigo deixar de pensar em quanto tempo levará para Kiersten lembrar que quer me ver morta.

A caminho da nascente, passando pelos rochedos, não olho para os ossos. Não ouço a fita raspando nas vértebras. Eu me atenho ao que estou certa de que é real. A terra não mente.

Quando me curvo sobre a ribanceira, noto que os tomates, abobrinhas e pimentões deram lugar a nabos, brócolis e feijões. As folhas de sumagre perto da costa estão diferentes. Até o ar parece mais fresco. A estação está prestes a mudar. E eu também.

Nunca me esquecerei de quando Ivy voltou do Ano da Graça. Quando ela chegou aos tropeços na praça, eu nem a reconheci. Faltavam chumaços de cabelo; seus olhos pareciam falsos, como os botões largos do casaco de inverno do meu pai. Ela caiu na praça antes mesmo do marido levá-la para casa. Por um tempo, achamos que ela não sobreviveria.

Certa vez, me deixaram fazer companhia a ela, enquanto meu pai conversava com o marido dela sobre os cuidados médicos. Lembro que me aproximei para olhar bem para ela, para tentar ter certeza de que era mesmo ela. Pensei que ela talvez tivesse trocado de pele lá fora, que nem as crianças nos contos de fadas. Acho que esse sempre foi meu maior medo no Ano da Graça, que eu me perdesse, voltasse uma pessoa completamente diferente.

Mas só ficamos melhores em esconder as coisas.

Eu costumava me perguntar como as mulheres fingiam não ver o que acontecia no condado, bem debaixo do nariz delas, mas algumas verdades são tão horripilantes que é impossível admiti-las até para si mesmo.

Agora eu entendo.

Na volta para o acampamento, quando escuto um galho quebrar atrás de mim, não paro para escutar melhor ou avaliar o que pode ser, só continuo a empurrar a carroça pela trilha. Sou eu quem dá poder a isso, e não quero mais. Nada de jogos. Nada de distrações.

Hoje, quando nos sentamos ao redor da fogueira e elas me perguntam o que os fantasmas dizem, eu respondo:

— Não os escuto mais.

É pelo bem do acampamento. Pelo meu próprio bem.

Há uma longa pausa. Um silêncio tão gritante que posso senti-lo ecoar ao redor da fogueira, como uma brasa implorando para ser reanimada.

Quando penso que então é isso, que acabou, Jenna se empertiga e olha para a floresta.

— Eu os escuto agora. Desde que comecei a beber a água dos fantasmas.

— Eu também — interrompe Ravenna.

— E eu — diz Hannah, assentindo com tanta força que parece um passarinho se preparando para alimentar os filhotes.

Uma depois da outra, elas começam a contar histórias de fantasmas. Todas muito mais assustadoras do que qualquer uma que eu pudesse inventar.

Gertrude me olha, confusa.

Mas eu entendo.

A cicuta simplesmente ajudou as garotas a ver aquilo em que elas já acreditavam.

Acordo com o som de passos na clareira. Provavelmente é Helen; ela costuma vagar durante a noite. Sempre espero que uma das garotas se levante para vir buscá-la, mas elas nunca aparecem. Elas cansaram de cuidar dela. Todas cansamos. Quando me levanto para abrir a porta, ouço o barulho áspero da fita vermelha penetrar meu sangue. Quero me convencer de que é apenas Kiersten tentando me assustar, mas sinto uma presença sombria escorrendo sob a porta.

A maçaneta da porta se abaixa. Eu me preparo, pronta para encarar o que quer que esteja me assombrando, quando um grito de enregelar os ossos ressoa, vindo do alojamento. Gertie acorda de repente. Puxo a porta com força, tentando abri-la, mas a madeira parece inchada. Quando finalmente consigo abrir, apenas vislumbro uma figura se movendo pela cerca, como uma sombra.

As garotas estão aglomeradas do lado de fora do alojamento, gritando e chorando.

Corro pela clareira e encontro Becca no centro da aglomeração, com os olhos arregalados, tremendo.

— Eu estava indo para a latrina... quando vi... — choraminga.
— Um fantasma perto da porta da despensa.
— Alguém viu a Pombinha? — Helen pergunta.

Ravenna a empurra.

— Era a Ami ou a Meg?

— Não. Não era um fantasma assim...

— Pombinha, cadê você? — chama Helen.

Todas a mandam ficar quieta.

— Não vi braços nem pernas — continua Becca. — Só vi *olhos*. Olhos escuros, me encarando das sombras. Não sei explicar, mas o que quer que fosse... parecia do mal.

Predador. Sinto calafrios. Será que Anders está aqui?

Sei que demorei para deixar a casa de Ryker. E que posso ter esquecido de passar o manto para o outro lado da cerca, mas, de resto, fiz o que ele pediu. Abandonei Ryker, minha única chance de ser verdadeiramente feliz. Isso não foi o suficiente?

Enquanto as outras voltam ao alojamento para dormir, eu me sento em um dos troncos ao redor da fogueira. Não olho para as chamas e penso no que poderia ser. Olho para a floresta e penso no que será.

Por meses, senti algo crescer, se mover nas sombras ao meu redor; por mais que eu tenha tentado racionalizar, manter distância, esse algo veio bater à minha porta. Chega de me esconder. Chega de negação.

— Se você me quer, pode vir me pegar — sussurro para a floresta.

A única resposta é o som da fita arranhando meus nervos.

Seja Anders, seja um fantasma, estou finalmente pronta para encarar a verdade.

Toda a verdade.

Fios longos de cabelo fazem cócegas no meu braço.

A princípio, acho que estou sonhando com minha casa, com Clara e Penny entrando sob as cobertas para me acordar, mas o peso é maior, o hálito que sinto é fétido. Abro os olhos e encontro Kiersten agachada em cima de mim, pressionando o machado contra meu pescoço, seus olhos brilhando como safiras na luz do amanhecer.

— Por que você voltou? — ela sibila em meu ouvido.

— P... para me livrar da magia — gaguejo. — Que nem você.

Quando as outras garotas começam a se aproximar, Kiersten afasta a lâmina, mas quase posso ver as engrenagens rodando em sua cabeça. Ela está se agarrando às lembranças, tentando dar sentido a elas. Kiersten me estuda de tal forma que sinto como se ela estivesse a um triz de lembrar tudo.

Saindo de cima de mim, ela volta para o alojamento e bate a porta ao entrar.

Sentada ali, limpando os cotovelos, olho ao meu redor e tento entender o que deu errado. Elas estão praticamente limpas do veneno de cicuta. Posso ver em seus olhos, mas elas ainda se comportam como animais selvagens.

Gertie corre na minha direção.

— Aqui, deixa eu te...

A respiração dela para assim que me encara.

— Minha capa — sussurro, passando os braços em torno de minha camisa gasta, tentando me cobrir o melhor que posso.

— Pode usar a minha — ela diz, se afastando, como se tivesse visto um fantasma.

— Se estiver procurando a Helen — diz Vivi, andando pelo perímetro —, eu a vi logo antes de amanhecer. Estava procurando a Pombinha. Se quer saber, já era hora daquele passarinho voar. A asa está curada há meses. — Ela passa a mão pelos galhos de uma sempre-viva e arranca um ramo. — Não sei por que você nunca tira essa porcaria rasgada, nem mesmo quando está fazendo um calor dos infernos.

— Não é da sua conta — digo, irritada. Mas assim que ela se afasta, me sinto culpada.

— Helen provavelmente está do lado oeste da cerca — Gertie diz, me entregando a capa dela. Eu a visto. É pequena demais, mas é melhor que nada. — Se quiser, posso ir...

— Não tenho tempo para isso — digo, andando na direção da cerca.

— Por quê? O que houve?

— Nada — tento tranquilizá-la, mas por dentro estou gritando. — Só quero pegar as últimas frutinhas de verão no limite sul do acampamento. Vou dormir na floresta hoje... volto amanhã cedo — digo, entrando na floresta, desesperada para fugir daquele olhar de pena. Temo ter dito demais... que ela saiba demais, mas não posso me preocupar com isso. Tenho problemas maiores agora.

Conforme caminho na direção do riacho, ouço passos leves e rápidos atrás de mim. Meu primeiro instinto é me virar e tentar flagrar quem quer que seja, mas talvez seja exatamente isso que estejam esperando que eu faça. Até agora, sempre reagi a tudo e fui manipulada como uma marionete, jogada de um lado para o outro, mas preciso ser mais esperta.

Então respiro fundo e penso a que lugar posso levar quem está me seguindo. Onde terei vantagem. Há um carvalho gigante um pouco mais à frente, atrás do qual me escondi diversas vezes no inverno.

O mais discretamente possível, eu me abaixo e pego uma pedra do tamanho do meu punho. Penso em Laura, escondendo pedras na barra da saia na trilha para o acampamento. Faz tanto tempo, mas a imagem de seu corpo afundando no lago parece estar gravada nas minhas pálpebras. Um golpe certeiro, por Laura. É só disso que preciso.

Eu me aproximo do carvalho, me forçando a não apertar o passo, a não perder o controle da respiração. Dou a volta no tronco largo, pressiono as costas contra a casca e espero... torcendo para que mordam a isca.

Os passos se aproximam.

Mais e mais perto.

Levanto a pedra, pronta para atacar, quando ouço um grito agudo.

— Gertrude? — Solto o ar.

Ela está diante de mim, os olhos mais arregalados do que o de uma garota assistindo ao primeiro enforcamento de sua vida.

— Você quase me matou — ela diz, encarando a pedra na minha mão.

— O que você está fazendo aqui? — pergunto, olhando para a floresta atrás dela. — Você não deveria me assustar assim.

— Eu... eu só queria ajudar. Já estou me sentindo melhor... ou estava.

Ela olha para baixo, indicando a urina que escorre por suas botas.

Suspiro profundamente.

— Vamos limpar isso — digo, caminhando com ela pela colina até o riacho.

— Você fez tudo isso sozinha? — Gertie pergunta, olhando para as várias cordas e bugigangas que montei.

— Aqui, coloque suas roupas de baixo dentro disso — digo, mostrando a cesta que fiz para lavar roupa na primavera.

Ela tira a calcinha e a deixa na água.

— É para *isso* que está usando seu véu? — ela ri.

— Pareceu apropriado.

— Desculpa por te seguir — ela diz. — É só que...

— É melhor assim — digo, conferindo o cano feito de cascas de bétula. — Você precisa saber como se cuidar... cuidar das outras... por via das dúvidas.

— Que dúvidas? — Ela entra no meu caminho.

Tento desconversar, mas é impossível mentir para Gertie. Meus olhos marejam só de pensar no que devo dizer.

— Não sei exatamente o que aconteceu com você lá fora — ela diz —, mas sei algumas coisas...

Aperto a capa ao meu redor.

— Um garoto numa casa da árvore, com mãos frias e coração quente — acrescenta.

— Você ouviu? — sussurro.

Ela assente.

— Ryker... — digo, acariciando a cicatriz profunda no meu ombro. Uma expressão de dor passa pelo rosto dela.

— Ele...

— Não. Ele me salvou... cuidou de mim. — Meu queixo treme só de pensar nisso. — Ele queria fugir comigo. Começar uma nova vida.

— Então por que você voltou? — Ela franze a testa.

— Eu tenho um dever...

— Tudo está diferente agora — ela diz, segurando minhas mãos. — Você sabe disso.

— Não posso ir a lugar nenhum — digo, escalando o rochedo, tentando fugir das palavras dela.

— Seu tempo está se esgotando — ela diz.

Isso me faz parar. É exatamente a mesma coisa que a garota me disse logo antes de eu encontrar Ryker no lago congelado.

— Se for por causa das suas irmãs — ela continua, me seguindo —, posso defendê-las.

— E arriscar ser banida para as margens?

— Não seria pior do que casar com o Velhote — ela diz. — Além disso, podem abrir exceções... especialmente quando Michael virar líder do Conselho.

Michael. Faz tanto tempo que não penso nele que mal consigo me lembrar de seu rosto. É como um retrato que foi deixado na chuva.

Gertie ofega quando chega ao alto do rochedo.

— Você estava falando a verdade — ela diz, aproximando-se dos ossos.

Eu me junto a ela.

— Ontem, ela estava deitada do lado direito, com as pernas encolhidas.

— E agora ela está de costas? — Gertie pergunta, piscando rápido. — Você está dizendo que o fantasma é real?

— Espero que sim.

Olho para a fita esvoaçando com a brisa.

— Como você pode dizer uma coisa dessas?

— Porque a outra alternativa é ainda mais aterrorizante.

— Tierney. Você está me assustando — ela diz, dando um passo para trás. — O que poderia ser pior que um fantasma vingativo?

— Um predador vingativo — sussurro. — Anders. — Falar o nome dele me deixa enjoada. — Ele descobriu que eu estava com Ryker, disse que se eu não voltasse para o acampamento, mataria nós dois.

— O Ryker sabe...

— Não. Não.

Aperto a mão dela com força. Não aguento mais ouvi-la dizer uma palavra.

— Mas a maldição...

— Não existe maldição nenhuma — digo, lembrando do frasco na farmácia. — É varíola. Anders sobreviveu à doença no ano passado, agora acha que é imune. Ele disse que viria atrás de mim se eu não seguisse suas ordens.

— Mas você seguiu, não? — ela pergunta, ofegando.

Faço uma careta.

— Ah, meu Deus, Tierney. — Ela começa a andar em círculos.

— Mas tudo isso ainda não explica *isso* — Gertie diz, apontando para os ossos da garota.

— Anders — digo, engolindo em seco. — Ele gosta de brincar com ossos.

— Como assim, ele *gosta* de brincar com ossos?

— Ele faz... sinos de vento e outras e coisas com ossos.

— Tierney! — Gertie ergue a voz. — Um predador esteve *dentro* do acampamento... precisamos contar às outras garotas... precisamos avisá-las.

— Não — digo, em pânico. — Ainda não. Só quando eu tiver certeza.

— Você me parece bem convincente.

— Hoje eu vou ficar aqui, escondida no rochedo — digo, pegando os arreios para mostrar a ela. — Preciso vê-lo com meus próprios olhos.

— Tudo bem — ela diz, pondo as mãos no quadril. — Então vou ficar com você.

— Não, você não pode.

Largo a corda.

— Claro que posso. Faço parte disso agora.

— Isso não é brincadeira. — Eu a seguro pelos ombros. — Você não sabe como eles são... o que fazem conosco. — Ela empalidece e eu a seguro com menos força. — Além disso, preciso que você cuide das outras. Se alguma coisa acontecer comigo... — Tensiono o maxilar. Estou com dificuldade de concluir meu pensamento, mas Gertie me ajuda.

— Tudo bem. Mas tenho condições.

— Diga.

— Quando você voltar, quando tiver certeza, você precisa contar a verdade a elas.

Abro a boca para replicar, mas ela me interrompe:

— Não é negociável.

— Certo — concordo, relutante.

— E quando isso acabar — ela diz, com os olhos marejando —, você precisa voltar para ele. Não existe outra opção. Você cuidou de mim aqui. Agora me deixe cuidar de você.

Assinto. Qualquer coisa para que ela não diga mais nada.

Passamos o dia todo no rochedo. Mostro a horta, falo das sementes que June costurou na minha capa, da tempestade que as carregou e do milagre que me recebeu quando retornei.

Dividimos o último tomate do verão sentadas à beira da nascente, conversando por horas, até nossos pés ficarem enrugados como ameixas velhas. Por um breve momento, esqueço tudo, todos os horrores que vivemos, mas assim que o sol começa a se pôr e eu preciso mandá-la voltar para o acampamento, tudo vem à tona de novo. Este é o problema de deixar a luz entrar: depois, quando ela se apaga, tudo parece ainda mais escuro do que antes.

* * *

Quando a lua começa a subir, eu me posiciono entre os arreios e me abaixo no rochedo, o suficiente para estar coberta, mas numa altura em que, de pescoço esticado, eu ainda consiga ver os ossos. É torturante ficar imóvel por tanto tempo, mas pelo menos estou de costas para a enseada, para a cabana de Ryker, que imagino conseguir avistar em meio às copas das árvores. Pensar nisso parece abrir mais uma ferida em mim. Sei que Gertie está certa a respeito de tudo, mas preciso passar por isso antes.

Agarrando a corda, presto atenção ao que está à minha frente. A horta de June na ribanceira. Decido contar todos os vegetais. O que pode ser mais entediante? Doze abobrinhas, sessenta e um feijões, dezoito cebolinhas – repito de novo e de novo até os números não significarem nada além de linhas e curvas unidas umas às outras. Quando a lua está alta no céu e eu já não sinto mais minhas pernas, penso em desistir, voltar ao acampamento e aceitar que tudo não passou de minha imaginação, mas então ouço algo borrifar água na nascente. Talvez seja o rato-almiscarado procurando algum outro molusco, mas soa como algo maior. Destemido.

Passos pesados e úmidos escalam a colina. Escuto uma respiração. Entra e sai. Sai e entra. Quando os passos chegam ao topo do rochedo, aquele tão conhecido som cresce em meu ouvido: a fricção da fita, lenta, regular, deliberada, obsessiva, seguida por ossos se entrechocando.

Estico o pescoço para olhar e acidentalmente esbarro o joelho na ribanceira, derrubando um pouquinho de terra lá embaixo.

Prendo a respiração, torcendo para não ter revelado meu esconderijo, mas o barulho da fita para. O dos ossos também.

Passos pesados andam na minha direção. Eu me agarro às cordas, rezando para estar suficientemente escondida nas sombras e não ser vista. Mas a lua está tão clara. Fértil. Implacável.

O bico de uma bota alcança a beirada. Tenho medo de olhar. Medo de não olhar.

Quando eu ergo o lentamente os olhos, uma brisa sopra do oeste, fazendo uma nuvem cinzenta crescer sobre mim, me escondendo, me cobrindo em uma escuridão tão profunda que pareço estar caindo.

Quando acordo, há um brilho vermelho fantasmagórico vindo do horizonte. No condado, chamamos isso de lua do diabo. Dizem que ficar sob essa luz dá muito azar, mas o que poderia ser pior do que isso? Devo ter desmaiado, mas, se eu tivesse sido vista, estaria morta. Acho que devo minha vida ao vento do oeste. À Eva. Talvez agora estejamos quites.

Eu puxo a corda para subir e saio do meu esconderijo, imediatamente me sentindo como uma mulher perdida há anos no mar. Meu corpo dói, as marcas das cordas parecem que ficarão ali para sempre, minhas pernas e braços pinicam como se tivessem passado anos dormentes, mas nada disso se compara ao que foi feito com ela.

Eu me arrasto até os restos mortais da garota e preciso engolir a bile que sobe no fundo da minha garganta. À vista de todos, os ossos da garota foram dispostos de forma detalhada e minuciosa, braços e pernas abertos com lírios pretos enfiados no lugar dos olhos: a flor da maldade. Da morte.

— Pernas abertas, braços esticados, olhos para Deus — sussurro.

Tiro os maus augúrios dos olhos dela e noto uma mancha vermelha espalhada por sua mandíbula, de um lado ao outro, no lugar onde estariam seus lábios.

Cuspo num pedaço da minha camisa e tento limpá-la, mas então percebo que é sangue.

Vomito tudo o que tenho no estômago.

Só há uma pessoa que não tem medo da maldição...

que gosta de brincar com ossos...

que sabe a língua das flores e onde encontrá-las.

Anders disse que viria atrás de mim. Ele cumpriu sua promessa.

Talvez agora seja hora de quebrar a minha.

* * *

Quando volto ao acampamento, não encontro rostos ansiosos ao redor da fogueira esperando comida, nem Gertie arrumando a despensa. Nada de Pombinha me irritando com seu arrulhar incessante. Eu me pergunto se ainda estão todas dormindo, mas quando vou até o alojamento, vejo que está vazio.

Um pensamento horripilante me ocorre. Ryker disse que, se os predadores perdessem o medo da maldição, todas as garotas do acampamento estariam mortas antes mesmo do dia amanhecer.

Corro pela clareira, entrando em pânico, mas então ouço cochichos e choro vindo de trás do alojamento.

Eu deveria ficar aliviada por vê-las ilesas, mas o jeito que elas estão, aglomeradas em um grupinho, olhando para o chão, me faz hesitar.

— O que houve? — pergunto, sem conseguir esconder o tremor nervoso na minha voz. — O que aconteceu?

Antes que elas possam responder, Kiersten vem na minha direção, com sangue nos olhos e veias pulsando no pescoço.

— Me dê suas mãos — grita. — Deixe eu ver suas mãos!

Olho ao redor, tentando desesperadamente entender o que está acontecendo. Gertrude encontra meu olhar, mas só consegue sacudir a cabeça, chorando.

Kiersten agarra minhas mãos e as inspeciona em todos os ângulos possíveis.

— Ela deve ter limpado.

— Limpado o quê? — pergunto, sem ar.

— Não se faça de desentendida. De onde veio esse sangue todo?

— Não faço ideia do que você está falando.

— *Disso*.

Ela me puxa até eu ficar de frente para a parede dos fundos do alojamento.

Ali, escrito em sangue vermelho, está a palavra PUTA.

Abaixo, na terra macia, um passarinho com o pescoço quebrado e as asas abertas, uma capuchinha amarela sobre o peito. O símbolo da traição.

— Pombinha — sussurro.

Vendo os rostos amedrontados ao meu redor, noto que elas acham que fui eu quem fez isso. É exatamente o que Anders quer. Ele quer que elas se voltem contra mim, que me expulsem.

— Eu... eu não fiz isso... — gaguejo.

— Suponho que você queira que a gente acredite que foi um fantasma. Como você ousa fazer isso com a Helen? Ela é a mais frágil de nós...

— Espere... onde está a Helen? — pergunto.

— Se for por causa da sua capa idiota, pode só...

— Onde está a Helen? — grito.

— Pensamos que ela estivesse com você — Becca diz, virando-se para mim com os olhos vermelhos e marejados.

— Por que vocês pensariam isso? — pergunto.

— Vimos ela correr para a floresta ontem à noite — diz Martha.

— Ela estava usando minha capa? — sussurro.

— Tentamos tirar sua capa dela, mas ela disse que dava poderes — diz Nanette.

Começo a correr para a floresta, então Kiersten berra atrás de mim:

— Isso não acabou, Tierney. Você precisa pagar pelo que fez.

Meu coração martela. Estou tão tensa que daria para me tocar que nem tambor. Arranco pela trilha, gritando o nome dela, quando vejo parte da barra puída da minha capa debaixo de um salgueiro.

O pavor que sinto é sufocante, mas quando puxo a beira da lã e percebo que a capa não está presa ao corpo dela, solto um suspiro.

— Acalme-se — sussurro.

Ela provavelmente só sentiu calor e largou a capa aqui. Quando a visto, porém, noto uma coisa estranha: uma faixa de terra sem nenhuma folha, nova, levando para baixo da árvore. Como se alguém tivesse sido arrastado...

Vou tirando os galhos da frente e a encontro escondida ali embaixo.

— Helen.

Sacudo levemente o ombro dela, mas ela já está gelada. Eu me ajoelho ao lado dela e vejo a fita vermelha amarrada em seu pescoço com tanta força que a pele está cortada. Como a garota no rochedo. Tento refletir, procurando por respostas, mas não entendo por que Anders largaria o corpo dela aqui. Uma caça dessas é tudo o que ele precisa.

Mas a questão não é essa, certo? É pessoal. É comigo.

Ele não vai parar até conseguir o que quer.

E eu vou ajudar.

Enquanto as garotas põem o corpo de Helen na carroça, Kiersten me arrasta pelo cabelo até a Árvore do Castigo.

— Peguem o machado — grita.

Tento pensar no que dizer para me safar, mas cansei de mentir – para elas, para mim. Gertie está certa. A verdade deve vir à tona, eu querendo ou não.

— Tem um predador no acampamento! — grito.

Kiersten ri e me joga na frente da árvore.

— É sempre culpa de outra pessoa, não é, Tierney?

— É *minha* culpa. É tudo minha culpa — digo. — Fui *eu* o motivo da morte de Helen. — Meus olhos se enchem d'água. — Ela estava vestindo minha capa. Ele pensou que fosse eu.

— É por isso que você ficou tão chateada quando sua capa sumiu? — Vivi pergunta.

— Não ouçam essas mentiras. Ela está tentando nos enganar — diz Kiersten.

— É tudo verdade. — Gertie se aproxima. — O fantasma que vocês viram na clareira, o barulho que estávamos ouvindo na floresta, é um predador. A Tierney escapou dele, mas ele veio atrás dela por uma brecha na cerca e agora quer pegar seu prêmio... sua presa que fugiu.

— O vulto na despensa — Hannah diz, arregalando os olhos. — Achei que fosse um fantasma, mas era o manto que eles vestem.

— Vocês não estão acreditando nisso, estão? — pergunta Kiersten, pegando o machado das mãos de Jenna e o erguendo.

— Se você me matar — digo, levantando as mãos —, ele vai se vingar de todas vocês. Ele *me* quer. Só eu posso acabar com isso.

— Acho que ela pode estar falando a verdade — Jenna diz, ao lado de Kiersten. — Por que mais ele teria deixado o corpo de Helen para trás?

Kiersten chuta minha bota.

— Como?

— Vou entrar na floresta. Vou esperar por ele.

— E nós devemos confiar em você? — Kiersten bufa, apertando o machado com mais força.

— O que vocês têm a perder? — digo. — Vocês ganham de qualquer jeito, se ele me matar ou se eu o matar... tudo acaba.

— Kiersten, por favor — Jenna diz, puxando o braço dela. — Estamos tão perto de voltar para casa. Deixe ela para ele.

Kiersten inspira fundo pelo nariz e abaixa o machado.

Fico chocada que ela tenha concordado tão rápido, mas não vou esperar e correr o risco de ela mudar de ideia.

Eu me viro para voltar à floresta, mas ela diz:

— Primeiro, você precisa levar a Helen para o outro lado da cerca.

Meu corpo paralisa.

— Não posso — sussurro.

— Quer que as irmãs dela sejam punidas? Quer que o corpo dela não seja registrado? Ela merece uma morte honrada. E como foi tudo sua culpa...

— Não me obrigue a fazer isso — digo, contorcendo o rosto em agonia, mas sei que ela está certa. É minha responsabilidade.

Vou em direção ao corpo de Helen e as garotas se afastam, abrindo espaço para eu passar. Gertie faz um gesto de apoio, mas vejo que está à beira de desmoronar. Estamos todas.

Empurro a carroça até a cerca e abro o portão; o gemido agudo das dobradiças enferrujadas penetra fundo no meu estômago. Passando as mãos sob os braços dela, eu a puxo da carroça, mas estou tremendo tanto que a deixo cair de um jeito horrível. Lágrimas escorrem pelo meu rosto. Mal consigo respirar. Ela não merece isso.

Apesar de escutar os grasnos dos predadores, ver os vultos sombrios emergindo das árvores, mantenho a calma. Já vi muitos corpos mortos na casa de cura, mas nunca o de uma amiga.

Helen era minha amiga.

Ajeito os braços dela, o vestido, fecho suas pálpebras e cruzo suas mãos sobre o peito. Por respeito. Por amor.

Só espero que alguém faça o mesmo por mim.

Subir a colina é como um sonho... um pesadelo.

Eu me sinto morta por dentro, mas talvez seja exatamente disso que eu precise para sobreviver.

Uso uma corda como guia, junto todos os galhos quebrados que encontro e começo a cavar.

Cavo até de manhã, cavo a tarde toda, então quando o sol começa a se pôr, ainda vermelho no horizonte, eu paro. Queria cavar até alcançar o próprio diabo, mas isso terá de servir.

Afio os galhos, deixando-os com pontas finíssimas, vinte no total, e enterro os lados chatos no fundo do poço. É uma armadilha primitiva, mas Anders também não é nada além disso.

Com mãos ensanguentadas e feridas, escalo pela corda até o alto. É bom respirar de novo, sentir o vento no meu rosto. Desço até a nascente e mergulho minhas mãos doloridas na água fria. Quero ficar ali até não senti-las mais, mas chega de me entorpecer. Desamarro o véu das rochas, esticando-o sobre o poço até estar bem retesado, depois prendo as extremidades no chão com espinhos de pilriteiro. Seria muito mais fácil usar pedras, mas não posso arriscar que ele tropece. Preciso de uma queda direta e livre.

Cubro a superfície com uma camada fina de terra e me afasto para observar meu trabalho.

É o melhor que consigo fazer.

É tudo que me resta.

Enquanto me sento no rochedo, olhando para além da floresta, da cerca e da enseada, penso nas três luas que passaram desde a última vez que vi Ryker. Quero dizer a mim mesma que agora é mais fácil, que às vezes sequer me lembro do rosto dele, ou da voz, mas a verdade é que tenho me agarrado à sua memória como a joias roubadas, que só uso em ocasiões especiais. Mas não adianta mais guardá-las. Ele está comigo o tempo todo.

Quando a escuridão chega, nem tento me camuflar. Quero que ele me veja. Além do mais, quem ousaria tentar se esconder com essa lua no céu?

Logo antes do amanhecer, ouço passos subindo pela colina, passando a nascente, chegando ao rochedo. Uso todas as minhas forças para não olhar, estou decidida a não dar a ele a satisfação de ver meu medo.

Quando ele chega ao topo do rochedo, sei em que momento me avista, porque o som do raspar da fita fica mais intenso… febril.

A cada passo que ele dá, parece estar rasgando partes de mim, até não restar nada além de uma pilha de carne descartada.

Estou convencida de que ele conseguiu ver minha armadilha, que está dando a volta para cortar minha garganta, quando ouço a música mais linda do mundo: o som úmido e entrecortado do corpo dele sendo empalado.

Sob a luz da madrugada, ando até a beira da armadilha. Passei a noite toda fantasiando com o que diria para ele, mas quando olho para a figura dentro do buraco, a carne rasgada por estacas, vejo um rosto que nunca esperei ver ali. É tão chocante que levo um minuto para assimilar, conseguir pronunciar seu nome.

— H-Hans — digo finalmente. — O que você está fazendo aqui?

— A cerca. Achei que você estivesse precisando de ajuda — sussurra, tossindo sangue. — Eu disse que viria ajudar você.

— Mas você não deveria estar aqui.

Levo as mãos ao pescoço. Estou tremendo tanto que mal consigo falar.

— Por favor, você pode me ajudar? — ele sussurra.

— Desculpa... me desculpa — murmuro, descendo pela corda e andando cuidadosamente entre as estacas para não causar mais dor a ele. — Onde você está ferido? — pergunto, me aproximando o máximo que posso. Ele tenta se mover. É então que vejo o estrago: estacas atravessando a virilha, o lado direito do tronco, o braço esquerdo, o ombro, prendendo-o como um dos espécimes que meu pai tem em seu escritório. É um milagre que ele ainda não tenha morrido de hemorragia.

— Isto não era para você — tento explicar, mas estou chorando tanto que ele provavelmente não consegue entender o que digo. — Tem um predador aterrorizando o acampamento...

— Meu braço esquerdo. — Ele faz uma careta de dor. — Você pode tirar a estaca para eu poder mexê-lo?

Concordo com a cabeça, tentando me recompor rapidamente para ajudá-lo. O mínimo que posso fazer é tentar deixá-lo mais confortável, segurar sua mão até o fim.

Eu me inclino sobre o corpo dele, tentando avaliar como soltar a estaca sem machucá-lo ainda mais, quando vejo o brilho de uma faca em sua mão, o cabo na palma de seu punho cerrado. Talvez ele estivesse tentando cortar a estaca, mas como teria pegado uma faca com o braço preso assim? A não ser que ele já estivesse com ela na mão ao cair. Inspirando fundo, sinto o cheiro: louro e limão, o mesmo perfume que eu sentia na despensa ao acordar com o cabelo elaboradamente trançado. É o perfume que Hans compra na farmácia, mas há outro odor além desse. Carne fétida e ervas amargas. O cheiro de Anders. Começo a me afastar dele, então sinto o tecido áspero entre meus dedos. Conheço a sensação de cor. É um manto. Olho para baixo e vejo que ele está vestindo panos cinzentos. É o manto de Anders. O pior, de longe, é o som: a fita sendo incessantemente friccionada. Sigo o barulho com os olhos e o vejo acariciar o bolso da camisa, como sempre fez no condado, mas agora acabo de descobrir o verdadeiro motivo: a ponta puída de uma fita vermelha desbotada saindo de seu bolso, como se implorasse para ser vista.

A fita. A faca. As tranças. O manto perdido. O cheiro do perfume. Ele disse que viria atrás de mim, como a garota avisou.

Nunca foi Anders no acampamento. Sempre foi Hans, desde o início.

Minha pele irrompe em calafrios.

Erguendo o olhar para a superfície, para o rochedo, imediatamente sei quem é a garota morta.

— Olga Vetrone — sussurro, me sentando, rígida como uma tábua. — Você a matou. Por quê?

Ele estica a mão direita, tentando agarrar meu pescoço, mas estou fora de seu alcance.

— Ela era uma puta que merecia morrer — ele diz, veias pulsando em seu pescoço. — Eu enfrentei a faca por ela. — Ele tenta respirar, mas ouço o som do fluido enchendo seus pulmões. — E quando voltei para buscá-la, ela agiu como se não me conhecesse. Disse que o que tivemos não era real.

Quando ele finalmente se cansa, volta a cabeça para trás e acaricia a fita. O mesmo gesto obsessivo. Ele o faz há tanto tempo que nem sei se ainda repara.

— E quando voltei para você... — ele diz, com um olhar de angústia. — Você é igual a ela. Você me traiu.

— Como eu posso ter traído você? — pergunto, meu corpo tremendo.

— Era para você ficar *comigo* — ele diz. — Na primeira vez em que vi você... eu percebi o que você queria.

Lágrimas escorrem pelo meu rosto; não de tristeza, mas de pura raiva.

— Eu tinha sete anos... estava tentando ser *gentil*.

— Você me queria — vocifera. — Eu sei que queria. — Ele tosse sangue. — Vocês são um bando de putas. E olha só para você agora. Você maculou sua carne com um predador — sussurra, o sangue borbulhando entre seus dentes como veneno. — Isso mesmo. Eu ouvi você naquela noite com ele. Em breve, todo mundo saberá exatamente o que você é.

Não há nada a dizer, nada a fazer, além de voltar para a superfície.

Não pertenço a este lugar.

Mas ele pertence.

Não presto atenção nas obscenidades que ele grita, porque sei que, quanto mais berrar, mais rápido se afogará em seu próprio sangue.

Desço pela colina e avisto Gertie subir correndo.

— O que foi? — pergunto, indo ao encontro dela. — Elas machucaram você?

Ela sacode a cabeça rapidamente, com dificuldade de respirar.

— Tentei impedi-las, mas elas não me ouviram... elas capturaram um predador... ele estava no buraco da cerca, ao leste. Alto. Cabelo escuro.

— Ryker — sussurro.

Volto ao acampamento correndo, sem pensar em checar onde piso, sem pensar em Gertie ficando para trás, só pensando no que elas podem ter feito com ele. Elas já faziam coisas horríveis o bastante entre elas, mas, com um predador, seriam capazes de qualquer coisa. *Deus, por favor me faça chegar a tempo.*

Quando atravesso as árvores atrás do alojamento e caminho até a clareira, é como chegar a um campo de batalha, muito depois do último disparo de canhão.

Encontro garotas vagando atordoadas, outras vomitando, algumas ajoelhadas rezando.

Kiersten anda até mim, com o queixo erguido, uma mancha de sangue no rosto.

— Cuidamos dele por você — ela diz, olhando para a Árvore do Castigo.

Sigo o olhar dela e avisto um homem, nu, jogado no chão. Morto.

Ando na direção dele com o sangue martelando em meus ouvidos. Não quero me lembrar dele assim, mas preciso vê-lo uma última vez... me desculpar... me despedir.

Eu me ajoelho ao lado dele e pressiono a orelha contra seu peito, esperando que por algum milagre ainda haja algum sinal de vida, mas não há nada. Só uma carcaça fria e sangrenta. Uma carcaça de outro homem. Olhando para além do sangue, dos ossos quebrados, tenho certeza de que não é Ryker.

Quando me levanto, solto uma bufada. Não sei se estou rindo ou chorando, talvez alguma coisa entre um e outro, mas quando me viro para os rostos devastados das garotas, noto que estão olhando para mim como se fosse *eu* a lunática entre elas.

— Não sei o que dizer...

— Obrigada seria um bom começo — diz Kiersten.

— O intruso está morto na floresta — digo, pronunciando cada palavra com clareza. — Vocês sequestraram esse homem. A família dele vai morrer de fome por causa de vocês.

— Quem liga? — se irrita Kiersten. — Ele é um predador. Nosso inimigo. Ele mereceu morrer.

— É *assassinato*.

— É o Ano da Graça! — grita Kiersten.

— Nossa magia nos obrigou — acrescenta Jenna, baixinho.

— Não existe magia — berro, enfiando os dedos no meu cabelo emaranhado. — É a água do poço... a alga... é cicuta. É isso que fez vocês verem coisas, ouvirem coisas, sentirem coisas que não são reais. Vocês estão quase totalmente limpas há meses. Vocês estão melhores — digo, olhando cada uma delas nos olhos. — Mas vocês não *querem* melhorar, porque terão que encarar tudo o que fizeram.

— Não escutem o que ela diz. Ela é venenosa — diz Kiersten.

— Eu sempre avisei.

— Pensando bem — Martha diz, olhando para o poço. — Só começamos a melhorar quando a Tierney voltou e trouxe água fresca da floresta.

— Eu sabia que era errado — Hannah diz, olhando para suas mãos trêmulas, cobertas de sangue. — Eu disse que era errado.

— Cicuta não nos daria poder — Kiersten diz.

— Não. — Ergo o queixo. — Vocês fizeram tudo isso sozinhas.

— Não vou mais ouvir essa herege.

Kiersten começa a se afastar, mas ninguém parece notar.

— Agora eu entendo como acontece... como ficamos assim — digo, andando ao redor da clareira. — Achei que fosse só a água, mas estava enganada. Mesmo sem a cicuta, às vezes eu me deixava envolver tanto que quase cheguei a sucumbir. Quer dizer... quem não quer sentir poder? Quem não quer sentir que tem o controle das coisas pelo menos uma vez na vida? Porque, sem isso, o que seria de todas nós neste lugar?— continuo, olhando para os galhos pesados da Árvore do Castigo. — Nós machucamos umas às outras porque é a única forma permitida de demonstrarmos nossa raiva. Quando nossas escolhas são tiradas de nós, o fogo cresce por dentro. Às vezes, acho que poderíamos incendiar o mundo inteiro, queimá-lo até só restarem cinzas, com nosso amor, nossa fúria, e tudo que há em nós.

Algumas garotas choram, mas não faço ideia se estão me escutando de fato.

De qualquer modo, não é mais problema meu. Gertie está certa. Tenho mais no que pensar.

Amarro minha fita vermelha na Árvore do Castigo e me afasto. De tudo.

Não faço ideia se chegarei viva ao abrigo de Ryker. Se ele me acolherá. Mas preciso tentar.

Assim que chego à fronteira, sinto um dedinho se enganchando no meu. Não preciso olhar para saber quem é.

— *Gertie* — sussurro. Lágrimas enchem meus olhos. Meu queixo treme. — Por favor, diga a Michael que sinto muito, que ele merece alguém muito melhor, mas peça, por tudo o que vivemos juntos e por tudo o que queríamos da nossa vida, que ele poupe minhas irmãs. Por favor, que elas não sejam punidas por meus pecados.

— Você tem minha palavra — ela diz sem hesitar, lágrimas escorrendo em seu rosto. — Você está fazendo a coisa certa.

Nós nos abraçamos e percebo que esta é provavelmente a última vez que nos veremos.

Eu a aperto com força.

— Queria levar você comigo.

— Vai ficar tudo bem — ela diz, mas seu corpo inteiro treme. — Saber que você está por aí... saber que você é livre me basta.

Quero acreditar nela, mas sei muito bem o que o condado faz conosco.

— Não deixe que destruam você — sussurro.

Ela assente, enterrando o rosto molhado no meu pescoço.

— Vou causar uma distração perto do portão durante o pôr do sol. Corra e não volte — ela diz. — Fique bem. Seja feliz.

Quero dizer muito mais a ela, mas tenho medo de que, se começar, nunca mais consiga parar... nunca consiga deixá-la para trás.

Voltando ao buraco da armadilha, pego a faca de Hans e corto o manto de seu corpo. Tento puxar a fita vermelha, mas, mesmo depois de morto, ele a segura com tanta força que acabo tendo que quebrar seus dedos, um a um, para soltá-la.

Fico feliz com isso. Quebraria cada osso do corpo dele se fosse necessário. Ele não merece ser enterrado com a fita dela. Não pertence a ele. Nunca pertenceu.

Enquanto o cubro com montes de terra, não rezo. Não derramo uma lágrima. Ele não passa de um fantasma para mim.

Soltando a fita rasgada das vértebras de Olga, junto-a à outra metade e a deixo, inteira, dentro dos ossos de sua mão.

Dependendo de quem vê, pode parecer que ela está agarrando a fita ou a deixando ir.

Eu sei o que vejo.

Enfio galhos, folhas e ervas de pilriteiro nos espaços entre seus ossos. Risco a pedra até soltar uma faísca. Não se usa muito pilriteiro no condado hoje em dia, mas, na língua antiga, significa ascensão. Um propósito maior. Preciso acreditar que ela finalmente encontrará paz.

Conforme abano as chamas, elas crescem mais e mais, então tenho certeza de que até Deus consegue ver a fumaça.

Eu honro seus restos mortais como se pertencessem a uma de minhas irmãs, liberando suas cinzas no vento... na água... no ar... aonde ela desejar ir.

É uma pira digna de uma guerreira, que é exatamente o que ela foi.

Com o sol derretendo no horizonte, a floresta ainda tingida de um brilho vermelho-sangue, lavo o manto para livrá-lo de qualquer possível resquício de ódio e corro pelo mato até a cerca. Desta vez, não estou fugindo de nada. Estou correndo *na direção* do que eu quero, impelida por algo muito mais forte que medo.

Esperança.

Eu me embrulho no manto rasgado, passo a cabeça pela brecha na cerca, para conferir se a barra está limpa, e começo a me arrastar para o outro lado. Desta vez é mais difícil. Preciso contorcer meu corpo de um jeito diferente, mas assim que o tronco passa, o restante fica mais fácil. Quando me levanto e encaro a enseada, a água sem fim à minha frente, não consigo deixar de pensar na última vez que fiz isso. Estava sangrando, congelando, à beira da morte, mas agora estou cheia de vida.

Corro entre as árvores, tentando lembrar o caminho até a cabana de Ryker, quando ouço vozes na enseada. Me escondendo atrás de arbustos, vejo homens de todas as idades entrando em canoas, uma garrafa passando entre eles.

— Ele era um bom homem — diz um predador com uma cicatriz recente do pescoço para baixo.

— Ele era um idiota — diz outro homem, entrando na canoa e pegando a garrafa. — Mas ninguém merece uma morte dessas. Nem Leonard.

— E tão perto do fim da temporada — diz um garoto, empurrando-os.

— Coitado. Provavelmente sua família inteira foi amaldiçoada — diz outro, entrando na próxima canoa.

Não consigo entender por que eles estão partindo. Os guardas só virão nos buscar daqui a dois dias.

Estou prestes a me aproximar, para ver se identifico Ryker entre eles, quando sou agarrada por trás, a mão de alguém na minha boca, me afastando dali. Sacudo os braços, tentando me soltar, mas ele é forte demais. Quando chegamos a um esconderijo entre as folhagens, ouço um sussurro rouco em meu ouvido:

— Tierney, pare. Sou eu... Ryker.

Meu corpo inteiro cede em seus braços. Não sei se é a emoção de ouvir sua voz ou de saber que ele está bem, mas meu peito arqueja, me faltando ar.

— Achei... achei que fosse você no acampamento... achei que estivesse morto.

Ele me gira no ar e tiro o manto de seu rosto, beijando-o com uma força que nem reconheço em mim. Ele passa as mãos pelo meu corpo, pela minha cintura, então para.

— Tierney — diz, ofegante.

Abro a boca para falar, mas as palavras me fogem. Por um momento, quase esqueço. Esqueço quanto tempo passou. Esqueço que devo uma explicação a ele.

Encosto minha testa na dele e digo:

— No dia em que eu fui embora, Anders foi até a sua cabana. Ele disse que, se eu não fosse embora até o sol nascer, ele voltaria para me pegar... e eles pegariam você também. Eu quis salvar sua vida, como você salvou a minha, e sei que voltar aqui agora, assim, é a coisa mais egoísta que já fiz... — Minha voz começa a estremecer. — Mas ficar sem você não é mais uma opção. Se você não sentir o mesmo, se não quiser estar comigo, se for demais, vou entender, dar meia-volta e...

Caindo de joelhos, ele me abraça e aperta o rosto na minha saia.
— Vamos dar um jeito.

Subir a escada da cabana de Ryker é uma escolha minha desta vez, uma que eu faria de novo e de novo. Tudo me faz sentir em casa, até o perfume do ar: pinho, água do lago e pele suada e queimada de sol. Minhas horas mais felizes e dolorosas foram passadas aqui. Parece impossível separar esses dois sentimentos, mas, honestamente, acho que nem quero.

Somos mais cuidadosos agora, e cada beijo, cada carícia, cada olhar amoroso parece carregar o peso do passado, do presente e do futuro. Nada de flutuar entre as estrelas; hoje me sinto com os pés no chão, presa à terra, como se tivéssemos criado raízes no solo.

Sob os olhos de Deus e Eva, nos entregamos um ao outro e aceitamos nosso destino, que enfrentaremos juntos.

Nesta floresta escura, neste lugar amaldiçoado, encontramos um pouco de graça.

Passamos a noite toda acordados, conversando, trocando carinhos, mergulhados na companhia um do outro. Então, conforme cada sentimento se revela, ele me fala do futuro, algo que eu nunca tinha permitido. Em vez de ficar tensa, amoleço, como argila crua em suas mãos.

— Vamos partir logo antes do amanhecer — ele diz, cobrindo as feridas abertas em minhas mãos com ataduras limpas. — Vamos pegar uma canoa. A maioria dos predadores foi embora hoje, para poder passar mais tempo em casa.

— Eles não ficam até o fim?

— Alguns dos novatos ficam mais tempo, esperando um milagre, mas é extremamente raro conseguir presas tão perto do fim.

— E mantimentos?

— Facas, peles, comida — ele diz, olhando ao redor da cabana. — Passei o verão inteiro economizando para a próxima temporada de caça. Vamos levar tudo que conseguirmos carregar. Seguiremos para o leste, até encontrarmos uma ilha ou um assentamento onde possamos viver como marido e mulher. Mesmo se não encontrarmos nada, sou um bom caçador. E você é engenhosa e afiada como uma faca. Se alguém pode conseguir, somos nós.

— E Anders? — pergunto.

Sinto seus músculos se tensionarem com a simples menção desse nome.

— Deveríamos nos encontrar daqui a dois dias para voltarmos juntos para as margens. Gostaria de me despedir, mas temo ter que matá-lo se o encontrar. — Ele suspira profundamente, encostando-se na cama. — Mas ele não deve nos causar problemas. Ele tem estado ocupado, preocupado com um guarda que anda se esgueirando pelos nossos territórios.

— Um guarda? — pergunto, minha respiração parando.

— Anders está convencido de que esse guarda sabe sobre nós, sabe que abriguei uma garota do Ano da Graça. Achei que ele só estivesse sendo paranoico, mas agora acho que deve ser a culpa corroendo ele.

É minha vez de ficar tensa.

— O que quer que enfrentemos lá fora, seja Anders ou um guarda, consigo encarar. Vou proteger você.

Me enroscando em seus braços, deixo essa história para lá. Alguns segredos são melhores quando permanecem enterrados.

Logo antes do amanhecer, juntamos tudo que conseguimos carregar. Enquanto Ryker cuida das armas e dos potes pesados de comida, eu uso uma das minhas saias para embalar as peles e os cobertores e prendê-los nas costas. Percebo que ele não gosta que eu carregue as coisas, mas é esperto o suficiente para ficar quieto.

O sol está quase nascendo, e o brilho laranja suave faz a água parecer fogo, o que me parece apropriado – eu e Ryker, correndo juntos para dentro das chamas.

No caminho para a enseada, me dou conta de quanto as folhas mudaram, de quanto mudei com elas. Em vez de pensar em todas as formas como eu poderia morrer, começo a planejar todas as formas como eu gostaria de viver.

Penso em acordar ao lado dele, nos nossos filhos puxando os cobertores da nossa cama, em cuidar do jardim, em nossas risadas juntos, em sentar ao redor de uma fogueira, à noite, contando histórias há muito esquecidas do Ano da Graça. Vou sentir saudade da minha família. Não verei minhas irmãs crescerem. Mas nos foi dada a chance de uma nova vida, então temos que aceitá-la. Às vezes, me pergunto se estou tão acostumada a sofrer que todo o resto me parece estranho, como se eu não devesse sentir nada de bom, mas aqui estamos nós. Vamos realmente fazer isso. Juntos.

Passando pelas últimas árvores, mantemos nossas cabeças abaixadas e curvamos o corpo. É perigoso andarmos tão expostos em qualquer circunstância, mas já consigo avistar a água. Já posso sentir o sol no meu rosto.

Ouvimos um barulho atrás de nós, folhas esmagadas ritmicamente, um som de bufo interrompido, e ficamos paralisados. Devagar, Ryker olha por sobre o ombro e estende a mão, sinalizando para eu ficar aqui. Parada.

O ritmo se aproxima, e eu posso até sentir a terra vibrar. Estou prestes a me esconder quando vejo o rosto de Ryker se abrir em um começo de sorriso.

Olho para trás e avisto um veado correndo na nossa direção. Um jovenzinho. Acho que devemos sair do caminho dele, mas Ryker permanece onde está e o observa passar, maravilhado.

Sei exatamente o que ele está pensando: é como em seu sonho, mas aqui o veado não o atravessou.

Sorrindo para mim, ele estende a mão, mas, antes que eu possa segurá-la, tropeço e caio de joelhos, como tivesse sido empurrada. Olho para trás e vejo uma adaga enfiada nas peles nas minhas costas.

— Ryker? — sussurro.

A expressão em seu rosto é extremamente estranha. Sua pele empalideceu; sua respiração ofega.

— Corra para o portão. Vá direto para o sul, siga a cerca.

Suas palavras... seu rosto... nada faz sentido... não até eu ver o punho de uma faca saindo da barriga dele.

— Não vou deixar você aqui — digo, me levantando.

— Então fique abaixada... feche os olhos — grunhe. — Mas, se alguma coisa acontecer, preciso que você corra.

Assinto com a cabeça. Pelo menos acho que assinto. Sei que ele me mandou fechar os olhos, mas não consigo.

Ele pega o punho da faca e a puxa de sua barriga, sangue pingando de vinte centímetros de aço entalhado. É então que ouço o grasno. É mais que um aviso. Mais que um chamado. É o som da morte.

— Eles estão vindo — Ryker diz, seu olhar fixo em algum ponto atrás de mim.

Segurando a faca na lateral do corpo, ele afasta as pernas e respira fundo pelo nariz.

Dois homens se aproximam, com passos pesados.

— Só queremos a presa — diz um deles. — Vá embora agora e podemos esquecer tudo isso.

— Até dividimos o dinheiro com você — diz o outro.

Ryker não responde. Não com palavras.

Segurando a faca com mais força, ele começa a atacar.

Botas batem ao meu redor; ouço um grito, carne rasgada, osso esmagado. Rezo para não ser Ryker quando um corpo cai ao chão, um olho castanho virado para mim, o outro atravessado por uma adaga.

— Parem — ouço um grito distante.

Além de Ryker brigando para conseguir pegar a faca do predador que ainda está vivo, há um terceiro vindo na nossa direção. Preciso fazer alguma coisa. Não posso ficar aqui me fingindo de morta, mesmo tendo prometido.

Eu solto a mochila, pego a faca enfiada nas peles e fico de pé. Quero ajudar, tento ajudar, mas eles se movem rápido demais. Não quero correr o risco de machucar Ryker ainda mais, mas se não fizer nada, talvez nunca cheguemos à costa. Estou prestes a me jogar no meio da briga quando o predador chuta as pernas de Ryker, o derruba e segura uma faca contra seu pescoço. O olhar de Ryker encontra a faca na minha mão, e sei o que ele quer que eu faça: que eu a jogue para ele, como costumávamos fazer para passar o tempo no inverno.

Com as mãos tremendo, arremesso a faca. Acho que não usei força suficiente, então o vejo pegá-la no ar, sacudir o braço e enfiar o metal nas costelas do outro homem, mas não antes do predador rasgar o pescoço de Ryker com a outra faca.

Há um momento de completo silêncio.

O mundo para de girar.

Os pássaros param de cantar.

E, no segundo seguinte, tudo parece se acelerar, mais rápido do que consigo assimilar.

— Corra — Ryker consegue dizer, antes de cair no chão, em um mar do próprio sangue.

Permaneço ali parada, paralisada, sem saber o que fazer, como respirar, quando o terceiro predador nos alcança. Ele olha para Ryker e para os dois predadores mortos no chão e solta um rugido horripilante.

— Era para ser só você.

É o suficiente para me fazer acordar... me fazer correr.

Vou na direção sul, correndo pelos esconderijos abandonados dos predadores, seguindo a cerca da melhor maneira que posso, mas lágrimas ardem em meus olhos e enevoam minha visão. Ouço passos rápidos atrás de mim, mas não posso me virar para ollhar, não aguentaria ver o corpo de Ryker. O lugar de sua morte. Uma faca corta o ar bem ao lado da minha cabeça, raspando em minha orelha. Costuro entre as árvores para tentar confundi-lo, mas ele continua bem atrás de mim. Ele se joga e consegue segurar minha capa, rasgando metade da lã do meu corpo, mas o chuto com toda minha força e continuo a correr. Continuo a tentar. Não sei bem o por quê, mas Ryker me mandou correr, e só consigo me concentrar nisso.

— Abram o portão — grito quando me aproximo.

Ouço as garotas brigarem, mas não tenho tempo para isso. Não conseguirei escalar como fiz da outra vez. Não agora.

— Por favor — berro, batendo com força na madeira. Lágrimas escorrem pelo meu rosto; meu corpo inteiro treme. Pressionando as costas no portão, tento não pensar em Ryker, no seu olhar ao me mandar correr. No sangue. Nos corpos. Olho a trilha comprida e vislumbro vagamente o vasto lago distante; não consigo deixar de pensar que isso é um castigo por eu acreditar que conseguiria de algum jeito fugir... ser feliz. Depois de tudo que aconteceu, de sobreviver à floresta, de ser ferida por um machado, de ser caçada por um guarda, de ter meu coração estilhaçado em um milhão de pedaços, não acredito que minha vida acabará assim. No último dia do meu Ano da Graça, encolhida do lado de fora do portão do acampamento, condenada à morte pelas outras garotas.

Fecho os olhos, finalmente pronta para aceitar meu destino. Mas então sou puxada para dentro.

Coberta de sangue e sujeira, com o corpo inteiramente exposto pela capa rasgada, caio de joelhos aos pés delas.

Todas ficam de pé, chocadas, me encarando.

Gertie se aproxima para me reconfortar, mas Kiersten grita:

— Não a toque... ela é uma puta. — Ela está arrastando um barril de armazenar água da chuva para junto de uma pilha enorme de mantimentos no meio da clareira. Tudo o que construí para que elas sobrevivessem a este ano. — Precisamos queimar tudo... queimá-la junto — Kiersten diz, quebrando um dos barris, arrancando pedaços com o machado. — Peguem as tochas — grita.

— Você não pode estar falando sério — Gertie diz, com a boca arrebentada. Tenho certeza de que houve uma briga para abrir o portão.

— Ela não pode voltar conosco — Kiersten rebate, extravasando a raiva contra meu balcão de cozinha. — Não depois de tudo que aconteceu aqui. Se não queimarmos todas essas coisas, as garotas do próximo ano não vão sofrer, e se elas não sofrerem, não conseguirão se livrar da magia.

— Já não sofremos o bastante? — Gertie pergunta, com a voz tremendo.

— Cala a boca — Kiersten diz.

— Não... ela está certa — interfere Jenna. — Minha irmãzinha vem no ano que vem. Allie. Ela nunca fez nada de errado. Foi uma boa garota a vida toda... seguiu todas as regras. Por que ela deveria sofrer por algo que nem é real?

— A magia é *real* — grita Kiersten. — Jenna... você sabe voar. Dena... você fala com animais. Ravenna... você controla o sol e a lua.

Mas as garotas continuam em silêncio.

— Tudo bem. — Kiersten anda a passos largos até o portão. — Vou acabar com isso agora.

— O que você está fazendo? — Jenna pergunta.

— Posso *provar* que a magia é real — Kiersten responde, escancarando o portão. — Olhem só. Ninguém me fará mal algum — ela diz, atravessando a fronteira.

Sei que a maioria dos predadores já abandonou a ilha, mas há pelo menos um lá fora.

Kiersten conta cada passo que dá, parecendo ganhar confiança a cada avanço. Quando conta dez, se vira para nós, abrindo bem os braços.

— Viram? Eu falei. Nada pode me tocar. Minha magia não permite. Venham, juntem-se a mim, vocês vão ver.

Algumas garotas começam a se aproximar, então um vulto escuro surge da mata. Elas ficam paralisadas ao vê-lo.

Kiersten olha por cima do ombro e ri.

— Olha só, ele está tremendo. Não consegue chegar perto de mim.

O predador fica ali, o olhar descontrolado encarando a cena, tentando decifrar se é algum tipo de armadilha ou apenas loucura. Ele dá um passo hesitante na direção dela.

O sorriso maníaco de Kiersten começa a tremer, mas ela se mantém firme.

— Minha magia não permitirá que ele se aproxime mais. Vejam.

Tirando a faca da bainha, ele dá mais um passo.

— Pare. Eu ordeno. Não chegue mais perto... senão... — ela diz, sua voz começando a traí-la.

Jogando-se para a frente, o predador a agarra pelas costas, segurando uma faca tão perto de sua garganta que o metal a corta quando ela murmura:

— O que está acontecendo...

Com sangue pingando em seu peito, a expressão confusa dela se transforma em horror.

Parte de mim deveria estar satisfeita por Kiersten finalmente receber o que merece, mas só me sinto cansada. Cansada de nos odiarmos. Cansada de me sentir pequena. Cansada de ser usada. Cansada de homens decidirem nosso destino, e para quê?

Pegando um pedaço do barril quebrado, o seguro firme, sentindo o peso da madeira em minhas mãos.

— Basta — sussurro.

As garotas olham para mim, se entreolham e, sem dizer uma palavra, pegam tudo que encontram: pedras, baldes, fitas, pregos.

Quando atravessamos a fronteira, sinto uma energia crescer dentro de mim: é mais do que raiva, mais do que medo, mais do que qualquer coisa que tentaram nos obrigar a sentir. É pertencimento... a sensação de ser parte de algo maior que nós mesmas. Não é isso o que estávamos procurando?

Podemos não ter magia, mas temos poder.

Conforme marchamos juntas, o predador pressiona ainda mais a faca contra a garganta de Kiersten.

— Continuem se aproximando e eu a estripo bem na frente de vocês.

— Por favor... me ajudem — Kiersten sussura, fazendo mais sangue escorrer por seu pescoço.

As garotas me acompanham, esperando um sinal para atacar, mas quando vejo o predador analisar a multidão, reconheço seu olhar. Nunca vou esquecer aqueles olhos, os que vi quando ele subiu a escada da cabana de Ryker para me ameaçar.

E, de repente, não enxergo mais um predador. Vejo apenas um garoto que perdeu a família inteira, cujos olhos ainda estão úmidos por testemunhar a morte do melhor amigo. Temos isso em comum.

As garotas do Ano da Graça não são as únicas vítimas do condado. Os predadores, os guardas, as esposas, as trabalhadoras, as mulheres das margens... somos todos parte disso. Somos iguais.

Abaixo a madeira nas minhas mãos e digo:

— Vá embora, Anders. Tem uma família que precisa de você.

Ele olha para mim, de cima a baixo, e seu olhar parece suavizar.

Quando ele abaixa a faca, as garotas pegam Kiersten e a carregam de volta ao acampamento.

Eu e Anders nos encaramos até ele voltar para dentro da mata, até eu só conseguir ouvir a respiração pesada dele... até eu só conseguir ouvir a minha.

Aglomeradas no chão do alojamento, noto que estamos exatamente onde começamos. Mas já não somos mais as mesmas de antes.

— O que fazemos agora? — Kiersten pergunta, secando as lágrimas, e percebo que ela está olhando para mim. Todas estão.

Parte de mim quer dizer que elas devem se virar sozinhas, que não é mais da minha conta, mas prometi a mim mesma que, enquanto estivesse viva, buscaria uma vida melhor. Uma vida honesta. Olhando ao redor do quarto, para as camas de metal vazias e empilhadas, penso em Betsy, Laura, Ami, Tamara, Meg, Patrice, Molly, Ellie, Helen e tantas outras.

— Podemos começar deixando este lugar como gostaríamos de tê-lo encontrado.

Cochichos irrompem entre elas.

— Apesar de tudo o que aconteceu aqui, eu vi força, misericórdia e bondade em cada uma de vocês — digo, olhando-as nos olhos. — Imaginem se pudéssemos deixar tudo isso transparecer, como o mundo seria brilhante. E eu quero viver nesse mundo. Pelo tempo que me restar. Meu pai sempre me disse que são as pequenas decisões que tomamos quando ninguém vê que dizem quem realmente somos. Quem queremos ser?

O quarto fica em silêncio, mas, olhando ao redor, percebo que é um silêncio bom. Um silêncio necessário.

— Mas e você? — Gertie pergunta, o queixo tremendo. — Você não pode voltar. Não agora, não depois de tudo que aconteceu...

— É verdade. Não posso voltar ao condado para ser uma esposa, mas posso contar a verdade. Posso olhar todos nos olhos e contar o que de fato é o Ano da Graça. — Preciso de toda a minha energia para não desmoronar na frente delas, mas tenho que me manter forte. Qualquer rachadura, qualquer fragilidade em minha armadura pode me destruir completamente, me deixar no chão. Ainda vou me permitir sentir, ainda vou me permitir chorar, mas apenas quando acenderem o fósforo na minha pira. Não antes disso.

Ninguém diz uma palavra, mas sei que estão preocupadas com a possibilidade de serem castigadas, acusadas de serem minhas cúmplices. Não as culpo.

— Não estou pedindo para vocês se juntarem a mim. Nada de grandes gestos — garanto. — Quando chegarmos aos portões do condado, quero que se afastem, finjam que nem me conhecem, então darei meu recado. Eu devo isso a todas as garotas mortas no Ano da Graça. Devo isso a mim mesma.

Passamos a última noite fazendo o que deveríamos ter feito desde o começo.

Depois de lavar a latrina, limpar a despensa e arrumar a clareira, desempilhamos as camas. As garotas decidem organizá-las em um enorme círculo, e algo nisso me toca. Penso em Ryker me contando das reuniões das mulheres das margens com a usurpadora na floresta, em que elas dão as mãos e formam um círculo. É fácil para os homens do condado rirem com desprezo disso tudo, do trabalho bobo das mulheres, mas, na verdade, não devem achar tão bobo assim, senão não estariam se esforçando tanto para capturar a usurpadora. Espero que ela não tenha sido pega... espero que ainda esteja por aí.

Alguém puxa minha capa e eu me assusto.

— Só quero remendá-la para você — diz Martha.

Respiro fundo e solto a capa, colocando-a nas mãos dela como se fosse feita de ouro. Para mim, é mesmo. Salvou minha vida mais de uma vez este ano.

— Obrigada — agradeço, apertando a mão dela. Fico grata por ela ter pensado em remendá-la para mim. Quero que June veja que minha capa sobreviveu, que seu presente foi verdadeiramente útil.

Ando ao redor do acampamento, prestando atenção em tudo, e vejo que elas conseguiram juntar lenha o suficiente para cobrir o poço. Elas até pirografaram VENENO na madeira por garantia.

A única coisa que ainda nos assola, assombrando o acampamento inteiro, é a Árvore do Castigo. Quarenta e sete anos de ódio e violência pendendo de seus galhos.

— Talvez possamos limpar os galhos. Enterrar as oferendas — Jessica sugere.

— Podemos fazer melhor que isso — Gertie diz, tirando o machado da lenha. No condado, vandalizar a Árvore do Castigo seria um sacrilégio, significaria morte instantânea, mas, aqui, quem vai ver, quem vai contar? Kiersten estava certa sobre uma coisa: somos o único Deus neste lugar.

Nos revezando, liberando toda nossa tristeza e raiva em cada golpe, cortamos o tronco. Tranças, dedos e dentes tremem nos galhos, e, quando a árvore finalmente cai, sinto o peso dela em cada centímetro do meu corpo. Ainda que eu não vá estar aqui para ver quais serão as consequências deste ato, apenas testemunhá-lo já me basta. Sei que estou longe de ser como a garota dos meus sonhos, mas quero acreditar que parte dela vive em mim... em cada uma de nós.

Depois de queimar a árvore cortada e tudo o que ela um dia representou, enterramos as cinzas e decoramos o que restou do tronco com ervas: trevo, azedinha e ranúnculo. São flores rasteiras, raramente usadas no condado, mas simbolizam fragilidade, paz e solidão.

Ver o tronco decorado me faz pensar em quanto perdemos aqui, mas talvez fosse necessário destruir tudo para que algo novo nascesse.

Da morte vem a vida.

Logo antes do amanhecer, abrimos uma nova trilha até o rochedo, deixando indicações no caminho, para que as próximas garotas encontrem a nascente... a horta de June.

Quando chegamos ao topo da colina, Martha começa a cantarolar. As mulheres do condado não têm permissão de cantar, pois os homens acreditam que usamos canções para esconder feitiços, mas talvez seja exatamente disto que precisamos agora: um feitiço para que tudo fique tudo bem.

Tirando nossas roupas, as deixamos sobre as rochas e limpamos de nosso corpo um ano de terra e sangue, mentiras e segredos. As garotas tentam não me encarar, mas sinto seus olhares em minha pele.

Entramos na água fria para nos banharmos sob a lua minguante e nos abrimos umas para as outras, dando voz ao nome de cada garota morta, contando histórias para lembrá-las. Talvez seja o luar ou a proximidade de voltarmos para casa, mas este momento parece puro. Como se pudéssemos finalmente nos lavar de nossos pecados. Penso se Eva nos olha agora, benevolente. Talvez ela só quisesse isso.

Quando o sol nasce, lento e suave na costa leste, nos sentamos na ribanceira e trançamos os cabelos umas das outras, arrumamos nossas roupas, engraxamos nossas botas gastas.

Pode parecer fútil, uma causa perdida, detalhes que os homens nunca notarão, mas não fazemos isso por eles. Fazemos por nós... pelas mulheres das margens, do condado, as jovens e as mais velhas, as esposas e as trabalhadoras. Quando formos vistas marchando para casa, saberão que há mudança no ar.

O Retorno

Conforme os guardas se aproximam do portão, carregando bastões e batendo as botas de sola grossa com força na terra, não esperamos que eles anunciem sua chegada. Escancaramos o portão e saímos em fila, em silêncio.

Mantemos a cabeça abaixada, não só para acreditarem que nos livramos da magia, mas também em reverência a todas que já andaram por este caminho. A todas que serão forçadas a andar no futuramente.

Quando ouço o portão se fechar atrás de mim, meu peito se contrai. Deixar este lugar é como deixar Ryker, mas o vento me encontra, soltando uma mecha de cabelo da minha trança. Talvez ele esteja bem ao meu lado, sussurrando meu nome.

— Não vai demorar — sussurro de volta.

— Aquela ali está falando sozinha — diz um guarda, apontando para mim.

— Melhor que ano passado. Lembra a garota Barnes, aquela que teve metade da orelha arrancada? Ela se mijou toda antes mesmo de chegar à costa.

Eles riem ao quando passo, mas não me importo. Que pensem que sou louca.

Pelo canto do olho, vislumbro algo vermelho. Meu coração acelera quando me aproximo. A flor. Eu tinha quase esquecido. Fingindo tropeçar, engatinho até ela, passando os dedos pelas pétalas perfeitamente desenhadas, então encontro outra. Agora são duas. Talvez se espalhe assim. Uma por vez. Devagar e sempre.

É fácil pensar na vida como algo sem sentido aqui, uma pegada minúscula e esquecida, facilmente apagada por uma tempestade, mas em vez de me sentir menor, sinto que tudo tem mais propósito, mais significado. Não sou mais nem menos importante que uma florzinha tentando ultrapassar o solo. Todos temos um papel nesta terra. E, por menor que seja o meu, pretendo cumpri-lo.

— De pé. — Dois guardas me levantam pelos cotovelos. Quero me desvencilhar deles, mas me obrigo a apenas soltar meu peso.

Quando nos dividem em barcos para atravessarmos a água, é impossível não notar como nosso tamanho diminuiu, não só por causa da fome e da escassez de mantimentos, mas também em quantidade. Pela primeira vez, eu conto – dezoito de nós ficaram para trás. Entre elas, quatro tinham véus, o que significa que quatro homens escolherão novas esposas entre as sobreviventes. Mesmo depois de tudo que aconteceu, me pergunto quantas das garotas que restaram ainda esperam receber um véu. Consegui convencê-las a não queimar o acampamento, mas fazê-las realmente acreditar em algo diferente, abandonar tudo o que cresceram aprendendo, vai levar tempo. Algo que eu não tenho sobrando.

A vastidão da água, a brisa, o sol brilhando sobre nós, sem nenhuma nuvem no céu – parece liberdade, mas sabemos que não é verdadeira. É assim que eles nos destroem. Tiram tudo de nós, até nossa dignidade, para que qualquer coisa que nos devolvam pareça um presente.

Na frente dos guardas, ficamos em silêncio, evitamos seu olhar. Mantenho meu corpo embrulhado em minha capa, meus segredos também, mas à noite, embaladas pelo ronronar estável do sono bêbado dos guardas, as garotas cochicham no escuro, falando das fitas pretas que receberão, do que é esperado no leito conjugal, das oficinas para as quais serão mandadas e, finalmente, do que o Conselho fará comigo quando eu contar a verdade... como serei punida... como morrerei.

A forca seria misericordiosa. Provavelmente me queimarão viva, mas pelo menos minhas irmãs não serão punidas em meu lugar. O nome da minha família será manchado, mas, com o tempo, a mancha sumirá. Minha mãe sorrirá com mais empenho, minhas irmãs se cuidarão, seguirão ordens e, quando o Ano da Graça delas chegar, espero que minha traição seja apenas uma lembrança distante.

No segundo dia de viagem, quando nos aproximamos das margens, o buraco em meu estômago cresce. Eu me pergunto se reconhecerei a família de Ryker, se elas já receberam a notícia de sua morte.

Quando sinto a primeira baforada de fumaça, suor e ervas floridas, me deixo ficar para trás. De repente, me torno dolorosamente atenta ao meu segredo. Analisando o mar de mulheres, paro quando avisto Ryker me olhando – não Ryker, mas uma mulher com seus olhos, seus lábios, cercada por seis meninas. Uma nova onda de dor vem tona em mim, mas também sinto alívio. De certa forma, ele viverá.

Há tanta coisa que eu quero dizer: o quanto eu o amava. Que ele queria dar uma vida melhor a elas, que morreu com os olhos abertos, sob uma estrela do norte. Mas antes que eu consiga reunir coragem para falar, a mãe dele diz:

— É você... você é igual a ela.

Não faço ideia do que ela quer dizer, mas quando abro a boca para perguntar, um guarda surge atrás de mim, agarra meu braço e me arrasta para longe.

Quando olho para trás, ela afasta o cabelo do ombro, revelando uma florzinha vermelha presa à sua túnica.

— Espere... — sussurro, mas ao tentar voltar, o guarda me puxa.

— É tarde demais para fugir. Você pertence ao condado agora. Você pertence ao sr. Welk.

Quando chegamos ao portão, os guardas seguram a fila. Os sinos da igreja soam para cada uma de nós. Ouvimos um suspiro do outro lado da cerca: é a temporada mais sangrenta na história do Ano da Graça. De trinta e três garotas, só quinze de nós estão voltando vivas para casa.

O tilintar de moedas corta a atmosfera, chamando minha atenção para o posto dos guardas, onde homens estão enfileirados, exatamente como quando partimos no ano anterior. Apenas ao notar bolsas de couro pesadas entre eles entendo que não vieram ver os passarinhos derrotados – vieram para receber seu pagamento. Por um segundo, me pego procurando o rosto de Ryker, mas ele se foi. E nunca voltará.

Os portões se abrem, me trazendo de volta ao presente. Quando as garotas que partem para o Ano da Graça saem em uma fila organizada, sou pega de surpresa. Elas parecem tão novas, tão bonitas, como bonecas arrumadas para uma festa – não meninas sendo mandadas para o abatedouro. Penso no ano anterior, em como as garotas que estavam retornando nos olharam quando passamos por elas na ida, como se nos desprezassem, e me pergunto o que essas garotas novas veem ao olhar para nós. Espero que saibam o risco que corremos, que tentamos tornar tudo melhor para elas.

Apesar do meu queixo tremer, tento sorrir.

— Cuidem umas das outras — sussurro ao vento.

Quando as últimas garotas desaparecem, me viro para encarar o portão aberto.

Meus olhos se enchem de lágrimas, meu corpo parece petrificado, mas, de algum modo, consigo me mover. Talvez pelo impulso da multidão; talvez por algo mais urgente.

Meu momento da verdade.

O peso é palpável. Sinto em cada parte do meu corpo, mas sinto também um peso pelas outras garotas. Elas sabem o que este momento significa para mim... que este é o fim da linha.

Quando entramos na praça, vemos as pessoas esticarem o pescoço para descobrir quais garotas voltaram. Há suspiros de alívio e choros de decepção.

Os homens que deram os véus tomam seus lugares em frente às garotas escolhidas, segurando fitas pretas de seda. Vejo os bicos das belas botas de Michael à minha frente, mas não consigo olhá-lo nos olhos.

Quatro novas garotas são escolhidas para substituir as noivas mortas, mas então escuto cochichos. Olhando para o outro lado da fila, vejo o sr. Welk diante de Gertie.

Ele toca o ombro dela, e eu a vejo estremecer.

— Sinto muito, mas devo informar que o sr. Fallow faleceu durante o inverno. Por favor, aceite nossos pêsames.

Gertie cobre a boca, escondendo um suspiro de alívio.

— Olha como ela está destruída — ouço um comentário na multidão.

— Soube que vão mandá-la para a lavoura.

Ela olha para mim, os olhos brilhando de empolgação, mas seu júbilo secreto morre assim que vê Michael à minha frente.

E eu sei que, quanto mais demorar, mais difícil será... para todos nós.

Então desabotoo minha capa e a deixo cair dos meus ombros. Quando a lã gasta cai no chão, ergo o queixo para encarar a multidão. A primeira pessoa que vejo é Michael. Ele está à minha frente, com uma gardênia na lapela. A flor que escolheu para mim, a flor da pureza. Ele sorri, como sempre me lembrei dele, sorrindo no campo, com as mangas da camisa arregaçadas, o cabelo brilhando sob o sol, mas quando a brisa de outono toca minha camisa puída, fazendo o tecido grudar na minha barriga proeminente, vejo seu rosto empalidecer, seus olhos magoados e chocados.

Pisco longa e vagarosamente, desejando apagar essa imagem de minha mente, mas quando abro os olhos novamente, avisto minha família na primeira fila. Meu pai está rangendo os dentes; Ivy e June cobrem os olhos de Clara e Penny. Minha mãe parece uma estátua feita de fria indiferença, como se eu já estivesse morta para ela.

Mas isso não é nada comparado ao gelo que sinto vir do condado.

Ouço sibilos e cochichos, clamor por castigo.

Alguém joga uma flor em mim, acertando meu rosto em cheio: um lírio laranja, a flor da raiva, do ódio. Do nojo. Eu a pego do chão e acaricio as bordas curvadas de suas pétalas, mas não posso me permitir devanear agora. Por mais que doa, neste momento, preciso me manter presente, manter minha cabeça no lugar.

No acampamento, eu me senti tão cheia de propósito, mas agora que estou aqui, na frente de todos, não consigo conter meu arrependimento. Não pelo que fiz – estar com Ryker foi o mais perto que já me senti de Deus –, mas por fazer isso com minha família, com Michael. Eles não merecem essa humilhação. Nenhum de nós merece.

O ruído desagradável que varre a multidão logo cresce e se transforma em gritos e acusações. *Puta. Herege. Queimem-na na fogueira.*

Meus joelhos ameaçam ceder, mas me mantenho firme. Preciso ser corajosa – por Ryker, pelas garotas do Ano da Graça... por eu saber de toda a verdade.

O pai de Michael se aproxima, parecendo preocupado, mas consigo enxergar por trás de sua máscara de preocupação. Seus olhos brilham. Ele está radiante por se livrar de mim.

— Nunca em minha vida vi um crime tão evidente — diz, apontando para minha barriga redonda.

Um silvo agudo irrompe da multidão; mulheres correm na minha direção, sibilando, cuspindo, me batendo. Quando os guardas as afastam de mim, vejo o rosto de minha mãe entre elas. É claro que ela estaria no meio delas. A dor que sinto é esmagadora, mas a vergonha é insuportável, uma morte por si só. Enquanto as arrastam para longe de mim, minha mãe ergue as saias, revelando seu tornozelo nu, com uma cicatriz saltada na lateral. Estou tentando entender por que ela fez isso, o que significa, quando um sapato voa na minha direção. Eu me esquivo bem a tempo. A multidão clama por sangue. Meu corpo inteiro treme, mas tenho que me acalmar. Tenho que conseguir falar com clareza. Falar a verdade. Não deixarei que me intimidem.

Não me lembro de ter cerrado meu punho, mas quando abro os dedos, tomo um susto. Encontro uma flor vermelha. Cinco pétalas perfeitamente desenhadas. A flor dos meus sonhos. Mas como veio parar aqui?

Começo a ofegar. Corro os olhos pela multidão, procurando uma resposta, quando meu olhar encontra minha mãe. Os olhos vidrados dela encontram os meus; sua boca treme ligeiramente. Afastando o lenço ao redor de seu pescoço, ela revela uma florzinha vermelha, presa sobre o coração. A constatação me atinge com tanta força que preciso apoiar as mãos nos joelhos para não desmaiar.

É ela.

A cicatriz no tornozelo, causada pela armadilha que os guardas montaram antes do Dia do Véu. É por isso que ela tinha sangue na perna, por isso que estava tomando remédio, para prevenir uma infecção. E o motivo pelo qual sempre chegava primeiro a qualquer castigo... para oferecer palavras bondosas, flores, carinho. A mãe de Ryker me disse que eu era *igual a ela*... mas não tinha nada a ver com a garota dos meus sonhos; era porque minha mãe esteve encontrando as mulheres das margens durante esse tempo todo.

É ela a usurpadora sobre quem o condado comenta, é ela quem o condado caça.

Quero correr para os braços dela, agradecê-la... por me permitir sonhar, por arriscar sua vida para ajudar as mulheres do condado, mas não posso. Só posso continuar parada aqui e engolir tudo isso, da mesma forma que devo engolir todo o resto. Tento conter minhas emoções, mas sinto meu rosto se contorcer. O calor estranho em minha face. Sempre achei que fosse minha magia percorrendo o meu corpo, mas agora sei que é *fúria*.

O sr. Welk põe a mão nos ombros curvados de Michael.

— Como você sabe, hoje é o dia em que repasso meu cargo de chefe do Conselho para você, mas, dada a natureza grave deste crime, aceitarei o fardo de anunciar a punição em seu nome.

Espero ansiosamente que ele declare minha pena, porque, assim que isso acontecer, poderei falar a verdade. É determinado por lei que todas as mulheres devem ficar de olhos e ouvidos abertos durante qualquer castigo. Então, mesmo que tentem me interromper, terei muito tempo até meu corpo queimar totalmente.

O sr. Welk se dirige à multidão, orgulhoso:

— Como meu ato final de serviço, um presente para meu filho: sentenço Tierney James a...

— O filho é meu — Michael diz, olhando com firmeza para o chão.

Um suspiro coletivo irrompe da multidão. E de mim também.

— Alto lá — diz o sr. Welk, levantando as mãos. — Todos sabemos que Michael não saiu do condado no último ano. Ele está em choque, confuso. Deem um momento para ele se recompor. — Ele então se vira para o filho. — Sei que está chateado, mas...

Michael se afasta dele.

— Tierney veio até mim em sonho — diz, se dirigindo à multidão. — Noite após noite, nos encontramos no campo. Essa é a força de nosso vínculo. *Essa* era a magia de Tierney.

— Isso é impossível — grita alguém. — Ela é uma puta, qualquer um pode ver.

O sr. Welk faz um sinal para os guardas me levarem, mas Michael me protege com seu corpo.

— Se for preciso punir alguém, que seja eu — diz. — A culpa é minha. Eu a obriguei a vir até mim em sonho, eu a obriguei a se deitar comigo, porque fui egoísta e não quis esperar um ano inteiro.

Analiso o rosto dele. Não sei se ele está suficientemente enlouquecido para realmente acreditar no que está dizendo, ou se está mentindo para me salvar.

— Eu sei sobre os sonhos de Tierney — Gertie diz, juntando-se a mim. — São tão reais quanto ela, que está bem aqui, diante de todos.

— É bruxaria — ecoa uma voz. — Essas duas estão metidas nisso juntas. Depravadas.

Começo a pedir para Gertie se afastar, não se meter em problemas por minha causa, quando Kiersten faz o mesmo. Uma por uma, as garotas se juntam a mim. Quase desabo no chão. Nunca na vida vi um grupo de mulheres se unir dessa forma. Olhando ao redor da praça, vejo que isso não passa despercebido por nenhuma de nós. Os homens estão embalados demais pela retórica, vociferando para o nada com rostos vermelhos, mas as mulheres permanecem tranquilamente em silêncio, como se tivessem esperado a vida inteira por isso. Como sinais de fumaça em uma montanha distante, vejo um brilho vermelho se espalhar discretamente pela multidão.

Uma pequena flor vermelha sob o avental da florista, que me deu uma íris roxa antes de eu partir, o símbolo da esperança. Uma flor vermelha sob o babado do vestido da tia Linny; lembro que ela me mandou ficar no mato, dizendo que era meu lugar, e até me deu um ramo de azevinho, igual ao dos arbustos a caminho da colina. Uma flor vermelha sob a gola de June, que costurou todas aquelas sementes na minha capa... em segredo. E uma flor vermelha sobre o peito de minha mãe, que me contou que a melhor água vem da nascente.

Elas arriscaram tudo para tentar me ajudar e eu nem percebi. Em minha mente, só consigo ouvir as palavras de minha mãe:

— Seus olhos estão bem abertos, mas você não enxerga nada — sussurro.

Lágrimas ardem em meus olhos, mas não ouso piscar; não quero perder nenhum segundo deste momento.

— Isso foi longe demais — diz o sr. Welk, chamando os guardas.

— Você está dizendo que são mentirosas? — pergunta Michael. — *Todas* elas?

O sr. Welk agarra o cotovelo dele e sussurra.

— Já entendi o que você está tentando fazer, é muito nobre, mas você não sabe com o que está lidando. Isso pode sair do controle.

Michael se desvencilha.

— Ou talvez você esteja *me* chamando de mentiroso? — exclama, alto o suficiente para ser ouvido por todos. — Porque, se você não acredita em nada disso, o que está dizendo é que a magia não é real.

— Não seja ridículo — diz o sr. Welk, com uma risada forçada.

— Claro que é real. — Ele engole em seco. — Acho que a principal questão aqui é a *segurança*. — Ele apela para a multidão. — Como poderemos ter certeza de que ela não virá até nós em nossos sonhos... para nos matar durante a noite?

— A magia de Tierney se foi. Posso sentir só de olhar para ela — Michael diz, à minha frente, mesmo sem conseguir me olhar nos olhos. — Venham... vejam vocês mesmos.

Os homens se aproximam, analisando cada centímetro meu. Quero arrancar os olhos deles, mas me obrigo a permanecer parada.

— Chega dessa idiotice — diz o sr. Welk, chamando os guardas. — Tragam as tochas.

Michael encara o pai.

— Estou avisando. Se queimar Tierney, vai ter que me queimar junto.

A cor some do rosto do sr. Welk. Neste momento, vejo quanto ele ama o filho, quanto aguentaria qualquer coisa para não perdê-lo. Até eu.

— Vamos fazer o seguinte... — ele diz, mandando os guardas se afastarem. — *Eu* vou examiná-la.

Ele range os dentes, como se estar perto de mim lhe causasse dor física. Enquanto me encara de frente, posso sentir o ódio que emana dele, mas há algo além disso. *Medo*. Ele está perdendo o controle da situação, e nós dois sabemos disso. Assim como ele me disse naquela noite na farmácia, enquanto dava chibatadas nas minhas costas: é perigoso perder o respeito.

— Meu filho fala a verdade — ele diz, curvando os ombros ao se dirigir à multidão. — Ela já não tem magia.

Os homens soltam gemidos de decepção.

— Mas isso *prova* como a magia das garotas está cada vez mais forte — continua o sr. Welk, com um ânimo renovado. — Isso prova que o Ano da Graça é mais necessário do que nunca.

Preciso usar toda minha força para ficar calada ao ouvi-lo incitar o medo em nossa comunidade, inventando uma mentira ainda maior, mas quando olho para as mulheres, noto uma leve mudança. Esperança, espalhando-se como bálsamo em uma ferida aberta. Não é como a rebelião dos meus sonhos, não é uma demonstração de força feminina como a da garota, mas talvez seja o início de algo – algo maior que nós mesmas.

— Por favor, filho, não faça isso — implora o sr. Welk. — Ela não vale a pena. Ela está fazendo você de bobo.

Michael levanta a fita preta e pede para que eu me vire.

Sei que é minha última chance de me pronunciar, de ser ouvida, mas, neste exato momento, sinto a criança se mexer dentro de mim. O filho de Ryker. Se eu não continuar calada, se eu não aceitar o gesto de Michael, a linhagem de Ryker morrerá comigo.

Então eu me viro, lágrimas escorrendo pelo meu rosto.

Michael amarra a seda preta em minha trança e arranca a fita vermelha com mais força do que o necessário, mas não me importo. Tudo de que preciso é apenas sentir qualquer coisa além disso, qualquer coisa que me distraia da dor de ser silenciada de vez. Mas nada disso é mais sobre mim.

Um guarda corre até nós com um pergaminho, que entrega ao sr. Welk. Ele rompe o selo e estuda o registro; há um brilho sombrio em seus olhos.

— Acredito que seja para você, Michael. Seu primeiro dever oficial como líder do Conselho.

Quando ele passa o pergaminho para Michael, sei que se trata de algo ruim. É uma forma de punir o filho por me escolher.

Michael aperta o maxilar, respirando fundo pelas narinas, e declara:

— Tenho em minhas mãos a informação de que o corpo de Laura Clayton não foi encontrado.

Laura. O olhar desolado no rosto dela antes de se jogar da canoa.

Quando a atenção do condado se volta para a família Clayton, a sra. Clayton demonstra indiferença, mas vejo seus dedos apertarem com força o ombro de sua filha mais nova.

— Não — sussurro para Michael. — Por favor, não faça isso.

— Usei toda a minha boa vontade com você — ele responde, entre dentes cerrados. — Priscilla Clayton... — chama, erguendo o queixo. — Aproxime-se.

O sr. Clayton solta a filha do aperto da mãe e a empurra em nossa direção.

A garota anda até o centro da praça, quase tropeçando em seu cadarço desamarrado, então puxa a trança sobre o ombro, mexendo na fita branca com nervosismo. Eu a enxergo como uma colega de Clara. Ela só tem sete anos.

— Está pronta para aceitar o castigo de sua irmã? — pergunta Michael.

Lágrimas enchem os olhos dela, mas ela não emite som algum.

— Em nome de Deus e dos homens escolhidos — Michael

diz, apenas uma leve hesitação marcando sua voz —, eu a declaro banida para as margens até o fim de seus dias.

O barulho do portão enorme sendo aberto me faz estremecer.

Quando ela dá o primeiro passo fraco rumo às margens, Michael a interrompe.

Suspiro aliviada, achando que ele mudou de ideia, que ela não terá que seguir em frente, mas tudo o que ele faz é esticar a mão, puxar a fita branca do cabelo dela e deixá-la cair no chão.

Olho para ele com nojo. Como pode ser capaz de fazer isso? Mas agora ele é um deles.

Ajoelhando-me para amarrar o cadarço da bota dela, sussurro:

— Laura queria que eu dissesse a você que ela sente muito. — Dou outro laço e continuo: — Procure pela mãe de Ryker. Ela cuidará de você.

Ergo meu olhar para o rosto dela, esperando um sorriso discreto, um agradecimento choroso, mas só o que recebo é uma raiva fria. E por que seria diferente? Todas nós deveríamos estar com raiva.

Enquanto as fitas pretas são entregues e as oficinas para onde as garotas sem véu são determinadas, meu olhar segue a última ponta visível do branco da seda abandonada que se retorce na brisa, se arrasta pela terra, atravessa o portão, o lago e a floresta onde deixei parte de meu coração, então me pergunto se Ryker ainda está lá, se pode me ver. O que deve pensar de mim.

Quando a cerimônia acaba e a multidão se dispersa, vejo os guardas carregarem caixas discretas do portão até a farmácia. Olho ao redor, para checar se alguém mais vê o que vejo, mas as mulheres parecem não enxergar nada, seus olhares distantes. Fascinados. Horrorizados.

As coisas que fazemos com as garotas. Seja colocando-as em pedestais só para depois arrancá-las de lá, seja usando-as como simples pedaços de carne, somos todos cúmplices. Mas uma coisa leva a outra, e preciso acreditar que algo de bom sairá de toda esta destruição.

Os homens nunca acabarão com o Ano da Graça.

As mulheres, talvez sim.

Em um clima tenso e silencioso, Michael me acompanha até nosso novo lar, um sobrado cheio de gardênias. Me sinto sufocada com o perfume pesado, com suas boas intenções.

Assim que a porta se fecha, eu digo:

— Michael, você precisa saber... eu não fui tomada... contra a minha vontade.

A expressão no rosto dele é tão desolada que quase prefiro ser queimada viva.

— Não... — ele diz, tirando a gardênia da lapela e amassando-a na mão.

— Eu não pedi por nada disso. Não pedi para você mentir por mim.

Uma criada pigarreia, vindo do salão.

— Leve-a — Michael diz, como se eu fosse uma criança malcriada, antes de sair de casa.

— Para onde o senhor deseja que eu a leve? — ela pergunta.

Ele se vira, e a raiva, a fúria queimando em seus olhos, me dá calafrios. É a primeira vez que sinto medo dele.

— Ela pode me esperar em nosso quarto — diz, batendo a porta ao sair.

Subo a escada coberta por um carpete macio e passo a mão no papel de parede, nos arabescos cor de vinho.

— Algemas acolchoadas não deixam de ser algemas — sussurro.
— O que a senhora disse? — pergunta a criada.
Senhora. Como isso me aconteceu? Como vim parar aqui?

No topo da escada, há quatro portas fechadas. A lamparina a gás tremeluz sob o vidro decorado. Há uma pintura na parede. Uma criança, uma menina deitada na grama. O que será que ela vê? Talvez Michael se lembre de mim, de quando deitávamos no campo, mas não posso deixar de pensar que ela está morta. Que foi deixada na grama para morrer.

— O sr. Welk gostaria que a senhora o aguardasse aqui.

Sr. Welk. É assim que ele se chama agora. Não é mais Michael.

Ela abre a segunda porta à direita. Eu entro no quarto. Noto que ela nunca me dá as costas, então me pergunto se esse hábito é um resquício de seu Ano da Graça... se ela me vê como inimiga.

Normalmente, voltamos tremendo e agitadas, chorando por termos passado por toda aquela violência mortal. Talvez eu pareça ainda mais perturbadora por não me comportar assim.

Ela sai do quarto, trancando a porta ao sair.

Ando em círculos, contando meus passos. Há uma cama com dossel, feita de mogno entalhado. Uma escrivaninha com gaveteiro, papel, tinta e pena. Encontro uma Bíblia ao lado da cama: couro grosso preto, páginas sedosas com bordas douradas. A inscrição na primeira página me dá vontade de incendiá-la: *Para meu filho. Minha posse mais preciosa*. Me lembro de quanto Michael odiava tudo isso, a pressão para seguir os passos do pai, as amarras do condado.

Mas esse era quem Michael costumava ser. O sr. Welk, por outro lado, parece muito mais confortável com isso tudo.

Eu me abaixo para olhar sob a cama quando um calafrio me percorre, como se meu corpo reagisse a uma lembrança antiga, ou talvez a um déjà vu – meu coração pulando antes mesmo de minha mente conseguir acompanhar. Ouço o som de um machado sendo cravado na madeira. Olho pela cortina de renda e vejo um homem lá embaixo, cortando lenha. Violentamente, ele golpeia a madeira com o machado, de novo e de novo e de novo. O corpo dele está todo retesado, o esforço visível em seu pescoço. Não há delicadeza nenhuma em cada corte. Ele está fazendo isso apenas para extravasar a raiva... ou para alimentá-la.

Quando ele faz uma pausa e olha para a janela, noto que é Michael. Sr. Welk.

Eu me esquivo, esperando não ter sido vista, mas quando volto a olhar, ele se foi... com o machado.

Escuto a porta da frente ser aberta, o som de passos pesados no hall, então corro pelo quarto em busca de qualquer coisa que possa usar para me defender. Mas de que adiantaria? Aqui, sou propriedade dele. Ele pode fazer o que quiser comigo. Sem consequências. Além disso, todos alegariam que eu mereci.

Destrancando a porta, ele a escancara. E fica ali, de pé, coberto de suor, o machado ao seu lado.

— Sente-se — diz, apontando para a cama.

Faço o que ele manda. Não tenho ideia do que ele espera de mim, o que mais ainda posso suportar, mas tento pensar nas minhas lições. Pernas abertas, braços esticados, olhos para Deus.

Ele deixa o machado na mesa de cabeceira e para à minha frente, o cheiro da raiva apodrecendo em sua pele. Tensiono o maxilar, esperando o pior, mas o que ele faz é tão inesperado que fico sem palavras, sem ar.

Ele se ajoelha diante de mim e desamarra minhas botas imundas.

Quando ele as tira de meus pés feridos, diz:

— Eu não menti. Sonhei que estava com você todas as noites.

Lágrimas escorrem pelo meu rosto quando ele deixa a chave na mesa de cabeceira, pega o machado e sai do quarto.

Um pouco depois, ouço uma batida leve na porta. Eu me empertigo, achando que ele voltou para conversarmos, para que possamos nos resolver, mas é só a criada.

Minha decepção me surpreende.

Ela enche a banheira e me ajuda a me despir. Desvia o olhar quando vê minha barriga, e me pergunto o que ela deve pensar de mim. O que todos devem pensar.

Eu a reconheço do ano anterior ao de Ivy. Ela se chama Bridget. Parece nervosa, ansiosa, mas não faz perguntas. Em vez disso, fala sem parar sobre os acontecimentos do condado. Não consigo prestar atenção em nada, mas gosto do barulho, do ar de normalidade.

Ela usa uma escova macia para esfregar meu corpo com um sabão feito de mel, comprado no mercado. Ela lava meu cabelo com lavanda e confrei. A água quente é tão gostosa que não quero sair tão cedo do banho, mas o caldo e o chá que me aguardam no quarto me motivam. Ela me ajuda a vestir uma camisola branca nova de algodão e me senta à penteadeira, me encorajando a comer enquanto penteia meu cabelo. O toque dela não é dos mais jeitosos, então derramo a maior parte do caldo da colher antes de conseguir levá-lo à boca. Decido pegar o pote e tomar direto dali. Está quente, salgado e saboroso. Ela me diz que, se eu não passar mal, poderei comer outras coisas amanhã, para minha sorte, porque é noite de ensopado. Enquanto trança meu cabelo com a fita de seda preta, fala sem parar sobre o cardápio, a lavanderia, a música da igreja... quando ela por fim me põe na cama, finjo adormecer logo, para que vá embora.

Finalmente sozinha, me deito para ficar em completo silêncio, mas não consigo.

As lamparinas do corredor sibilam, o relógio na sala bate regularmente. Encaro o teto azul-claro, com bordas branquíssimas, e me pergunto como vim parar aqui. Como isso aconteceu. Três dias antes, perdi Ryker, certa de que voltaria para o condado apenas para morrer, e agora estou aqui, neste cômodo limpo e estranho, casada com um homem que me é ao mesmo tempo familiar e desconhecido. Ouço passos dele na escada e pego a chave da porta para trancá-la, mas hesito. Em vez disso, fico ali de pé, esperando, escutando, observando a sombra sob a porta. Ele para e me pergunto se está com a mão na maçaneta, a um segundo de entrar, mas ele segue caminho e anda até o fim do corredor, onde abre e fecha outra porta.

Isso se repete por semanas.

Sei que poderia acabar com o sofrimento dele com uma palavra, mas me contenho.

O que poderia ser dito para tudo ficar bem?

Mas, a cada dia que passa, descongelo um tanto mais.

Cantarolo um pouco no banho. Até rio, lembrando de quando eu e Michael caímos de um carvalho e assustamos Gill e Stacy no campo. Lentamente, começo a voltar ao mundo, ao que eu já fui um dia.

Às vezes, tento imaginar Ryker, sentir seu cheiro e seu toque, mas tudo o que consigo é ver o que está aqui. Tudo o que sinto é o agora. Só quando olho minha barriga redonda no espelho é que me dou conta de que poderei ver Ryker todos os dias, não em sonho, mas nos meus braços. Michael me deu esse presente. E, apesar de tudo, me sinto grata.

Logo, começo a usar os lindos vestidos que me são oferecidos. Tranço meu cabelo e o amarro com a fita preta. Vejo a vida passar pela janela, através das cortinas ensolaradas. Quando o relógio bate meia-noite, me aventuro escada abaixo e me sento em frente à lareira da sala. Não tenho mais medo de olhar para as chamas. O que eu não daria por um pouquinho de magia agora, real ou inventada.

Noite após noite, sinto Michael na porta atrás de mim, me observando, esperando uma palavra gentil, um simples gesto, mas não consigo fazer nada.

Às vezes, penso no que teria acontecido se ele tivesse me contado antes o que sentia. Será que teríamos nos beijado sob o céu estrelado, antes mesmo do Ano da Graça nos assolar?

Mas não podemos voltar no tempo. Ele é líder do Conselho agora. É dono da farmácia, o lugar que vende partes de garotas que foram mortas no Ano da Graça. Não importa o que um dia vivemos juntos, preciso lembrar que o Michael que conheci se foi. Esse é o sr. Welk.

Ao passar um mês, tempo considerado respeitável para uma garota se recuperar da loucura do Ano da Graça, sou encorajada a sair.

"Encorajada" é um eufemismo para dizer que me jogam porta afora e a trancam assim que saio. É o que se espera de mim. E, mais importante ainda, preciso mostrar que pertenço a este lugar. Preciso assumir minha nova posição. Não posso esconder minha barriga, por mais que eu queira.

É estranho andar pelas ruelas estreitas. Os homens desviam o olhar. No começo, isso me perturba, mas logo percebo como é libertador. As mulheres, por outro lado, me olham diretamente nos olhos, sem piscar. É uma mudança sutil, que os homens nunca notariam, mas eu a sinto.

As mulheres não podem se reunir fora das datas dos feriados oficiais, mas sinto falta de companhia. Antes do Ano da Graça, eu evitava o mercado a qualquer custo, mas agora invento desculpas para ir até lá. Cada troca, cada olhar tem um significado mais profundo. Tirar uma luva e revelar um dedo cortado. Erguer o queixo para mostrar uma orelha rasgada. Todas carregamos feridas, algumas mais visíveis do que outras. E tudo isso é uma língua por si só, uma que eu ainda preciso dominar. Mas estou aprendendo.

Exceto pela estufa, o lugar que mais visito é a barraca de mel. Devem achar que sou obcecada por doces ou que tomo mais banhos do que uma deusa grega, mas vou até lá principalmente para ver Gertie. Só trocamos cumprimentos habituais, mas é impressionante quantas sutilezas cabem em um simples "bom dia". Eu aliso minhas saias para mostrar quanto minha barriga cresceu, então ela sorri para uma garota que trabalha com ela; a garota sorri de volta, com o rosto corado, os olhos brilhando, um sorrisinho tímido, e me pergunto se Gertie encontrou felicidade. Êxtase. Algo melhor que a litogravura.

Só vi Kiersten algumas vezes, sempre escoltada por suas amas, linda como sempre, mas quando ela sorri para mim, é como se seu olhar me atravessasse. Como se estivesse perdida em sonhos. Talvez seja melhor assim. Para todas nós.

Sempre é possível saber das fofocas no mercado – não pelas mulheres, que sabem ser discretas, mas pelos homens. Talvez o uísque os deixe desinibidos demais, ou talvez eles queiram que saibamos do azar de outros homens, mas quando passo pela barraca de castanhas, escuto que houve um pequeno incêndio na farmácia. Não acredito que Michael não me contou, mas por que o faria? É assunto de homens. Não gosto de como falam dele, como se ele não desse conta de tudo que tem, mas quando penso na farmácia, no que vendem naquelas prateleiras escondidas, não posso negar que parte de mim lamenta que não tenha queimado inteira.

Toda tarde, ando pelo lado oeste e passo pela minha antiga casa, esperando vislumbrar minha mãe. Hoje finalmente fui recompensada.

Quero desesperadamente olhá-la nos olhos, uma única vez, mas ela parece passar por mim sem me notar.

Estou prestes a continuar seguindo em frente quando vejo uma petúnia rosa em seus dedos. Essa flor pode significar ressentimento, mas na língua antiga era usada para dar um recado urgente: *Sua presença é necessária.*

Sei que é perigoso demorar tanto assim, mas estou convencida de que é uma mensagem para mim.

Ela anda para o oeste, pela rua que atravessa a floresta, e eu a sigo.

Milhões de vezes antes, segui meu pai, vendo-o se esgueirar para as margens, mas nunca me ocorreu seguir minha mãe – nunca pensei que ela pudesse ter uma vida própria.

Quando ela corta para o norte, aperto o passo. Quero manter uma distância segura, mas tenho medo de perdê-la de vista e nunca mais encontrá-la.

Alcanço a árvore onde ela virou e procuro por ela, sem sucesso. Quase posso ouvir sua voz em minha mente: *Seus olhos estão bem abertos, mas você não enxerga nada.*

Inspiro fundo e ouço um sussurro, nada além de um cochicho, provavelmente só o vento soprando folhas mortas, mas é o suficiente para me fazer continuar. Deixo meus sentidos me guiarem e atravesso um arbusto de sempre-vivas e um véu de cipós, chegando a uma pequena clareira árida.

No meio dela, há resquícios de uma fogueira, e no ar paira cheiro de musgo, cipreste e cinzas.

Ao norte, escuto vozes – vozes de mulheres, barulhentas, irrestritas – e noto que devo estar perto das margens. Pode ser um acampamento usado por predadores, mas ao redor da fogueira vejo sinais de flor de cenoura e valeriana. Lembro o que Ryker contou sobre as reuniões. Este lugar é para mulheres.

— Nos encontramos aqui na lua cheia — diz minha mãe. — Você receberá uma flor como convite, mas só quando o bebê nascer.

Viro o rosto, procurando por ela, mas ela está escondida entre as árvores. Olhando com mais atenção, reparo: é o mesmo lugar dos meus sonhos. As árvores são mais baixas, a luz é um pouco diferente, e o chão da floresta não está coberto de flores vermelhas misteriosas, mas é aqui, sem dúvida.

— Eu sonhava com este lugar — digo.

— É porque você já esteve aqui, quando pequena — ela diz.

— Estive? — pergunto, tentando encontrá-la.

— Você deve ter me seguido, mas então se perdeu — ela diz; sua voz parece se mover como um turbilhão ao meu redor. — A sra. Fallow te encontrou, te levou para casa. Ficamos preocupadas, com medo de que você comentasse sobre o que viu aqui, mas você sempre foi ótima com segredos.

Reviro minha memória em busca de pistas do que vi. Chamas, dança, mulheres de mãos dadas.

— Por muito tempo, achei que os sonhos fossem realidade — digo, procurando por ela atrás dos cipós. — Achei que fosse minha magia chegando, mas era só eu falando comigo mesma, me mostrando o que meu inconsciente não conseguia nomear.

É só quando ela sai de trás de um abeto que eu a vejo.

— Mãe — sussurro. Começo a correr na direção dela, mas ela ergue uma mão para me impedir.

Ela está certa. Não posso me deixar levar. Esqueci como são as coisas por aqui. Como isso é perigoso.

Eu me aproximo de outra árvore e conversamos de lados opostos da trilha, as duas escondidas pelas sombras.

— Minhas irmãs estão envolvidas? — pergunto.

— June sim, ela me ajuda muito, mas Ivy não foi feita para esse tipo de coisa.

— Como sei em quem confiar? Como sei quem é uma de nós?

— Você não sabe — ela responde. — Comece com as mais próximas. Conversinhas para testá-las, mas nada que possa provocar algum castigo além da chibata. Você não quer chamar atenção.

— Eu deveria saber que era você por trás de tudo isso — digo, meus olhos marejando.

— Não fiz nada sozinha. Seu pai é um bom homem. Mas todos os bons homens precisam de ajuda, às vezes. Como o Michael, com o incêndio na farmácia.

— Como assim?

Ela sorri.

— Curioso que apenas um armário tenha sido atingido pelas chamas, não?

Olho para os restos da fogueira, tentando entender o que isso significa, mas quando viro o rosto para dizer que não tive nada a ver com o incêndio, minha mãe se foi. Só consigo vislumbrar a ponta de sua fita de seda preta desaparecendo pela trilha.

Quero correr, gritar o nome de Michael na praça, mas minha mãe está certa, não posso chamar atenção. Uso cada gota de força que tenho para me conter, me curvar, andar devagar, até que pareça que só saí para respirar ar puro.

Paro primeiro na farmácia, mas ela já está fechada. A placa dizendo FECHADO está pendurada na porta por uma correntinha prateada.

Olho pelas janelas e a lembrança de ver meu pai comprando um frasco do sr. Welk vem à tona imediatamente. Agora resta só uma sombra cinzenta onde antes ficavam as prateleiras.

— É verdade — sussurro.

Michael fez isso por mim e nem me contou. Por outro lado, nunca lhe dei oportunidade.

Nos últimos meses, tudo o que fiz foi afastá-lo, e por quê? Ele salvou minha vida, assumiu o filho de outro homem e não me pediu nada em troca. Acho que o afastei por me sentir culpada por tê-lo tratado tão mal quando ele ergueu meu véu. Sinto culpa por traí-lo ao me apaixonar por outra pessoa, e sinto culpa por não confiar que ele continuaria sendo exatamente o que sempre soube que era: um bom homem.

Engulo minhas emoções e volto para casa, em passos lentos e calculados, mas assim que fecho a porta da frente, arranco minha capa de lã e corro pela casa, trombando com Bridget no alto da escada.

— Onde ele está? — pergunto. — Onde o sr. We... Michael está?

— Reunião do Conselho — ela responde, agitada. — Ele só voltará mais tarde. Aconteceu alguma coisa com o b...?

— Não... não... nada assim — digo, alisando minhas saias. — Não é nada.

Ela me encara.

— Por que a senhora não descansa? — diz, me levando ao quarto. — Servirei o jantar em breve.

Eu me sento na beira da cama e ela se abaixa, silenciosamente tirando espinhos da barra da minha saia. Os mesmos espinhos que eu sempre encontrava nas roupas de June.

Olho para ela, tentando descobrir se ela suspeita de alguma coisa, se de alguma forma acabo de me entregar, mas quando ela sai do quarto, noto uma pequena mudança. Ela agora se permite me dar as costas.

Quando Bridget sobe com o jantar, eu como devagar, fingindo que nada aconteceu, mas tudo mudou. Eu mudei. Não é só pela notícia do incêndio na farmácia, apesar do gesto ter mais significado para mim do que Michael pode imaginar; é sobre crescer, aceitar responsabilidades, aceitar bondade, aceitar amor.

Entro no banho e Bridget preenche o silêncio, falando sem parar das flores da igreja. Eu me inclino sobre a beirada da banheira e tiro uma pétala cor-de-rosa de um arranjo na bandeja. Minha mãe disse para testar as pessoas mais próximas de mim. Quem pode ser mais próxima do que Bridget? Ela já foi uma garota do Ano da Graça, assim como eu. De propósito, solto a pétala na banheira, deixando que toque meus tornozelos lascivamente.

Bridget para de falar. Ela prende a respiração. Olho para seu rosto, esperando que ela arranque a pétala da água, corra para contar ao chefe da casa sobre minha transgressão, mas, em vez disso, vejo um sorriso sutil nos cantos de sua boca. Então sei que este é um recomeço. Para todos nós.

Hoje, quando o relógio bate meia-noite, desço a escada, arrastando meu robe de seda no carpete macio, e me enrosco no sofá. Michael mal faz barulho ao entrar, mas sei que chegou; sinto o perfume de âmbar. Tento respirar no ritmo dele, desejando que ele se aproxime, mas quando ele se vira para subir para o quarto, sussurro:

— Por favor. Junte-se a mim.

Ele pigarreia antes de entrar na sala, como se quisesse confirmar que eu estava mesmo falando com ele.

Ele se senta ao meu lado, tomando cuidado para não se aproximar demais e me assustar. Ficamos assim por muito tempo, olhando para as chamas, e me lembro de Ryker dizer que Michael parecia um homem decente. Pelo menos acho que ele disse isso, ou talvez seja o que preciso pensar para fazer as pazes com a situação. Respiro fundo e digo:

— Eu devo uma expli...

— Você não me deve nada — ele sussurra. — Eu te amo. Sempre amei. Sempre amarei. Só espero que, com o tempo, você aprenda a me amar também.

Meus olhos se enchem d'água.

— O incêndio na farmácia... eu sei que foi você. Sei que fez por mim.

Ele bufa.

— Para alguém que está certa sobre tantas coisas, quando você erra, erra para valer.

Olho para ele, tentando entender.

— Eu fiz por *mim* — ele diz, franzindo a testa. — Aqueles anos todos da nossa infância, correndo pelo condado, tentando decifrar pistas sobre o Ano da Graça, tudo aquilo foi importante para mim. A garota dos seus sonhos... também foi importante. Sempre acreditei em você, nela, na mudança, você é que não acreditou em *mim*.

Lágrimas escorrem pelo meu rosto.

Hesitando, ele apoia a mão ao lado da minha no sofá, o calor de sua pele me chamando. Estico os dedos e seguro a mão dele. A princípio, estremeço sob o peso de sua mão, o peso deste momento, mas é bom. É real. Não estou traindo Ryker, só sinto que meu coração é grande o suficiente para amar duas pessoas ao mesmo tempo, de duas formas diferentes.

E é assim que começa, que nossa amizade cresce e se torna outra coisa.

Maior do que eu jamais poderia esperar.

Ao longo do inverno, Michael e eu nos acostumamos a desempenhar os papéis que esperam de nós, até não parecerem mais apenas papéis. Comemos juntos, passeamos pelo mercado, vamos à igreja, frequentamos eventos, sempre de braços dados. Às vezes, ele me deixa ajudar na farmácia, o que me dá um propósito, algo a fazer, e também me permite conhecer melhor as mulheres do condado. É uma abordagem delicada, tentar identificar quem delas está aberta à mudança e quem preferiria arrancar minha língua fora. Mas tudo isso levará tempo. E finalmente aceitei que tenho bastante.

Enquanto isso, aproveitamos a companhia um do outro. Não me esquivo mais quando ele me toca; me apoio nele, buscando conforto e calor. À noite, conversamos sobre todos os assuntos possíveis, exceto o Ano da Graça. É a única promessa que nunca quebrarei. Não pertence a ele.

Quando a lua cheia do meu nono mês se aproxima, eu sinto sua influência no meu corpo, na dualidade entre querer manter meu bebê na barriga e precisar deixá-lo nascer.

Eu costumava temer a lua cheia. Eu a via como um tempo sombrio e selvagem, onde a loucura se esconde. Mas acho que, na verdade, a lua cheia mostra quem somos... quem devemos ser.

Hoje, quando abro os olhos, vejo a garota deitada ao meu lado. Faz tanto tempo que não sonho com ela que me assusto. Ela parece diferente... preocupada.

— Vai ficar tudo bem — digo, mas quando tento tocar o rosto dela, minha mão a atravessa.

Um solavanco de dor percorre meu corpo e eu me encolho em posição fetal. Começa no meu baixo-ventre e irradia pelas pernas. É tão intensa, tão repentina, que solto um grito agudo.

— O que foi? — Michael pergunta, acordando de sobressalto. — Outro pesadelo? Estou aqui. Você está segura. Você está em casa.

Tento me levantar, mas a próxima onda de dor me derruba como uma carroça desgovernada.

— Ai — consigo suspirar.

— O que posso fazer? — ele pergunta.

Eu me curvo, tentando aliviar a pressão, quando noto os floquinhos flutuando na janela.

— Neve — sussurro, olhando pela fresta entre as cortinas pesadas cor de damasco.

— Quer que eu abra a janela? — ele pergunta, tocando minhas costas com sua mão quente.

Assinto.

Assim que ele abre, uma rajada de ar gelado me leva de volta ao acampamento – estou encarando Ryker no lago congelado. Uma nova onda de dor me toma, mas desta vez não é física. Tento me levantar para ver a neve, mas quando fico de pé, Michael gagueja:

— Tierney... você está sangrando.

Sem tirar os olhos da neve que cai, respondo:

— Eu sei.

Ele sai correndo do quarto, gritando para as criadas irem buscar a parteira, e não consigo deixar de pensar que isso é um sinal. Uma neve tardia, mandada por Eva. Mas o que ela está tentando me dizer?

Outra onda de dor me atravessa, fazendo meus joelhos cederem.

Michael entra correndo no quarto, arrastando a parteira atrás dele. Ela ainda parece meio adormecida, mas acorda assim que vê meu estado.

— Querida — diz, pressionando a mão contra minha testa. Estou encharcada de suor, fervendo de febre, mas tento sorrir. Outra onda de dor me faz gemer.

Ela me ajuda a deitar para me examinar e eu vejo minha barriga se remexer sob a luz da lamparina. Cotovelinhos e joelhinhos, querendo sair dali.

— Preciso de toalhas, água quente, gelo e iodo — ela ordena a Michael. — *Agora*.

— O que houve? — ofego. — Aconteceu alguma coisa com o bebê?

Michael sai do quarto, gritando com as criadas, e eu faço milhões de perguntas, mas a parteira me ignora, tirando suas ferramentas da mala. Penso em Ryker, nas ferramentas que ele usava para matar.

Há uma comoção no andar de baixo. A parteira ajeita meu corpo com travesseiros. Até o mínimo movimento é excruciante. Preciso morder um pano para não berrar.

Ouço gente subindo a escada; minha mãe e minhas duas irmãs mais velhas entram no quarto. Clara e Penny não podem estar aqui, porque ainda não sangraram.

Elas ficam ao meu redor e ouço meu pai do lado de fora, tentando acalmar Michael:

— Vai ficar tudo bem. Tierney é forte como ninguém. Ela vai aguentar.

Minha mãe pressiona um pano úmido na minha testa.

— Estou com medo — sussurro.

Ela pausa, seu rosto marcado por preocupação.

— *Frykt ikke for min fjaerlighet er evig.*

— Não tema, pois meu amor é eterno — sussurro de volta. Lágrimas brotam dos meus olhos. Lembro-me de ser pequena e estar deitada ao lado de minha mãe no quarto dela, depois do nascimento de Penny, todas nós cercadas pelo cheiro de sangue e frésia. Ela estava queimando de febre e eu sabia, pelo rosto de meu pai, que talvez nunca mais a visse. Quando me agarrei a seu corpo quente e macio, enterrando o rosto nos lençóis suados, ela me mandou ser forte. Ela pôs a mão no coração.

— Há um lugar dentro de nós que eles não veem nem alcançam. O que queima em você, queima em todas nós.

Corri para a floresta naquela noite e me escondi na grama alta. Queria me esconder de todos os meus medos.

O medo de envelhecer, a vergonha de não parir filhos. Todas as feridas que as mulheres guardavam tão bem que precisavam apertar os lábios por medo de escaparem. Vi a dor e a raiva escoando pelos poros delas, fazendo-as atacar outras mulheres ao redor. Inveja das filhas. Inveja do vento que pode subir até os rochedos sem preocupação. Eu pensava que, se nos cortassem, encontrariam um labirinto sem fim de cadeados e fechaduras, represas e becos. Um coração com paredes tão altas que vai sufocando aos pouquinhos, engasgando com tantos segredos. Mas aqui, neste quarto, cercada por minha mãe e minhas irmãs, entendo que há muito mais em nós... um mundo escondido nos gestos, mas que nunca tinha conseguido enxergar. Eles sempre estiveram bem aqui.

Quando minha mãe se afasta para ajudar a parteira, June e Ivy se aproximam para me reconfortar.

— Estamos aqui — June diz, segurando minha mão.

— Tudo bem gritar — Ivy acrescenta, segurando a outra mão. — Eu gritei sem parar com a Agnes. É a nossa única oportunidade de gritar, então é melhor aproveitar.

— Ivy — repreende June, mas não consegue conter um sorrisinho. — Podemos gritar juntas... se você quiser — acrescenta.

Assinto com a cabeça, sorrindo meio tonta ao apertar as mãos delas.

A parteira pressiona minha barriga e sacode a cabeça.

— O que foi? — minha mãe pergunta.

— O bebê está numa posição ruim. Vou precisar entrar e virá-lo.

Minhas irmãs me seguram com mais força. Todas já ouvimos histórias. Partos já são perigosos nas melhores circunstâncias, e é mais difícil ainda bebês sobreviverem quando estão invertidos.

— Prepare-se — a parteira diz, segurando minha barriga com uma mão e enfiando a outra em mim.

A dor começa com uma ardência, mas logo se torna latejante e profunda. Um gemido gutural escapa de meus lábios quando eu me tensiono.

— Não empurre — ela diz.

Mas não consigo. A pressão é insuportável. Estou exausta. Ofegando. Suor pinga de cada poro do meu corpo, meu cabelo está encharcado, os lençóis estão cobertos de sangue. Não sei quanto tempo mais eu aguento. Então olho para a neve caindo pela janela e penso em Ryker. Ele nunca me deixaria desistir. Ele nunca me deixaria ser fraca. E eu nunca me permitiria parecer fraca na frente dele. Fecho os olhos e imagino que ele está aqui comigo. Talvez eu esteja delirando, à beira da morte, mas juro sentir a presença dele.

Ouço os homens do lado de fora do quarto, o tilintar dos copos, o leve odor de uísque entrando por debaixo da porta.

— Que você seja abençoado com um filho — declara o padre Edmonds a Michael.

— É melhor rezarmos — Ivy diz, com medo no olhar.

Minha mãe e minhas irmãs se posicionam ao meu redor e unem as mãos.

— Senhor, use-me como receptáculo divino para trazer seu filho...

— Não. Isso não. — Sacudo a cabeça, ofegante. — Se querem rezar, rezem por uma garota.

— Isso é blasfêmia — Ivy sussurra, olhando para a porta, para garantir que os homens não ouviram.

— Pela Tierney — diz minha mãe.

As mulheres se entreolham e um acordo tácito se faz no quarto. Elas voltam a unir as mãos.

— Senhor, use-me como receptáculo divino para trazer sua... *filha*...

Elas rezam e eu empurro.

— Pés — grita a parteira. — Pernas. Braços. Cabeça — seu tom vai ficando mais grave. — A criança saiu.

— Posso vê-la? — grito.

A parteira olha para minha mãe, que assente com seriedade.

Assim que ela coloca o bebê no meu colo, as lágrimas vêm.

— É uma menina — digo, com uma risada suave.

Mas ela está completamente inerte.

— Respire... por favor, respire... — sussurro.

Limpo o sangue de seu rostinho perfeito e noto que ela tem meus olhos, minha boca, o cabelo escuro de Ryker, uma covinha no queixo e uma manchinha que não sai. Uma marquinha vermelha debaixo do olho direito.

E, no momento de sua primeira inspiração pesada, me dou conta de que é ela: a garota que eu estava procurando.

Solto um suspiro choroso e a abraço com força, beijando-a com carinho.

A magia é real. Talvez não da forma como acreditam, mas se estivermos dispostos a abrir os olhos, abrir o coração, poderemos ver que ela está ao nosso redor, dentro de nós, esperando para ser reconhecida. Sou parte dela, assim como Ryker, como Michael, como todas as garotas que se juntaram a mim naquela praça para que isto pudesse acontecer.

Ela pertence a todos nós.

— Sonhei com você a vida toda — digo, beijando-a. — Você é desejada. Você é amada.

Como se entendesse, ela segura meu dedo com sua mãozinha minúscula.

— Como ela se chama? — pergunta minha mãe, seu queixo tremendo.

Nem preciso pensar; é como se eu sempre soubesse.

— Ela se chama Graça — sussurro. — Graça Ryker Welk. E é ela quem vai mudar tudo.

Minha mãe se curva para beijar a neta e deixa uma florzinha vermelha com cinco pétalas em minha mão.

Olho para ela e sussurro:

— Meus olhos estão bem abertos, e agora enxergo tudo.

Com lágrimas escorrendo pelo rosto, minha mãe acaricia minha trança, soltando a fita preta e tudo o que ela significa.

Quando fecho os olhos e suspiro profundamente, estou caminhando na floresta, livre, leve.

Já estive aqui. Ou talvez nunca tenha ido embora.

Uma figura sombria irrompe da trilha, seu manto cinzento esvoaçando como fumaça. A cada passo, ele entra mais em foco.

Ryker.

Não sei se ele me reconhece ou não, mas está andando na minha direção.

Firmando meus pés no chão, espero para ver se ele me tomará nos braços ou me atravessará.

Agradecimentos

Três anos atrás, dez da manhã, Penn Station:
    Olho para o painel, desejando que meu trem chegue logo, quando noto uma garota à minha frente. Deve ter treze ou catorze anos, é alta e esguia, pula na ponta dos pés, irritando profundamente os pais, avós e irmãos mais novos. Ela tem a energia nervosa de uma garota à beira da maturidade. Da mudança.
    Um homem de terno passa por ali e olha para automaticamente para ela, de cabo a rabo, como dizem. Conheço aquele olhar. Ela agora está para jogo. É uma presa.
    Então noto uma mulher de meia-idade, atraída pela mesma energia, mas por motivos totalmente diferentes. Quando observa a garota, uma certa tristeza, talvez até desdém, passa em seus olhos. Talvez esteja se lembrando de tudo que perdeu... tudo que acha que nunca terá de volta, e essa garota agora é sua rival.
    Quando o trem da família é chamado, eles correm para o portão e se despedem. Estão mandando a garota de volta para o colégio interno. Ela acena durante todo o percurso da escada rolante, e não deixo de notar o alívio no rosto dos pais dela. Por mais um ano, ela estará protegida do mundo. Segura.
    — As coisas que fazemos com as garotas — sussurro, baixinho.

Em transe, ando até meu trem e, quando me sento, começo a chorar. Choro por aquela garota. Choro pela minha filha, minha mãe, minha irmã, minhas avós.

Abro o computador e, quando chego em Washington, tenho o enredo inteiro. O começo e o fim já estão escritos, e sei que não tenho escolha. Preciso escrever este livro.

Pareceu magia.

Comentei sobre a ideia com alguns amigos, trabalhei isolada, em silêncio. Vivi o desespero da eleição, o fim do meu casamento, a alegria de um novo e, o tempo todo, *O Ano da Graça*.

Mas ninguém escreve um livro sozinha. Minha editora, Sara Goodman, se arriscou comigo. Ela entendeu o que eu pretendia e me guiou em cada versão com amor, severidade e paixão. Ela me pressionou de todas as melhores formas. Não poderia estar mais grata e orgulhosa do trabalho que fizemos juntas. Isso vale para todos na Wednesday Books/St. Martin's Press — desde a linda capa da edição original ao planejamento cuidadoso de como levar este livro às mãos dos leitores, dei muita sorte. Muito obrigada a Jennifer Enderlin, Kerri Resnick, DJ DeSmyter, Jessica Preeg, Brant Janeway, Anne Marie Tallberg, Natalie Tsay, Dana Aprigliano, Jennie Conway e Elizabeth Catalano.

Minha agente poderosa, Joanna Volpe, esteve ao meu lado o tempo inteiro, sempre disponível para conversar sobre a história, pensar em ideias e criar estratégias. Ela me encorajou muito quando eu senti que estava fracassando. E ela também é a primeira pessoa para quem eu ligaria no caso de um apocalipse zumbi. Obrigada por me acolher. Obrigada por mudar minha vida.

E falando nisso, tenho muita gente a agradecer na agência New Leaf Literary: Mia Roman, pela fé cega em mim, Veronica Grijalva, Abbie Donoghue, Jordan Hill, Meredith Barnes, Kelsey Lewis, Devin Ross e, especialmente, Jaida Temperly, que restaurou minha fé no negócio dos livros. Serei sempre grata por terem entrado em minha vida.

Obrigada a Pouya Shahbazian, Elizabeth Banks, Alison Small, Max Handelman, Karl Austin, Marissa Linden e a todos na Brownstone Productions e Universal, por acreditarem em Tierney e em sua história.

Muito obrigada a Kelly Link, Jasmine Warga, Sabaa Tahir, Libba Bray, Melissa Albert, Sara Grochowski, Sami Thomason e Allison Senecal, pelo apoio inicial. O apoio de vocês foi muito mais que uma semente de bondade; foi tudo para mim.

Obrigada a minhas escritoras confidentes: Libba Bray, Erin Morgenstern e Jasmine Warga.

São nessas mulheres em que mais me apoio. Seja escrevendo juntas à distância, seja conversando por horas sobre histórias, livros e vida, vocês foram parte vital desta jornada e têm todo o meu amor e respeito.

A Kara Thomas, Alexis Bass e Virginia Boecker. Obrigada por me fazerem rir todo dia.

Muito obrigada a Nova Ren Suma, Lorin Oberweger, Holly Black, Maggie Hall, Jodi Kendal, Veronica Rossi, Gina Carey, Bess Cozby e Rebecca Behrens.

Arte inspira arte, então devo tirar o chapéu para Laura Marling e Karilise Alexander.

A meus pais, John e Joyce; minha irmã, Christie; Ed, Regan e Evan, obrigada por sempre me apoiarem.

A meu parceiro, Larry. Você me mostrou amor incondicional. Você acreditou em mim quando eu não conseguia acreditar. Você é um raio de luz quente em minha vida. A Kim, Haley e Matt, obrigada por me receberem na família de braços abertos. Eu amo todos vocês.

A minha filha, Madeline, e a meu filho, Rahm, nada neste mundo me deixa mais orgulhosa do que ser mãe de vocês. Vocês me inspiram a ser uma pessoa melhor, a continuar lutando, a continuar tentando. Vocês tornam este mundo melhor simplesmente por existirem.

E à garota na estação de trem. Eu a vejo. Não como presa nem como rival. Eu a vejo como esperança.

**Confira nossos lançamentos,
dicas de leituras e
novidades nas nossas redes:**

🐦 @globo_alt

 @globoalt

📘 www.facebook.com/globoalt

Este livro, composto na fonte Fairfield,
foi impresso em papel Pólen Soft 70 g/m² na Edigráfica
Rio de Janeiro, outubro de 2019